新HSK

⑤級

必ず☆でる単
スピードマスター

中級 1350語

原著作 **李 禄興** 中国人民大学副教授

日本語版監修 **楊 達** 早稲田大学教授

JN050524

Jリサーチ出版

はじめに

中級レベルの学習者と単語学習

　語学の学習者で伸び悩みを経験するのは、中級レベルの方に多いようです。発音、文法やリスニングなどさまざまな要因があると思われますが、なんと言っても一番の壁は語彙力なのかもしれません。中国語の基本文法はほぼ一通り学び、発音も少しずつ「自動化」に近づきつつこの段階、どれだけ多くの単語を知っているのか、自然とその比重が高くなります。「リスニングに自信がもてない」、「リーディングに時間がかかる」、「会話で考えをうまく伝えられない」といった中級学習者の多くが持つこれらの悩みは、語彙力を伸ばすことで解決できると思います。

HSK 5 級について

　公式シラバス『HSK 考试大纲 五级』（2015 年版）によれば、5 級の受験者が覚えるべき単語数は 2500 語となっており、4 級の語彙を除けば 1300 語を覚える必要があるとされています。目安として 2 年以上の学習歴をもつ、いわば中級程度の中国語学習者を対象としたレベル設定です。5 級からは自由作文の設問が新しく登場しているため、中国語のアウトプット力も求められる、まさに実用中国語の能力を試すための級と言えます。

「HSK 必ず☆でる単」シリーズ

「HSK 必ず☆でる単」シリーズは HSK の過去問題に出た語彙を各級に対応して収録した初の単語帳で、本書はそのシリーズの第 5 弾となります。最新のシラバスに対応した 5 級の語句を効率よく覚えることができます。持ち運びが便利なサイズなので、通勤・通学中などのスキマ時間に学習が可能です。

中級レベルの段階では、語彙の意味だけでなく、その使い方をも習得しなければなりません。その意味で多義語（複数の意味を持つ単語）や類義語（似た意味を持つ単語）の使い分けを覚えることがポイントになってきます。また、5 級より新しく登場した自由作文の対策を行うために、アウトプットに役立つ語句を効率よく学ぶことも重要です。

本書は学習者の皆さんが語彙の使い分けをより記憶しやすいように、全ての指定語句に 2 つの例文を音源つきで入れたほか、文法や中国語特有の表現に関する解説も加えて、工夫しています。また、2 種類の自由作文を対策できる語句と模範解答例を収録しているので、5 級の自由作文にも対応することができます。

試験対策にも、中国語をうまく話すためにも本書をおすすめいたします。

日本語版監修　楊 達

中国語学習には HSKが最適!

HSKとは?

中国語試験の中でも、HSKは中国政府が認定している資格です。中国政府教育部（日本の文部科学省に相当）直属の機関である「孔子学院総部／国家漢弁」が主催しており、世界118か国・地域で実施されています。試験はすべて中国語で行われ、筆記試験は入門レベルの1級から上級レベルの6級まで、スピーキング能力を計る口頭試験は初級・中級・高級が設定されています。

HSKの特徴 ❶ 就職・留学・転職で使える!

中国政府が公認するHSKの成績報告は、中国をはじめとする世界各国で中国語能力の公的証明となります。例えば正規学部生として中国の理系大学へ行くにはHSK4級、文系大学ではHSK5級が必要となるケースがほとんどです。また、日本国内企業への就職時はもちろん、どの国の企業への転職でもHSKの資格を活用することができます。

世界 875 か所以上で実施!

世界での自分のランクがわかる

HSK の特徴 ❷ 初心者から上級者まで**幅広いレベル設定!**

大学の第二外国語として3〜4か月程度学んだ学習者が合格できる入門者向けの1級から、5000語以上の常用単語を使いこなす上級者向けの6級まで、幅広い学習者に対応!

	級	各級の目安レベル	学習期間・語いの目安
上級	6級	・中国語の情報をスムーズに読み書きできる ・会話や文章により、自分の見解を流暢に表現できる	・約5000の常用単語習得
	5級	・中国語の新聞・雑誌を読め、中国語のテレビや映画を鑑賞できる ・中国語で比較的整ったスピーチを行える	・週2〜4回の授業で約2年間以上学習 ・約2500の常用単語習得
	4級	・中国語で広範囲の話題について会話ができる ・中国語を母国語とする相手と比較的流暢にコミュニケーションをとれる	第二年度後期履修
	3級	・生活・学習・仕事などの場面で基本的なコミュニケーションをとれる ・中国旅行の際、大部分のことに対応できる	第二年度前期履修
	2級	・中国語を用いた簡単な日常会話を行える	第一年度後期履修
初級	1級	・中国語の非常に簡単な単語とフレーズを理解し、使用できる	第一年度前期履修

（「大学の第二外国語における」は3級〜6級の列にまたがって記載）

※出所：HSK公式ページ「各級の紹介」

HSK の特徴 ❸ 効率的な語い学習ができる!

HSKでは、主催者である「孔子学院総部／国家漢弁」が、学習者が覚えるべき語句を級別に指定しています。その指定された語句はHSK各級の試験で頻出するため、語いの学習とHSKの受験を両方こなすことで、効率的に語いを増やすことができます。

	指定されている語句の数
1級	150
2級	300
3級	600
4級	1200
5級	2500
6級	5000

HSK の特徴 ❹
中国語試験の中で国内でも最も受験者数が多い!

2018年から2年連続で、国内海外ともに受験者数No.1の中国語試験となっています。

HSK・某他試験 年間受験者数
■ HSK　■ 某他試験

本シリーズのご紹介

「新 HSK 必ず☆でる単スピードマスター」とは

人気シリーズ 「必ず★でる単スピードマスター」 HSK 版！

「必ず☆でる単スピードマスター」は、試験に必ずでる単語を短期間でマスターできる、Jリサーチ出版の単語帳人気シリーズです。コンパクトで単語の量もちょうどよく、見やすいレイアウトで、特に TOEIC 対策のシリーズが人気となっております。本書は、コンパクトさと見やすさをそのままに、就職と留学に唯一使える中国語試験 HSK を対策できる新シリーズとなります。

HSK 試験シラバスに完全準拠し、 過去問題を徹底分析！

本書は、HSK のシラバスである『HSK 考試大纲 五級』の最新版に準拠しております。最新版のシラバスに掲載されている語句を「HSK 指定語句」として表示しているほか、2016 年の過去問題を独自に分析し作成した、5 級から新たに出題される自由作文の解答例と対策語句も収録しています。

北京語言大学出版社の書籍を再編集し、 HSK 主催者から認可を受けた単語帳！

本書は、『HSK 考試大纲』の最新版に基づいて、中国の北京語言大学出版社が 2014 年に出版した『新 HSK5000 词分级词典（四〜五级）』を日本人向けに翻訳・再編集したものとなります。HSKを主宰する「孔子学院総部／国家漢弁」からも認可を受けた単語帳です。

特　徴

① 完全級別対応の HSK 単語帳！
　　自分のレベルに合った語いを集中的に学べる！
② 中国語教育で最高峰の
　　" 北京語言大学出版社 " のコンテンツを使用
③ 元 NHK ラジオ・テレビの講師で早稲田大学教授の
　　楊達先生が監修
④ HSK 主催機関が級別に指定した語句はもちろん、
　　試験に出た語句や日常生活でよく使われる語句も収録。
⑤ 中級レベルでは、全ての指定語句に 2 例文つき！
　　自由作文の解答例と対策語句も収録！

● HSK 5 級の受験の目安について
HSK 5 級の受験の目安は、「主に週 2 〜 4 回の授業を 2 年間以上
習い、2,500 語程度の常用単語を習得している者。中国語の新聞
や雑誌が読めるだけでなく、中国の映画やテレビも観賞でき、さ
らに、中国語でスピーチすることができる」ことです。

※詳細は下記にお問い合わせください。
　一般社団法人日本青少年育成協会　HSK 日本実施委員会
　東京都新宿区神楽坂 6-46　ローベル神楽坂ビル 7F
　TEL 03-3268-6601
　ホームページ：http://www.hskj.jp

目次

第1章　HSK 指定語句 1300

第2章　作文対策語句 50

本書の使い方

1段目と6段目の見出し語のピンインの
うち、はじめの2つのアルファベットを
抜き出して表示しています。

音声ファイルのトラック番号
音声は単語（中国語→日本
語）→例文（中国語）の順
で流れます。

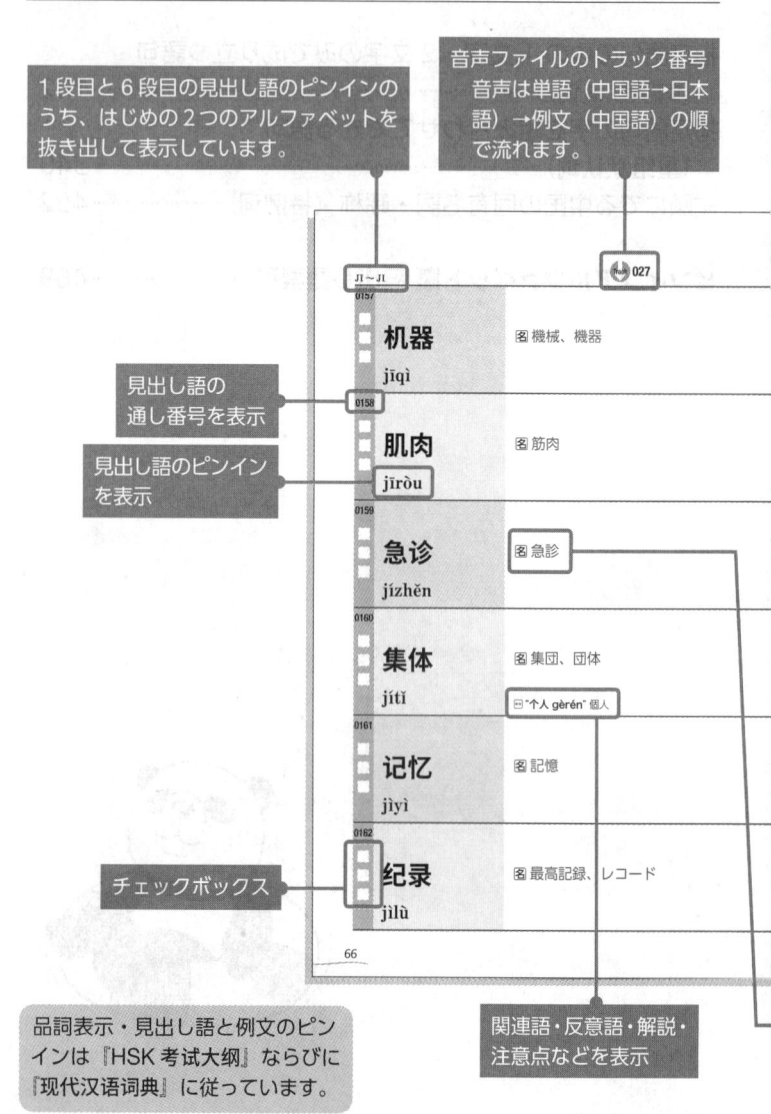

JI～JI   🔊 027

0157

机器
jīqì
名 機械、機器

見出し語の
通し番号を表示

0158

肌肉
jīròu
名 筋肉

見出し語のピンイン
を表示

0159

急诊
jízhěn
名 急診

0160

集体
jítǐ
名 集団、団体
⊞ "个人 gèrén" 個人

0161

记忆
jìyì
名 記憶

0162

纪录
jìlù
名 最高記録、レコード

チェックボックス

66

品詞表示・見出し語と例文のピン
インは『HSK考试大纲』ならびに
『现代汉语词典』に従っています。

関連語・反意語・解説・
注意点などを表示

凡例

動 動詞　名 名詞　形 形容詞　副 副詞　助動 助動詞　助 助詞　疑 疑問代名詞　介 介詞
量 量詞　嘆 感嘆詞　方補 方向補語　可補 可能補語　結補 結果補語　接続 接続詞　固 固有名
詞　接尾 接尾辞　接頭 接頭辞　数量 数量詞　数 数詞　フ フレーズ　⊖ 反意語　⊜ 同義語
関 関連語　□□ コロケーション　【解説】 意味などの詳しい解説　⚠ 注意　発音 発音に関する解説

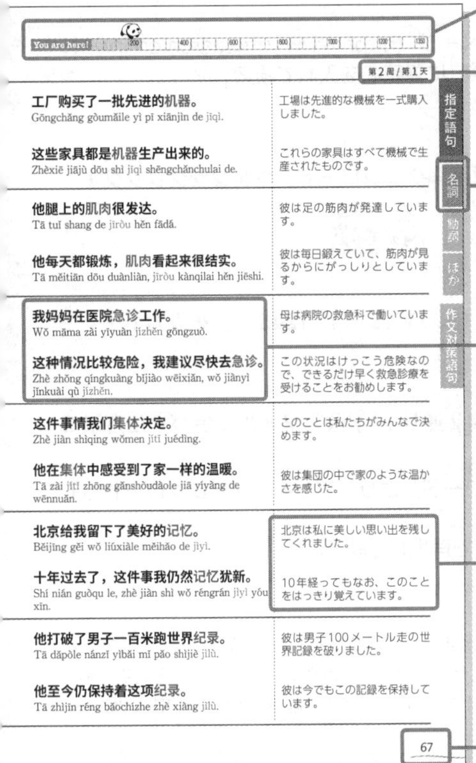

学習を終えた語句の数が
一目で分かります。
（1 コマ 50 語句）

You are here! ░░░ 200 ░░░ 400 ░░░ 600 ░░░ 700 ░░░ 900 ░░░ 100

第2周/第1天

学習スケジュールの目安
を週と日で表示

工厂购买了一批先进的机器。
Gōngchǎng gòumǎile yì pī xiānjìn de jīqì.

工場は先進的な機械を一式購入
しました。

ページに収録された語句
の品詞を表示

这些家具都是机器生产出来的。
Zhèxiē jiājù dōu shì jīqì shēngchǎnchulai de.

これらの家具はすべて機械で生
産されたものです。

他腿上的肌肉很发达。
Tā tuǐ shang de jīròu hěn fādá.

彼は足の筋肉が発達していま
す。

他每天都锻炼，肌肉看起来很结实。
Tā měitiān dōu duànliàn, jīròu kànqilai hěn jiēshi.

彼は毎日鍛えていて、筋肉が見
るからにがっしりしています。

指定語句

名詞

助詞・ほか

作文対策語句

我妈妈在医院急诊工作。
Wǒ māma zài yīyuàn jízhěn gōngzuò.

母は病院の救急科で働いていま
す。

2つの例文とピンインを表
示。見出し語は赤く表示。
2つの例文に音声がついて
います。

这种情况比较危险，我建议尽快去急诊。
Zhè zhǒng qíngkuàng bǐjiào wēixiǎn, wǒ jiànyì
jǐnkuài qù jízhěn.

この状況はけっこう危険なの
で、できるだけ早く救急診療を
受けることをお勧めします。

这件事情我们集体决定。
Zhè jiàn shìqing wǒmen jítǐ juédìng.

このことは私たちがみんなで決
めます。

他在集体中感受到了家一样的温暖。
Tā zài jítǐ zhōng gǎnshòudàole jiā yíyàng de
wēnnuǎn.

彼は集団の中で家のような温か
さを感じた。

北京给我留下了美好的记忆。
Běijīng gěi wǒ liúxiàle měihǎo de jìyì.

北京は私に美しい思い出を残し
てくれました。

例文に対応した日本語訳
を表示

十年过去了，这件事我仍然记忆犹新。
Shí nián guòqu le, zhè jiàn shì wǒ réngrán jìyì yóu
xīn.

10年経ってもなお、このこと
をはっきり覚えています。

他打破了男子一百米跑世界纪录。
Tā dǎpòle nánzǐ yìbǎi mǐ pǎo shìjiè jìlù.

彼は男子100メートル走の世
界記録を破りました。

他至今仍保持着这项纪录。
Tā zhìjīn réng bǎochízhe zhè xiàng jìlù.

彼は今でもこの記録を保持して
います。

67

ノンブル（ページ数）

見出し語訳を表示
※見出し語の別の品詞の意味も表示

赤シートを使用すると
見出し語訳が消えます。

 音声ダウンロードについて

STEP 1 商品ページにアクセス！ 方法は次の3通り！

- QRコードを読み取ってアクセス。
- https://www.jresearch.co.jp/book/b508874.html に入力してアクセス。
- Jリサーチ出版のホームページ (https://www.jresearch.co.jp/) にアクセスして、「キーワード」に書籍名を入れて検索。

STEP 2 ページ内にある「音声ダウンロード」ボタンをクリック！

STEP 3 ユーザー名「1001」、パスワード「24871」を入力！

STEP 4 音声の利用方法は2通り！ 学習スタイルに合わせた方法でお聴きください！

- 「音声ファイル一括ダウンロード」より、ファイルをダウンロードして聴く。
- ▶ボタンを押して、その場で再生して聴く。

※ダウンロードした音声ファイルは、パソコン・スマートフォンなどでお聴きいただくことができます。一括ダウンロードの音声ファイルは .zip 形式で圧縮してあります。解凍してご利用ください。ファイルの解凍が上手く出来ない場合は、直接の音声再生も可能です。

音声ダウンロードについてのお問合せ先：toiawase@jresearch.co.jp

(受付時間：平日9時〜18時)

HSK 指定語句 1300

名詞 0001-0503

1 章では『HSK 考试大纲 五级』（HSK 試験シラバス）2015 年版で 5 級の語句として指定されている 1300 語句を品詞・ピンインアルファベット順で掲載しています。

名詞

AI ～ BA

 Track 001

0001		
	爱心 àixīn	名 思いやり

0002		
	岸 àn	名 岸

0003		
	傍晚 bàngwǎn	名 夕方

0004		
	包裹 bāoguǒ	名 包み

0005		
	宝贝 bǎobèi	名 宝物

0006		
	保险 bǎoxiǎn	名 保険　形 安全な

人们为受灾地区捐款，献出了自己的一片爱心。
Rénmen wèi shòuzāi dìqū juānkuǎn, xiànchūle zìjǐ de yí piàn àixīn.

人々は被災地に募金をし、自分の思いやりの手を差し伸べました。

他经常参加关心残疾儿童的爱心活动。
Tā jīngcháng cānjiā guānxīn cánjí értóng de àixīn huódòng.

彼はしばしば障碍児をケアする思いやり活動に参加します。

船马上就要靠岸了，大家不要着急。
Chuán mǎshàng jiùyào kào'àn le, dàjiā búyào zháojí.

船は間もなく岸につきます。皆さん慌てないでください。

大桥修好以后，两岸的交流就方便了。
Dàqiáo xiūhǎo yǐhòu, liǎng'àn de jiāoliú jiù fāngbiàn le.

大きな橋がしっかりと建造された後、両岸の交流は便利になりました。

傍晚的时候，我见到了他。
Bàngwǎn de shíhou, wǒ jiàndàole tā.

夕方ごろ、私は彼を見かけました。

每天傍晚是这里最热闹的时候。
Měitiān bàngwǎn shì zhèlǐ zuì rènao de shíhou.

毎日夕方はここが最もにぎやかなときです。

我给你寄的包裹你收到了吗?
Wǒ gěi nǐ jì de bāoguǒ nǐ shōudào le ma?

私が送った小包を受け取られましたか？

我下午要去邮局取包裹。
Wǒ xiàwǔ yào qù yóujú qǔ bāoguǒ.

私は午後、郵便局に小包を受け取りに行かなくてはなりません。

这幅画儿可是宝贝，有几百年历史了。
Zhè fú huàr kěshì bǎobèi, yǒu jǐbǎi nián lìshǐ le.

この絵は大変珍しいものです、何百年もの歴史があります。

他爱好收藏，家里有很多宝贝。
Tā àihào shōucáng, jiā li yǒu hěn duō bǎobèi.

彼はコレクションが趣味で、家にたくさんのお宝があります。

我的汽车今年又该上保险了。
Wǒ de qìchē jīnnián yòu gāi shàng bǎoxiǎn le.

私の車は今年もまた保険に加入しなければなりません。

这是个比较保险的办法。
Zhè shì ge bǐjiào bǎoxiǎn de bànfǎ.

これは比較的安全な方法です。

指定語句 | 名詞 | 動詞 | ほか | 作文対策語句

0007		
	报告 bàogào	图 報告　動 報告する

0008		
	报社 bàoshè	图 新聞社

0009		
	背景 bèijǐng	图 背景

0010		
	被子 bèizi	图 掛け布団

0011		
	本科 běnkē	图 本科、学部

0012		
	本领 běnlǐng	图 腕前、技能

这份调查报告的内容很丰富，说明不少问题。
Zhè fèn diàochá bàogào de nèiróng hěn fēngfù, shuōmíng bù shǎo wèntí.

この調査レポートの内容は豊富で、多くの問題を説明しています。

老师向家长报告了学生的学习情况。
Lǎoshī xiàng jiāzhǎng bàogàole xuésheng de xuéxí qíngkuàng.

先生は保護者に生徒の学習状況を報告しました。

他是一家报社的记者。
Tā shì yì jiā bàoshè de jìzhě.

彼は新聞社の記者です。

这家报社在当地非常有影响。
Zhè jiā bàoshè zài dāngdì fēicháng yǒu yǐngxiǎng.

この新聞社は現地で大きな影響力があります。

这幅画儿的背景颜色有点儿浅。
Zhè fú huàr de bèijǐng yánsè yǒudiǎnr qiǎn.

この絵の背景の色は少し薄いです。

我来介绍一下事件的历史背景。
Wǒ lái jièshào yíxià shìjiàn de lìshǐ bèijǐng.

私は事件の歴史的背景を少し紹介します。

你们这儿有没有厚一点儿的被子？
Nǐmen zhèr yǒu méiyǒu hòu yìdiǎnr de bèizi?

あなた方のところに少し厚い掛け布団はありますか？

你要觉得冷，可以再盖上一条被子。
Nǐ yào juéde lěng, kěyǐ zài gàishàng yì tiáo bèizi.

もし寒ければ、もう1枚掛け布団を掛けてもいいです。

我弟弟正在读大学本科，现在是三年级。
Wǒ dìdi zhèngzài dú dàxué běnkē, xiànzài shì sān niánjí.

私の弟は大学の学部生で、現在3年生です。

我读完本科，还想读研究生。
Wǒ dúwán běnkē, hái xiǎng dú yánjiūshēng.

私は学部を卒業し、さらに大学院に行きたいと思っています。

他的武术本领很高，在这一带很有名。
Tā de wǔshù běnlǐng hěn gāo, zài zhè yídài hěn yǒumíng.

彼の武術の腕前はとてもすばらしく、この界隈ではとても有名です。

学好本领，才能找到理想的工作。
Xuéhǎo běnlǐng, cái néng zhǎodào lǐxiǎng de gōngzuò.

技術をマスターしてこそ、理想の仕事を見つけることができます。

0013

本质
běnzhì

图本質

0014

比例
bǐlì

图比例、比率

0015

鞭炮
biānpào

图爆竹

0016

标点
biāodiǎn

图句読点

0017

表面
biǎomiàn

图表面

0018

表情
biǎoqíng

图表情

指定語句

名詞

動詞

ほか

作文対策語句

看问题不能看现象，应该看本质。
Kàn wèntí bù néng kàn xiànxiàng, yīnggāi kàn běnzhì.

問題を見るときは現象を見てはならず、本質を見るべきです。

从本质上看，这不过是一个游戏。
Cóng běnzhì shang kàn, zhè búguò shì yí ge yóuxì.

本質からみると、これはただの遊びに過ぎません。

我们学校教师和学生的比例是 1 比 8。
Wǒmen xuéxiào jiàoshī hé xuésheng de bǐlì shì yī bǐ bā.

私たちの学校の教師と学生の比率は1対8です。

我们大学里外国学生的比例占 10%。
Wǒmen dàxué li wàiguó xuésheng de bǐlì zhàn bǎi fēn zhī shí.

私たちの大学の中の外国人学生の比率は10%です。

他们放起了鞭炮，庆祝胜利。
Tāmen fàngqǐle biānpào, qìngzhù shènglì.

彼らは爆竹を鳴らして勝利を祝いました。

鞭炮一响，我们的活动就开始。
Biānpào yì xiǎng, wǒmen de huódòng jiù kāishǐ.

爆竹が鳴ると、私たちのイベントが始まります。

写文章的时候，要注意正确使用标点。
Xiě wénzhāng de shíhou, yào zhùyì zhèngquè shǐyòng biāodiǎn.

文章を書くときは句読点を正確に使用することに気を付けないといけません。

有时候标点位置不同，句子的意思也会不同。
Yǒu shíhou biāodiǎn wèizhì bù tóng, jùzi de yìsi yě huì bù tóng.

時に、句読点の位置が違うと、文の意味も違ってしまいます。

这座大楼的表面是绿色的。
Zhè zuò dàlóu de biǎomiàn shì lǜsè de.

このビルの表面は緑色です。

他表面上答应了，心里并不愿意。
Tā biǎomiàn shang dāying le, xīnlǐ bìng bú yuànyì.

彼は表向き承諾しましたが、心の中では決してそうしたいとは思っていません。

他说话的时候表情很丰富。
Tā shuōhuà de shíhou biǎoqíng hěn fēngfù.

彼が話すときの表情はとても豊かです。

他的表情很痛苦，一定是生病了。
Tā de biǎoqíng hěn tòngkǔ, yídìng shì shēngbìng le.

彼の表情は苦しそうです。きっと病気になったのでしょう。

0019 冰激凌 bīngjīlíng	名 アイスクリーム
0020 病毒 bìngdú	名 ウイルス
0021 玻璃 bōli	名 ガラス
0022 脖子 bózi	名 首
0023 博物馆 bówùguǎn	名 博物館
0024 布 bù	名 布

指定語句　名詞　動詞　ほか　作文対策語句

这家店的香草冰激凌非常好吃。
Zhè jiā diàn de xiāngcǎo bīngjīlíng fēicháng hǎochī.

この店のバニラアイスはとても美味しいです。

我们饭后吃个冰激凌怎么样?
Wǒmen fàn hòu chī ge bīngjīlíng zěnmeyàng?

食事のあとにアイスクリームはいかがですか。

一定要讲卫生，防止感冒病毒的传播。
Yídìng yào jiǎng wèishēng, fángzhǐ gǎnmào bìngdú de chuánbō.

必ず衛生に注意しないといけません。風邪のウイルスの拡散を防ぐためです。

你检查一下电脑，看有没有病毒存在。
Nǐ jiǎnchá yíxià diànnǎo, kàn yǒu méiyǒu bìngdú cúnzài.

パソコンを検査してみて、ウイルスがないか見てください。

这个窗户有两块玻璃碎了。
Zhège chuānghu yǒu liǎng kuài bōli suì le.

この窓はガラスが2枚割れています。

这个门是用蓝色玻璃做的，很漂亮。
Zhège mén shì yòng lánsè bōli zuò de, hěn piàoliang.

このドアは青いガラスで作ってあって、とてもきれいです。

他脖子上围着一条绿围巾。
Tā bózi shang wéizhe yì tiáo lǜ wéijīn.

彼の首には緑のマフラーが巻かれています。

她脖子上的那条项链很漂亮。
Tā bózi shang de nà tiáo xiàngliàn hěn piàoliang.

彼女の首にかかっているネックレスはとてもきれいです。

他经常带孩子参观博物馆。
Tā jīngcháng dài háizi cānguān bówùguǎn.

彼はよく子どもを連れて博物館に行きます。

我常去附近的自然博物馆。
Wǒ cháng qù fùjìn de zìrán bówùguǎn.

私はよく近くの自然博物館に行きます。

你用这块布做裙子，一定好看。
Nǐ yòng zhè kuài bù zuò qúnzi, yídìng hǎokàn.

あなたがこの布を使ってスカートを作ると、絶対きれいです。

这个书包是布的，怕水。
Zhège shūbāo shì bù de, pà shuǐ.

このかばんは布製で、水に弱いです。

0025		
	步骤 bùzhòu	图 手順
0026		
	部门 bùmén	图 部門
0027		
	财产 cáichǎn	图 財産
0028		
	彩虹 cǎihóng	图 虹
0029		
	操场 cāochǎng	图 運動場
0030		
	叉子 chāzi	图 フォーク

指定語句　名詞　動詞　ほか　作文対策語句

完成这项工作，需要三个步骤。
Wánchéng zhè xiàng gōngzuò, xūyào sān ge bùzhòu.

この仕事が完成するには、3段階必要です。

他做事情以前，总是先想好了具体步骤。
Tā zuò shìqíng yǐqián, zǒngshì xiān xiǎnghǎole jùtǐ bùzhòu.

彼は物事にとりかかる前に、いつもまず具体的な手順をしっかり考えます。

这个会议要求各个部门的领导都参加。
Zhège huìyì yāoqiú gègè bùmén de lǐngdǎo dōu cānjiā.

この会議は各部門の責任者がみんな参加しなければなりません。

这个问题你得找别的部门，我们不负责。
Zhège wèntí nǐ děi zhǎo bié de bùmén, wǒmen bú fùzé.

この問題はあなたは別の部門に行かなければなりません。私たちは担当ではありませんので。

这些财产都是公司的，不是我个人的。
Zhèxiē cáichǎn dōu shì gōngsī de, bú shì wǒ gèrén de.

これらの財産はすべて会社のもので、私個人のものではありません。

他把全部财产捐献给了国家。
Tā bǎ quánbù cáichǎn juānxiàngěile guójiā.

彼はすべての財産を国に寄付しました。

这里下雨后经常能看到彩虹。
Zhèlǐ xià yǔ hòu jīngcháng néng kàndào cǎihóng.

ここでは雨が降ったのちしばしば虹が見られます。

你看，天边出现了一道彩虹。
Nǐ kàn, tiānbiān chūxiànle yí dào cǎihóng.

ほら、空に虹が出ましたよ。

运动员正在操场上训练呢。
Yùndòngyuán zhèngzài cāochǎng shang xùnliàn ne.

選手は今ちょうど運動場で練習していますよ。

每年的运动会都在这个操场上举行。
Měinián de yùndònghuì dōu zài zhège cāochǎng shang jǔxíng.

毎年の運動会はすべてこの運動場で行われます。

请给我一个叉子，好吗?
Qǐng gěi wǒ yí ge chāzi, hǎo ma?

フォークをもらえませんか?

服务员，我们还少一个叉子。
Fúwùyuán, wǒmen hái shǎo yí ge chāzi.

すみません（ウェイターさん）、フォークが1本足りません。

23

0031		
	差距 chājù	图 差、ギャップ
0032		
	产品 chǎnpǐn	图 製品
0033		
	常识 chángshí	图 常識
0034		
	车库 chēkù	图 車庫
0035		
	车厢 chēxiāng	图 車両
0036		
	称呼 chēnghu	图 呼び方　動 呼ぶ

他们在学习上的差距越来越大。
Tāmen zài xuéxí shang de chājù yuè lái yuè dà.

彼らの学業上の格差は大きくなっている。

我想尽快弥补技术上的差距。
Wǒ xiǎng jǐnkuài míbǔ jìshù shang de chājù.

私は技術の差をできるだけ早く埋めたいです。

近几年，我们厂出口的产品越来越多。
Jìn jǐ nián, wǒmen chǎng chūkǒu de chǎnpǐn yuè lái yuè duō.

ここ数年、私たちの工場が輸出する製品はますます多くなっています。

目前，市场上已经见不到这种产品了。
Mùqián, shìchǎng shang yǐjīng jiànbudào zhè zhǒng chǎnpǐn le.

現在、市場にはすでにこの種の製品は見なくなりました。

这是最基本的常识，你怎么会不知道呢？
Zhè shì zuì jīběn de chángshí, nǐ zěnme huì bù zhīdào ne?

これは最も基本的な常識なのに、あなたはどうして知らないのですか？

刚吃过饭不宜做剧烈运动，这是常识。
Gāng chīguo fàn bùyí zuò jùliè yùndòng, zhè shì chángshí.

ご飯を食べたばかりで、激しい運動をしてはいけません。これは常識です。

这座楼有很多地下车库。
Zhè zuò lóu yǒu hěn duō dìxià chēkù.

このビルにはとても多くの地下車庫があります。

你稍等，我去车库把车开出来。
Nǐ shāo děng, wǒ qù chēkù bǎ chē kāichulai.

少々お待ちください。私は車庫に行って車を出してきますので。

他把买的东西都放在车厢里了。
Tā bǎ mǎi de dōngxi dōu fàngzài chēxiāng li le.

彼は買ったものをすべて車内に置きました。

我坐在火车的第五车厢。
Wǒ zuòzài huǒchē de dì wǔ chēxiāng.

私は電車の5両目に乗っています。

同一种东西，不同的地方称呼可能不同。
Tóng yì zhǒng dōngxi, bù tóng de dìfang chēnghu kěnéng bù tóng.

同じ種類のものでも違う場所では呼び方が違うでしょう。

我应该怎么称呼您？
Wǒ yīnggāi zěnme chēnghu nín?

どのようにお呼びすればよろしいでしょうか。

Track 007

0037		
	成分 chéngfèn	名 成分
0038		
	成果 chéngguǒ	名 成果
0039		
	成就 chéngjiù	名 事業の成果
0040		
	成人 chéngrén	名 成人、大人
0041		
	成语 chéngyǔ	名 成語
0042		
	程度 chéngdù	名 程度

他们分析了这种蔬菜所含的营养成分。
Tāmen fēnxǐle zhè zhǒng shūcài suǒ hán de yíngyǎng chéngfèn.

彼らはこの種類の野菜に含まれる栄養成分を分析しました。

这件毛衣的主要成分是羊毛。
Zhè jiàn máoyī de zhǔyào chéngfèn shì yángmáo.

このセーターの主な成分はウールです。

这些粮食是农民一年的劳动成果。
Zhèxiē liángshi shì nóngmín yì nián de láodòng chéngguǒ.

これらの食糧は農民の1年の労働の成果です。

我们学校有多项成果获得了奖励。
Wǒmen xuéxiào yǒu duō xiàng chéngguǒ huòdéle jiǎnglì.

私たちの学校は多くの成果を上げて褒めたたえられました。

在建筑方面，他做出了突出成就。
Zài jiànzhù fāngmiàn, tā zuòchūle tūchū chéngjiù.

彼は建築関連で際立った成果を出しました。

他们在科学研究上取得了重大成就。
Tāmen zài kēxué yánjiū shang qǔdéle zhòngdà chéngjiù.

彼らは科学研究で大きな成果を得ました。

小孩子们都想快快长大成人。
Xiǎoháizimen dōu xiǎng kuàikuài zhǎngdà chéngrén.

小さな子どもたちは早く大人に成長したいと思っています。

烟酒只能向成人出售，不能卖给青少年。
Yān jiǔ zhǐ néng xiàng chéngrén chūshòu, bù néng màigěi qīngshàonián.

タバコとお酒は大人にのみ販売でき、青少年には販売できません。

我对汉语成语非常有兴趣。
Wǒ duì Hànyǔ chéngyǔ fēicháng yǒu xìngqù.

私は中国語の成語にとても興味があります。

很多成语不能只从表面的意思上去理解。
Hěn duō chéngyǔ bù néng zhǐ cóng biǎomiàn de yìsi shang qù lǐjiě.

多くの成語はただ表面的な意味だけで理解することはできません。

他的文化程度不高，只有初中毕业。
Tā de wénhuà chéngdù bù gāo, zhǐyǒu chūzhōng bìyè.

彼の文化的水準（教育水準）は高くなく、中学卒業程度しかありません。

同学们的中文水平都达到了一定程度。
Tóngxuémen de Zhōngwén shuǐpíng dōu dádàole yídìng chéngdù.

同級生たちの中国語の水準は一定程度に達しています。

0043		
	程序 chéngxù	名 順序、プログラム

0044		
	池塘 chítáng	名 池

0045		
	尺子 chǐzi	名 ものさし

0046		
	翅膀 chìbǎng	名 羽、翼

0047		
	充电器 chōngdiànqì	名 充電器

0048		
	宠物 chǒngwù	名 ペット

指定語句

名詞

動詞

ほか

作文対策語句

我已经按照程序，办完了所有的手续。
Wǒ yǐjīng ànzhào chéngxù, bànwánle suǒyǒu de shǒuxù.

私はすでに手順に従って、すべての手続きを終えました。

他在给电脑编一个程序。
Tā zài gěi diànnǎo biān yí ge chéngxù.

彼はパソコン用にプログラムを組んでいるところです。

池塘里种满了荷花。
Chítáng li zhòngmǎnle héhuā.

池の中にたくさんのハスが植えられています。

雨水都流到那个池塘里了。
Yǔshuǐ dōu liúdào nàge chítáng li le.

雨水がすべてあの池に流れていきました。

我用尺子给你量一量身高。
Wǒ yòng chǐzi gěi nǐ liáng yi liáng shēngāo.

私はものさしであなたの身長を測ってみます。

这把尺子是木头的。
Zhè bǎ chǐzi shì mùtou de.

このものさしは木製です。

那只鸟张开翅膀飞走了。
Nà zhī niǎo zhāngkāi chìbǎng fēizǒu le.

あの鳥は羽を広げて飛んでいきました。

我梦想有一双美丽的翅膀。
Wǒ mèngxiǎng yǒu yì shuāng měilì de chìbǎng.

私は1対の美しい羽をもつことを夢見ています。

这两个充电器不一样，不能换用。
Zhè liǎng ge chōngdiànqì bù yíyàng, bù néng huàn yòng.

この2つの充電器は異なっており、交換して使用できません。

充电器坏了，充不上电了。
Chōngdiànqì huài le, chōngbushàng diàn le.

充電器が壊れたので、充電できなくなりました。

这只小狗是妹妹养的宠物。
Zhè zhī xiǎogǒu shì mèimei yǎng de chǒngwù.

この子犬は妹が飼っているペットです。

我家也有一个宠物，是一只黑猫。
Wǒ jiā yě yǒu yí ge chǒngwù, shì yì zhī hēi māo.

我が家にもペットがいます。それは黒猫です。

0049		
抽屉 chōuti	名 引き出し	

0050		
除夕 chúxī	名 旧暦の大晦日	

0051		
传说 chuánshuō	名 伝説	

0052		
窗帘 chuānglián	名 カーテン	

0053		
传统 chuántǒng	名 伝統　形 伝統的な	

0054		
词汇 cíhuì	名 単語、言葉	

指定語句　名詞　動詞　ほか　作文対策語句

钱包在写字台的抽屉里。
Qiánbāo zài xiězìtái de chōuti li.

財布はデスクの引き出しの中にあります。

这个抽屉里的东西都满了。
Zhège chōuti li de dōngxi dōu mǎn le.

この引き出しの中のものはいっぱいになっています。

明天就是除夕了，大家都在准备过年。
Míngtiān jiùshì chúxī le, dàjiā dōu zài zhǔnbèi guònián.

明日はちょうど旧暦の大晦日です。みんな年越しの準備をしています。

在除夕晚会上，大家开心极了。
Zài chúxī wǎnhuì shang, dàjiā kāixīnjí le.

旧暦の大晦日の夜のパーティで、みんなとても楽しんでいます。

关于他们的故事，这里有很多传说。
Guānyú tāmen de gùshi, zhèlǐ yǒu hěn duō chuánshuō.

彼らの物語について、ここにはたくさんの伝説があります。

这部电影是根据一个传说改编的。
Zhè bù diànyǐng shì gēnjù yí ge chuánshuō gǎibiān de.

この映画は伝説を脚色したものです。

拉上窗帘，屋子里就跟晚上一样黑。
Lāshàng chuānglián, wūzi li jiù gēn wǎnshang yíyàng hēi.

カーテンを閉めると、部屋の中は夜のように暗くなりました。

这种颜色的窗帘很漂亮。
Zhè zhǒng yánsè de chuānglián hěn piàoliang.

こういう色のカーテンはとてもきれいです。

每个民族都有自己的文化传统。
Měi ge mínzú dōu yǒu zìjǐ de wénhuà chuántǒng.

どの民族にもそれぞれの文化や伝統があります。

我们应该保持和发扬优良的文化传统。
Wǒmen yīnggāi bǎochí hé fāyáng yōuliáng de wénhuà chuántǒng.

私たちは優れた文化と伝統を維持し宣揚しなければなりません。

社会不断发展，新词汇不断出现。
Shèhuì búduàn fāzhǎn, xīn cíhuì búduàn chūxiàn.

社会は絶えず発展しており、新しい言葉が常に出てきます。

多掌握一些词汇，有助于你的表达。
Duō zhǎngwò yìxiē cíhuì, yǒuzhùyú nǐ de biǎodá.

さらにいくつかの単語を習得すると、あなたの表現に役立ちます。

0055	**从前** cóngqián	名 以前
0056	**醋** cù	名 酢、嫉妬
0057	**措施** cuòshī	名 措置、施策
0058	**大厦** dàshà	名 ビル
0059	**大象** dàxiàng	名 ゾウ
0060	**待遇** dàiyù	名 待遇

指定語句

名詞

動詞

ほか

作文対策語句

从前他在这个学校当老师。
Cóngqián tā zài zhège xuéxiào dāng lǎoshī.

以前彼はこの学校で先生をしていました。

对比**从前**的痛苦经历，他觉得现在很幸福。
Duìbǐ cóngqián de tòngkǔ jīnglì, tā juéde xiànzài hěn xìngfú.

以前の辛い経験に比べて、彼は今はとても幸せです。

这个菜**醋**放多了，特别酸。
Zhège cài cù fàngduō le, tèbié suān.

この料理はお酢を入れすぎて、とても酸っぱいです。

看到男朋友跟别的女人说笑，她吃**醋**了。
Kàndào nánpéngyou gēn bié de nǚrén shuōxiào, tā chīcù le.

彼氏が他の女性と談笑しているのを見て、彼女はやきもちを焼きました。

工厂采取多种**措施**，提高了产品质量。
Gōngchǎng cǎiqǔ duō zhǒng cuòshī, tígāole chǎnpǐn zhìliàng.

工場ではさまざまな手段を採って、製品の品質を高めました。

政府已经制定了发展教育的具体**措施**。
Zhèngfǔ yǐjīng zhìdìngle fāzhǎn jiàoyù de jùtǐ cuòshī.

政府はすでに教育を発展させるための具体的な措置を制定しています。

这座**大厦**的一层是商场。
Zhè zuò dàshà de yī céng shì shāngchǎng.

このビルの1階はショッピングフロアです。

他走进**大厦**，感觉非常豪华。
Tā zǒujìn dàshà, gǎnjué fēicháng háohuá.

彼はビルに入ると、とても豪華だと感じました。

孩子要去动物园看**大象**。
Háizi yào qù dòngwùyuán kàn dàxiàng.

子どもは動物園にゾウを見に行きたがっています。

那边有**大象**表演，我们去看吧。
Nàbiān yǒu dàxiàng biǎoyǎn, wǒmen qù kàn ba.

あそこで象のショーをやっています。見に行きましょう。

这家公司的工资高，**待遇**好。
Zhè jiā gōngsī de gōngzī gāo, dàiyù hǎo.

この会社は給料が高くて、待遇がいいです。

他们现在的**待遇**比以前好多了。
Tāmen xiànzài de dàiyù bǐ yǐqián hǎoduō le.

彼らの今の待遇は以前よりずっとよくなりました。

0061	**单位** dānwèi	名 (機関や団体の) 部門、職場、勤め先
0062	**单元** dānyuán	名 (集合住宅の) 1戸、区画 (教材などの) ユニット
0063	**胆小鬼** dǎnxiǎoguǐ	名 臆病者、小心者
0064	**当地** dāngdì	名 地元、現地
0065	**岛屿** dǎoyǔ	名 島
0066	**道德** dàodé	名 道徳、モラル

我跟他在同一个单位上班，是同事。

Wǒ gēn tā zài tóng yí ge dānwèi shàngbān, shì tóngshì.

私は彼と同じ職場で働いている同僚です。

他已经离开了原来的单位，到了另外一个公司。

Tā yǐjīng líkāile yuánlái de dānwèi, dàole lìngwài yí ge gōngsī.

彼はもう元の職場を離れて、別の会社に行きました。

这座大楼一共有 5 个单元。

Zhè zuò dàlóu yígòng yǒu wǔ ge dānyuán.

このビルは全部で5つの区画があります。

今天我们做前 5 课的单元练习。

Jīntiān wǒmen zuò qián wǔ kè de dānyuán liànxí.

今日は前の5課のユニットを練習します。

他是个胆小鬼，什么都害怕。

Tā shì ge dānxiǎoguǐ, shénme dōu hàipà.

彼は臆病者で、何でも怖がります。

在困难面前，我们不要做胆小鬼。

Zài kùnnan miànqián, wǒmen búyào zuò dānxiǎoguǐ.

困難を前にして、臆病になってはいけません。

他是当地人，对这里很熟悉。

Tā shì dāngdì rén, duì zhèli hěn shúxi.

彼は地元の人で、この辺りに精通しています。

你到了那里，注意尊重当地的风俗习惯。

Nǐ dàole nàli, zhùyì zūnzhòng dāngdì de fēngsú xíguàn.

そこに着いたら、地元の風俗習慣を尊重するように気をつけてください。

这片岛屿以前没人居住。

Zhè piàn dǎoyǔ yǐqián méi rén jūzhù.

この島は以前、無人島でした。

这些岛屿上的风光都很美丽。

Zhèxiē dǎoyǔ shang de fēngguāng dōu hěn měilì.

この島々の景色はすべて美しいです。

这是一种传统的道德观念。

Zhè shì yì zhǒng chuántǒng de dàodé guānniàn.

これは伝統的な道徳観念です。

他道德高尚，受到了人们的尊重。

Tā dàodé gāoshàng, shòudàole rénmen de zūnzhòng.

彼はモラルが高く、人々から尊敬されています。

012

| 0067 | 道理 | 图 道理、理屈 |
| | dàolǐ | |

| 0068 | 敌人 | 图 敵 |
| | dírén | |

| 0069 | 地理 | 图 地理 |
| | dìlǐ | |

| 0070 | 地区 | 图 地区 |
| | dìqū | |

| 0071 | 地毯 | 图 じゅうたん、カーペット |
| | dìtǎn | |

| 0072 | 地位 | 图 地位 |
| | dìwèi | |

指定語句

名詞

動詞

ほか

作文対策語句

他说的话很有道理。

Tā shuō de huà hěn yǒu dàolǐ.

彼の話は筋が通っています。

你仔细想想，我说的有没有道理。

Nǐ zǐxì xiǎngxiang, wǒ shuō de yǒu méiyǒu dàolǐ.

私の話に筋が通っているか、よく考えてみてください。

敌人的每次进攻，都被我们打退了。

Dírén de měi cì jìngōng, dōu bèi wǒmen dǎtuì le.

敵の毎回の侵攻は、すべて我々が撃退しました。

他俩矛盾很深，像敌人一样。

Tā liǎ máodùn hěn shēn, xiàng dírén yíyàng.

彼ら2人は激しく対立しており、敵同士のようです。

我不太熟悉那里的地理情况。

Wǒ bú tài shúxī nàli de dìlǐ qíngkuàng.

私はそこの地理にはあまり詳しくありません。

我去过很多地方，了解了不少地理知识。

Wǒ qùguo hěn duō dìfang, liǎojiěle bù shǎo dìlǐ zhīshi.

私はいろいろなところに行って、地理的知識をたくさん得ました。

中国北部地区气候比较干燥。

Zhōngguó běibù dìqū qìhòu bǐjiào gānzào.

中国北部の気候は比較的乾燥している。

我在那个地区生活过很长时间。

Wǒ zài nàge dìqū shēnghuóguo hěn cháng shíjiān.

私は長い間その地域で暮らしています。

我家卧室里铺的是地毯。

Wǒ jiā wòshì li pū de shì dìtǎn.

私の家の寝室に敷いてあるのはじゅうたんです。

这是一块羊毛地毯，质量很好。

Zhè shì yí kuài yángmáo dìtǎn, zhìliàng hěn hǎo.

これはウールのじゅうたんで、質がいいです。

他在公司里地位很高，他的意见很重要。

Tā zài gōngsī li dìwèi hěn gāo, tā de yìjiàn hěn zhòngyào.

会社での地位が高いので、彼の意見は重要です。

在法律面前，每个人的地位都是平等的。

Zài fǎlǜ miànqián, měi ge rén de dìwèi dōu shì píngděng de.

法律の前では、すべての人の地位は平等です。

013

0073		
	点心 diǎnxin	名 おやつ、軽食
0074		
	电池 diànchí	名 電池
0075		
	电台 diàntái	名 ラジオ局
0076		
	动画片 dònghuàpiàn	名 アニメ
0077		
	洞 dòng	名 穴、空洞
0078		
	豆腐 dòufu	名 豆腐

指定語句 名詞 動詞 ほか 作文対策語句

我这儿有点心，你要不要吃点儿?
Wǒ zhèr yǒu diǎnxin, nǐ yào bu yào chī diǎnr?

ここにおやつがありますが、少し食べますか？

他的办公室里经常放着一些小点心。
Tā de bàngōngshì li jīngcháng fàngzhe yìxiē xiǎo diǎnxin.

彼のオフィスにはいつもおやつがいくつか置いてあります。

我的手表停了，电池没电了。
Wǒ de shǒubiǎo tíng le, diànchí méi diàn le.

私の腕時計が止まりました。電池がなくなってしまいました。

废电池如果乱扔，污染会很严重。
Fèi diànchí rúguǒ luàn rēng, wūrǎn huì hěn yánzhòng.

使用済みの電池はむやみに捨てると、汚染が深刻化します。

这个电台每天早上五点开始广播。
Zhège diàntái měitiān zǎoshang wǔ diǎn kāishǐ guǎngbō.

このラジオ局は毎朝5時に放送を開始します。

这是一个专门广播音乐的电台。
Zhè shì yí ge zhuānmén guǎngbō yīnyuè de diàntái.

これは音楽専門のラジオ局です。

他很喜欢这个动画片里的人物。
Tā hěn xǐhuan zhège dònghuàpiàn li de rénwù.

彼はこのアニメのキャラクターがとても好きです。

这是一部获过奖的动画片。
Zhè shì yí bù huòguo jiǎng de dònghuàpiàn.

これは受賞歴のあるアニメです。

那棵树中间形成了一个大洞。
Nà kē shù zhōngjiān xíngchéngle yí ge dàdòng.

その木の真ん中に大きな空洞ができています。

我的袜子破了一个洞。
Wǒ de wàzi pòle yí ge dòng.

靴下に穴が空きました。

豆腐又好吃又有营养。
Dòufu yòu hǎochī yòu yǒu yíngyǎng.

豆腐は美味しくて栄養があります。

晚上我给你做个海带豆腐汤吧。
Wǎnshang wǒ gěi nǐ zuò ge hǎidài dòufu tāng ba.

夜、昆布と豆腐のスープを作ってあげましょう。

0079		
	对方 duìfāng	名 (試合・裁判などの) 相手方

0080		
	对手 duìshǒu	名 (競技・試合の) 相手、ライバル

0081		
	对象 duìxiàng	名 対象、(恋愛・結婚の) 相手

0082		
	耳环 ěrhuán	名 イヤリング

0083		
	发明 fāmíng	名 発明　動 発明する

0084		
	发票 fāpiào	名 領収書

这场足球比赛，对方输了。
Zhè chǎng zúqiú bǐsài, duìfāng shū le.

今回のサッカーの試合は相手が負けました。

在谈判中，对方提出了很多条件。
Zài tánpàn zhōng, duìfāng tíchūle hěn duō tiáojiàn.

交渉中、相手は多くの条件を提示しました。

这次比赛我们的对手是美国队。
Zhè cì bǐsài wǒmen de duìshǒu shì Měiguóduì.

今回の対戦相手は米国チームです。

我们不能小看了对手，一定要认真对待。
Wǒmen bù néng xiǎokànle duìshǒu, yídìng yào rènzhēn duìdài.

相手を見くびらず、真剣に向き合うべきです。

我们的教学对象主要是大学生。
Wǒmen de jiāoxué duìxiàng zhǔyào shì dàxuéshēng.

私たちの教育対象は主に大学生です。

他昨天见了他对象的父母。
Tā zuótiān jiànle tā duìxiàng de fùmǔ.

彼は昨日恋人の両親に会いました。

妻子不喜欢戴耳环。
Qīzi bù xǐhuan dài ěrhuán.

妻はイヤリングをつけるのが好きではありません。

她用这个月工资买了一副耳环。
Tā yòng zhè ge yuè gōngzī mǎile yí fù ěrhuán.

彼女は今月のお給料を使って1組のイヤリングを買いました。

这项发明已经运用到生产中了。
Zhè xiàng fāmíng yǐjīng yùnyòngdào shēngchǎn zhōng le.

この発明はすでに生産に活かされています。

他发明了这种快速生产的方法。
Tā fāmíngle zhè zhǒng kuàisù shēngchǎn de fāngfǎ.

彼はこの高速生産の方法を発明しました。

麻烦你给我们开一张发票。
Máfan nǐ gěi wǒmen kāi yì zhāng fāpiào.

お手数ですが私たちに領収書をください。

凭发票你可以到财务部门去报销。
Píng fāpiào nǐ kěyǐ dào cáiwù bùmén qù bàoxiāo.

領収書は財務部門で清算できます。

指定語句 名詞 動詞 ほか 作文対策語句

Track 015

0085 **法院** fǎyuàn	名 裁判所
0086 **范围** fànwéi	名 範囲
0087 **方案** fāng'àn	名 プラン
0088 **方式** fāngshì	名 方式、スタイル
0089 **肥皂** féizào	名 石鹸
0090 **废话** fèihuà	名 無駄話

指定語句 | 名詞 | 動詞 | ほか | 作文対策語句

我们已经向法院提交了证据。
Wǒmen yǐjīng xiàng fǎyuàn tíjiāole zhèngjù.

私たちはすでに裁判所に証拠を提出しました。

我们服从法院做出的判决。
Wǒmen fúcóng fǎyuàn zuòchū de pànjué.

私たちは裁判所の判決に従います。

我们考试的范围是第一课到第六课。
Wǒmen kǎoshì de fànwéi shì dì yī kè dào dì liù kè.

私たちの試験の範囲は、レッスン1から6です。

这次活动是在全国范围内进行的。
Zhè cì huódòng shì zài quánguó fànwéi nèi jìnxíng de.

今回のイベントは全国的に行われました。

关于明年的工作，我写了一个方案。
Guānyú míngnián de gōngzuò, wǒ xiěle yí ge fāng'àn.

来年の仕事について、プランを書きました。

为了完成这个工作，我们需要一套完整的方案。
Wèile wánchéng zhège gōngzuò, wǒmen xūyào yí tào wánzhěng de fāng'àn.

この仕事を完成するために、私たちには完璧なプランが必要です。

他还没有习惯这种生活方式。
Tā hái méiyǒu xíguàn zhè zhǒng shēnghuó fāngshì.

彼はまだこの生活スタイルに慣れていません。

我们采用了先进的生产方式，提高了产量。
Wǒmen cǎiyòngle xiānjìn de shēngchǎn fāngshì, tígāole chǎnliàng.

私たちは先進的な生産方式を採用し、生産量をアップさせました。

脏的地方，你可以先用肥皂洗一洗。
Zāng de dìfang, nǐ kěyǐ xiān yòng féizào xǐ yi xǐ.

汚れたところは、先に石鹸でちょっと洗っておいたらどうですか。

我先用肥皂，再用洗衣粉洗。
Wǒ xiān yòng féizào, zài yòng xǐyīfěn xǐ.

私はまず石鹸で、その後洗剤で洗います。

他说的都是些废话。
Tā shuō de dōu shì xiē fèihuà.

彼が話すのはすべて無駄話です。

文章里的这些废话都可以去掉。
Wénzhāng li de zhèxiē fèihuà dōu kěyǐ qùdiào.

文章の中のこれらの無駄な部分は削除して構いません。

0091		
	风格 fēnggé	名 スタイル、風格
0092		
	风景 fēngjǐng	名 風景、景色
0093		
	风俗 fēngsú	名 風俗、風習
0094		
	风险 fēngxiǎn	名 リスク
0095		
	服装 fúzhuāng	名 服装
0096		
	妇女 fùnǚ	名 (成人した) 女性

第1周 / 第4天

这座大楼体现了中国的传统风格。
Zhè zuò dàlóu tǐxiànle Zhōngguó de chuántǒng fēnggé.

この大きなビルは中国の伝統的なスタイルを体現しています。

在这部作品中，画家的风格有了一些改变。
Zài zhè bù zuòpǐn zhōng, huàjiā de fēnggé yǒule yìxiē gǎibiàn.

この作品では、画家のスタイルが少し変わりました。

这儿的风景真漂亮！
Zhèr de fēngjǐng zhēn piàoliang!

ここの景色はとても美しいです！

北京的秋天，风景格外美丽。
Běijīng de qiūtiān, fēngjǐng géwài měilì.

北京の秋は、風景が特にきれいです。

我对这里的风俗很感兴趣。
Wǒ duì zhèlǐ de fēngsú hěn gǎn xìngqù.

私はここの風習にとても興味があります。

不同的民族有不同的风俗习惯。
Bù tóng de mínzú yǒu bù tóng de fēngsú xíguàn.

異なった民族には異なった風俗習慣があります。

买股票是有一定风险的。
Mǎi gǔpiào shì yǒu yídìng fēngxiǎn de.

株を買うには一定のリスクがあります。

我知道这里面有风险，但还是想试试。
Wǒ zhīdao zhè lǐmiàn yǒu fēngxiǎn, dàn háishi xiǎng shìshi.

私はここにはリスクがあるとわかっていますが、やはり試してみたいです。

这条街上有很多服装商店。
Zhè tiáo jiē shang yǒu hěn duō fúzhuāng shāngdiàn.

この通りには多くの衣料品店があります。

我经常去附近的服装市场买衣服。
Wǒ jīngcháng qù fùjìn de fúzhuāng shìchǎng mǎi yīfu.

私はよく近くの衣料品市場に行き、服を買います。

现在妇女的地位提高了很多。
Xiànzài fùnǚ de dìwèi tígāole hěn duō.

現在女性の地位はずっと高くなりました。

这部法律特别注意保护了妇女和儿童的权利。
Zhè bù fǎlǜ tèbié zhùyì bǎohùle fùnǚ hé értóng de quánlì.

この法律は女性と児童の権利を特に注意して保護しています。

指定語句
名詞
動詞
ほか
作文対策語句

45

Track 017

0097 **概念** gàiniàn	名 概念
0098 **感想** gǎnxiǎng	名 感想
0099 **钢铁** gāngtiě	名 鋼鉄
0100 **隔壁** gébì	名 隣室、隣
0101 **个人** gèrén	名 個人 ⟷ "**集体 jítǐ**" 集団
0102 **个性** gèxìng	名 個性

法律课上，我们又学了几个新概念。
Fǎlǜ kè shang, wǒmen yòu xuéle jǐ ge xīn gàiniàn.

法律の授業では、私たちはまたいくつかの新しい概念を学びました。

你先要弄懂这些哲学概念，才能看懂这篇文章。
Nǐ xiān yào nòngdǒng zhèxiē zhéxué gàiniàn, cái néng kàndǒng zhè piān wénzhāng.

先にこれらの哲学の概念を学ばないと、この文章は理解できません。

读了这篇文章，我有很多感想。
Dúle zhè piān wénzhāng, wǒ yǒu hěn duō gǎnxiǎng.

この文章を読んだ後、私は多くの感想を持ちました。

大家正在一起交流工作上的感想。
Dàjiā zhèngzài yìqǐ jiāoliú gōngzuò shang de gǎnxiǎng.

みんなはちょうど一緒に仕事の感想を述べあっているところです。

国家建设需要大量的钢铁。
Guójiā jiànshè xūyào dàliàng de gāngtiě.

国家建設には大量の鋼鉄が必要です。

这些年钢铁的产量增长了很多。
Zhèxiē nián gāngtiě de chǎnliàng zēngzhǎngle hěn duō.

ここ数年、鋼鉄の生産量は大きく伸びました。

我的隔壁住着一个美国人。
Wǒ de gébì zhùzhe yí ge Měiguórén.

私の隣室には1人のアメリカ人が住んでいます。

隔壁没人住，怎么会有声音呢?
Gébì méi rén zhù, zěnme huì yǒu shēngyīn ne?

隣には誰も住んでいません。なぜ声がするのでしょう?

这些个人财产是受到法律保护的。
Zhèxiē gèrén cáichǎn shì shòudào fǎlǜ bǎohù de.

これらの個人財産は法律の保護を受けます。

我刚才说的话只代表我个人。
Wǒ gāngcái shuō de huà zhǐ dàibiǎo wǒ gèrén.

私が先ほど言った話は私個人の意見に過ぎません。

他很注意培养孩子的个性。
Tā hěn zhùyì péiyǎng háizi de gèxìng.

彼は子どもの個性を伸ばすことにとても注意しています。

这部电影的女主角个性很鲜明。
Zhè bù diànyǐng de nǚzhǔjué gèxìng hěn xiānmíng.

この映画の主演女優は個性がとてもはっきりしています。

指定語句 名詞 動詞 ほか 作文対策語句

Track 018

0103		
工厂 gōngchǎng	名 工場	

0104		
工程师 gōngchéngshī	名 エンジニア	

0105		
工具 gōngjù	名 道具、手段	

0106		
工人 gōngrén	名 労働者	

0107		
工业 gōngyè	名 工業	

0108		
公寓 gōngyù	名 アパート	

这家工厂主要生产桌子、椅子等家具。
Zhè jiā gōngchǎng zhǔyào shēngchǎn zhuōzi, yǐzi děng jiājù.

この工場は主に机や椅子等の家具を生産しています。

他在一家工厂上班，收入不错。
Tā zài yì jiā gōngchǎng shàngbān, shōurù búcuò.

彼は工場で働いているので、収入がいいです。

他哥哥是计算机方面的工程师。
Tā gēge shì jìsuànjī fāngmiàn de gōngchéngshī.

彼の兄はコンピュータ方面のエンジニアです。

我们需要两名建筑工程师完成这项工作。
Wǒmen xūyào liǎng míng jiànzhù gōngchéngshī wánchéng zhè xiàng gōngzuò.

私たちはこの仕事を終わらせる建築技師2名を必要としています。

我没有工具，修不了自行车。
Wǒ méiyǒu gōngjù, xiūbuliǎo zìxíngchē.

工具がないので、自転車を修理できません。

语言是人类最重要的交际工具。
Yǔyán shì rénlèi zuì zhòngyào de jiāojì gōngjù.

言語は人間にとって最も重要な交際ツールです。

工厂每三年从工人中选拔一批干部。
Gōngchǎng měi sān nián cóng gōngrén zhōng xuǎnbá yì pī gànbù.

工場は3年ごとに労働者からある程度の人数の幹部を選択します。

这些产品都是工人们的劳动成果。
Zhèxiē chǎnpǐn dōu shì gōngrénmen de láodòng chéngguǒ.

これらの製品はすべて労働者たちの労働の成果です。

既要重视农业，又要重视工业。
Jì yào zhòngshì nóngyè, yòu yào zhòngshì gōngyè.

農業も重視するし、工業も重視します。

我们有大量的工业产品出口到了国外。
Wǒmen yǒu dàliàng de gōngyè chǎnpǐn chūkǒudàole guówài.

私たちには国外に輸出する大量の工業製品があります。

我住在这个公寓的 203 号房间。
Wǒ zhùzài zhège gōngyù de èrlíngsān hào fángjiān.

私はこのアパートの203号室に住んでいます。

这座公寓条件很好，房间内什么都有。
Zhè zuò gōngyù tiáojiàn hěn hǎo, fángjiān nèi shénme dōu yǒu.

このアパートは条件がとてもよく、部屋の中には何でもあります。

0109	**公元** gōngyuán	名 西暦
0110	**公主** gōngzhǔ	名 皇女
0111	**功能** gōngnéng	名 機能
0112	**贡献** gòngxiàn	名 貢献　動 捧げる
0113	**姑姑** gūgu	名 父の姉妹、おば
0114	**姑娘** gūniang	名 未婚の女性

指定語句

名詞

動詞

ほか

作文対策語句

中国从1949年开始正式采用公元纪年方式。
Zhōngguó cóng yījiǔsìjiǔ nián kāishǐ zhèngshì cǎiyòng gōngyuán jìnián fāngshì.

中国は1949年から正式に西暦方式を採用し始めました。

这件事发生在公元前105年。
Zhè jiàn shì fāshēngzài gōngyuán qián yìbǎilíngwǔ nián.

この出来事は紀元前105年に起こりました。

这位公主最后嫁给了他。
Zhè wèi gōngzhǔ zuìhòu jiàgěile tā.

この皇女は最後には彼に嫁ぎました。

他后来娶了一位公主，过上了幸福生活。
Tā hòulái qǔle yí wèi gōngzhǔ, guòshàngle xìngfú shēnghuó.

彼は後に皇女を娶り、幸せな生活を送りました。

我给大家介绍一下这台机器的功能。
Wǒ gěi dàjiā jièshào yíxià zhè tái jīqì de gōngnéng.

私はみなさんにこの機械の機能を少し紹介します。

这个软件有自动纠正错误的功能。
Zhège ruǎnjiàn yǒu zìdòng jiūzhèng cuòwù de gōngnéng.

このソフトウェアは自動で間違いを修正する機能があります。

我要为国家建设做出更大贡献。
Wǒ yào wèi guójiā jiànshè zuòchū gèng dà gòngxiàn.

私は国家建設のためにさらに大きな貢献をします。

他为教育事业贡献了自己的一生。
Tā wèi jiàoyù shìyè gòngxiànle zìjǐ de yìshēng.

彼は教育事業のために自分の一生を捧げました。

我姑姑给我买了很多东西。
Wǒ gūgu gěi wǒ mǎile hěn duō dōngxi.

私のおばは私に多くのものを買ってくれました。

我每个月都要去一趟姑姑家。
Wǒ měi ge yuè dōu yào qù yí tàng gūgu jiā.

私は毎月1度おばの家に行きます。

我挺喜欢那个小姑娘的，又聪明又好看。
Wǒ tǐng xǐhuan nàge xiǎo gūniang de, yòu cōngmíng yòu hǎokàn.

私はとてもあの娘が好きです。賢くてきれいですから。

小伙子爱上了那个大眼睛的姑娘。
Xiǎohuǒzi àishàngle nàge dà yǎnjing de gūniang.

若者はあの大きな目の娘を好きになりました。

0115		
	古代 gǔdài	名 古代

0116		
	股票 gǔpiào	名 株

0117		
	骨头 gǔtou	名 骨

0118		
	观点 guāndiǎn	名 観点

0119		
	观念 guānniàn	名 観念、概念

0120		
	官 guān	名 (一定クラス以上の) 役人

在古代，科学技术没有现在这么发达。

Zài gǔdài, kēxué jìshù méiyǒu xiànzài zhème fādá.

古代、科学技術は今のようには発達していませんでした。

学习历史，可以了解古代社会的情况。

Xuéxí lìshǐ, kěyǐ liǎojiě gǔdài shèhuì de qíngkuàng.

歴史を学ぶことで、古代社会の状況を理解することができます。

他买股票赚了很多钱。

Tā mǎi gǔpiào zhuànle hěn duō qián.

彼は株を買ってお金をたっぷり稼ぎました。

老人手里还有一些股票，估计很值钱。

Lǎorén shǒu li hái yǒu yìxiē gǔpiào, gūjì hěn zhíqián.

老人の手にはまだいくらか株券があります。恐らくとても価値があるのでしょう。

他瘦得就剩一把骨头了。

Tā shòude jiù shèng yì bǎ gǔtou le.

彼は骨と皮ばかりに痩せました。

那次事故中，他断了两根骨头。

Nà cì shìgù zhōng, tā duànle liǎng gēn gǔtou.

あの事故で、彼は骨を2本折りました。

能不能谈谈你在这个问题上的观点？

Néng bu néng tántan nǐ zài zhège wèntí shang de guāndiǎn?

この問題についてのあなたの見方を述べてくれませんか？

这种观点是错误的，应该改正。

Zhè zhǒng guāndiǎn shì cuòwù de, yīnggāi gǎizhèng.

このような見方は間違っています。改めなければなりません。

传统观念认为，做人应该诚实可靠。

Chuántǒng guānniàn rènwéi, zuò rén yīnggāi chéngshí kěkào.

伝統的な観念では、人とは誠実で信頼できるようになるべきだと考える。

这是一种旧观念，已经过时了。

Zhè shì yì zhǒng jiù guānniàn, yǐjīng guòshí le.

これは古い概念で、すでに時代遅れになっています。

他最近当官了，越来越忙了。

Tā zuìjìn dāng guān le, yuè lái yuè máng le.

彼は最近役人になり、ますます忙しくなりました。

她父母都是外交官。

Tā fùmǔ dōu shì wàijiāoguān.

彼女の両親は外交官です。

指定語句

名詞

動詞

ほか

作文対策語句

53

0121	管子 guǎnzi	名 管
0122	冠军 guànjūn	名 優勝、優勝者
0123	光盘 guāngpán	名 光ディスク
0124	广场 guǎngchǎng	名 広場
0125	规矩 guīju	名 きまり　形 きちんとしている
0126	规律 guīlǜ	名 規則、法則

指定語句 名詞 動詞 ほか 作文対策語句

他在水龙头上接了根管子。
Tā zài shuǐlóngtóu shang jiēle gēn guǎnzi.

彼は蛇口に管を繋げました。

这根管子太细，有没有粗一点儿的?
Zhè gēn guǎnzi tài xì, yǒu méiyǒu cū yìdiǎnr de?

この管は細すぎます。もう少し太いのはありませんか？

这次比赛我们一定要得冠军。
Zhè cì bǐsài wǒmen yídìng yào dé guànjūn.

この試合で私たちは必ず優勝しなければなりません。

他是乒乓球冠军，我当然打不过他。
Tā shì pīngpāngqiú guànjūn, wǒ dāngrán dǎbuguò tā.

彼は卓球の優勝者なので、私はもちろん彼に勝てません。

电脑不能读这张光盘。
Diànnǎo bù néng dú zhè zhāng guāngpán.

パソコンはこのディスクを読み取れません。

我的文件都存在这张光盘里了。
Wǒ de wénjiàn dōu cúnzài zhè zhāng guāngpán li le.

私のファイルはすべてこのディスクの中に保存してあります。

很多人聚集在广场庆祝节日。
Hěn duō rén jùjízài guǎngchǎng qìngzhù jiérì.

多くの人が広場に集まり、祝日を祝っています。

天安门广场正在举行升旗仪式。
Tiān'ānmén guǎngchǎng zhèngzài jǔxíng shēngqí yíshì.

天安門広場では旗揚げ式が行われています。

他家规矩很多，孩子们都不敢违反。
Tā jiā guīju hěn duō, háizimen dōu bùgǎn wéifǎn.

彼の家は決まりがとても多く、子どもたちはみな違反しようとしません。

这孩子很规矩，对人很有礼貌。
Zhè háizi hěn guīju, duì rén hěn yǒu lǐmào.

この子はきちんとしていて、人に対してとても礼儀正しいです。

我们发现了这些动物的活动规律。
Wǒmen fāxiànle zhèxiē dòngwù de huódòng guīlǜ.

私たちはこれらの動物の行動パターンを見つけました。

他总结出了一些语法规律。
Tā zǒngjiéchūle yìxiē yǔfǎ guīlǜ.

彼はいくつかの文法規則をまとめ上げました。

0127		
	规模 guīmó	名 規模

0128		
	规则 guīzé	名 規則

0129		
	柜台 guìtái	名 カウンター

0130		
	锅 guō	名 なべ

0131		
	国庆节 Guóqìng Jié	名 国慶節

0132		
	国王 guówáng	名 国王

指定語句 | 名詞 | 動詞 | ほか | 作文対策語句

随着公司的发展，生产规模也逐渐扩大了。
Suízhe gōngsī de fāzhǎn, shēngchǎn guīmó yě zhújiàn kuòdà le.

会社の発展につれて、生産規模もだんだん拡大されました。

今年，很多大学扩大了招生规模。
Jīnnián, hěn duō dàxué kuòdàle zhāoshēng guīmó.

今年、多くの大学が学生募集の規模を拡大しました。

司机违反了交通规则，就会受到处罚。
Sījī wéifǎnle jiāotōng guīzé, jiù huì shòudào chǔfá.

運転手は交通規則に違反したので、処罰を受けるでしょう。

学生在学校应该遵守各项规则。
Xuésheng zài xuéxiào yīnggāi zūnshǒu gè xiàng guīzé.

学生は学校では各種の規則を守らなければなりません。

商品都摆在柜台上，顾客可以自由选取。
Shāngpǐn dōu bǎizài guìtái shang, gùkè kěyǐ zìyóu xuǎnqǔ.

商品はすべてカウンターの上に並べてあるので、顧客は自由に選び取ることができます。

他把钱包忘在柜台上了。
Tā bǎ qiánbāo wàngzài guìtái shang le.

彼は財布をカウンターの上に忘れました。

这个大锅是朋友送的。
Zhège dà guō shì péngyou sòng de.

この大鍋は友達が贈ってくれたものです。

锅里还有不少剩饭呢。
Guō li hái yǒu bù shǎo shèng fàn ne.

鍋の中にはまだ多くのご飯が残っています。

国庆节的时候，我们放七天假。
Guóqìng Jié de shíhou, wǒmen fàng qī tiān jià.

国慶節のとき、私たちは7日間休みになります。

今年国庆节要举行大规模的庆祝活动。
Jīnnián Guóqìng Jié yào jǔxíng dà guīmó de qìngzhù huódòng.

今年の国慶節は大規模なお祝いイベントが行われます。

我儿子在这部童话剧中扮演国王。
Wǒ érzi zài zhè bù tónghuàjù zhōng bànyǎn guówáng.

私の息子はこの童話劇で国王を演じます。

在这个国家，国王并没有政治权力。
Zài zhège guójiā, guówáng bìng méiyǒu zhèngzhì quánlì.

この国では、王は政治的権力を持っていません。

023

0133	果实 guǒshí	名 果実、(比喩的に) 成果
0134	海关 hǎiguān	名 税関
0135	海鲜 hǎixiān	名 海鮮
0136	行业 hángyè	名 業種、業界
0137	合同 hétong	名 契約
0138	和平 hépíng	名 平和 ↔ "战争 zhànzhēng" 戦争

秋天是收获的季节，各种果实都成熟了。

Qiūtiān shì shōuhuò de jìjié, gè zhǒng guǒshí dōu chéngshú le.

秋は収穫の季節です。さまざまな果実が熟しています。

这些粮食是农民一年的劳动果实。

Zhèxiē liángshi shì nóngmín yì nián de láodòng guǒshí.

これらの食糧は農民の1年の労働の成果です。

他在机场的海关工作。

Tā zài jīchǎng de hǎiguān gōngzuò.

彼は空港の税関で仕事をしています。

这些物品出入境前要向海关申报。

Zhèxiē wùpǐn chūrùjìng qián yào xiàng hǎiguān shēnbào.

これらの物品は出入国前に税関に申告しなければなりません。

这家饭馆的海鲜最有名。

Zhè jiā fànguǎn de hǎixiān zuì yǒumíng.

この料理店の海鮮は最も有名です。

这里的海鲜比较便宜。

Zhèlǐ de hǎixiān bǐjiào piányi.

ここの海鮮は比較的安いです。

这些年服务型行业发展很快。

Zhèxiē nián fúwùxíng hángyè fāzhǎn hěn kuài.

ここ数年、サービス型の業界は発展がとても速いです。

父亲在教育行业工作了 30 多年。

Fùqin zài jiàoyù hángyè gōngzuòle sānshí duō nián.

父は教育業界で30年余り働いています。

这是租房合同，你仔细看看。

Zhè shì zūfáng hétong, nǐ zǐxì kànkan.

これは住宅賃貸契約です。注意深く見てみてください。

如果没有意见，就签合同吧。

Rúguǒ méiyǒu yìjiàn, jiù qiān hétong ba.

もしご不満がございませんでしたら、契約しましょう。

希望世界永远和平。

Xīwàng shìjiè yǒngyuǎn hépíng.

世界が永遠に平和であることを望みます。

这些孩子是在和平的环境下长大的。

Zhèxiē háizi shì zài hépíng de huánjìng xià zhǎngdà de.

この子たちは平和な環境の下で成長しました。

指定語句 名詞 動詞 ほか

作文対策語句

0139		
	核心 héxīn	名 核心
0140		
	猴子 hóuzi	名 サル
0141		
	后背 hòubèi	名 背中
0142		
	后果 hòuguǒ	名 (多くはよくない) 結果
0143		
	胡同 hútòng	名 路地
0144		
	壶 hú	名 (取っ手と口のついた) 器

指定語句 名詞 動詞 ほか 作文対策語句

这篇文章的核心是希望世界和平。
Zhè piān wénzhāng de héxīn shì xīwàng shìjiè hépíng.

この文章の核心は世界平和を望むことです。

抓住了问题的核心，处理起来就简单多了。
Zhuāzhùle wèntí de héxīn, chǔlǐqilai jiù jiǎndānduō le.

問題の核心をしっかりつかめば、処理し始めるとずっと簡単です。

动物园里有很多猴子。
Dòngwùyuán li yǒu hěn duō hóuzi.

動物園にはたくさんのサルがいます。

孩子们就喜欢看猴子表演节目。
Háizimen jiù xǐhuan kàn hóuzi biǎoyǎn jiémù.

子どもたちはサルのショーを見るのが好きです。

我后背有点儿痒，但是挠不到。
Wǒ hòubèi yǒudiǎnr yǎng, dànshì náobudào.

背中が少しかゆいのですが、自分でかくことができません。

你看他后背上好像有一只虫子。
Nǐ kàn tā hòubèi shang hǎoxiàng yǒu yì zhī chóngzi.

ほら、彼の背中に虫が1匹ついているようです。

这是犯罪，你考虑过后果没有？
Zhè shì fànzuì, nǐ kǎolǜguo hòuguǒ méiyǒu?

これは犯罪です、あなたは結果がどうなるか考えたことがありますか？

他的不良行为在公司产生了严重后果。
Tā de bùliáng xíngwéi zài gōngsī chǎnshēngle yánzhòng hòuguǒ.

彼のよくない行動は会社で深刻な結果を生みました。

北京保存着很多过去的胡同。
Běijīng bǎocúnzhe hěn duō guòqù de hútòng.

北京は昔の路地を多く残しています。

我小时候经常在这条胡同里玩儿。
Wǒ xiǎoshíhou jīngcháng zài zhè tiáo hútòng li wánr.

私は小さい頃、いつもこの路地で遊んでいました。

烧开水的壶放在哪儿了？
Shāo kāishuǐ de hú fàngzài nǎr le?

湯を沸かしたやかんをどこに置きましたか？

这个酒壶我用了十年了。
Zhège jiǔhú wǒ yòngle shí nián le.

この徳利を私は10年使っています。

Track 025

0145		
	蝴蝶 húdié	名 蝶々

0146		
	花生 huāshēng	名 落花生

0147		
	华裔 huáyì	名 国外で生まれ、その国の国籍を持つ中華系の子女

0148		
	化学 huàxué	名 化学

0149		
	话题 huàtí	名 話題

0150		
	黄金 huángjīn	名 金 (貴金属)

那只蝴蝶落在花瓣上了。
Nà zhī húdié luòzài huābàn shang le.

あの蝶は花びらの上に止まりました。

她很羡慕那些蝴蝶，能自由地飞来飞去。
Tā hěn xiànmù nàxiē húdié, néng zìyóude fēi lái fēi qù.

彼女はとてもあれらの蝶を羨ましがっています。自由に飛び回ることができるからです。

他在院子里种了很多花生。
Tā zài yuànzi li zhòngle hěn duō huāshēng.

彼は庭に多くの落花生を植えました。

把花生壳扔到垃圾箱里吧。
Bǎ huāshēng ké rēngdào lājī xiāng li ba.

落花生の殻をゴミ箱に捨てましょう。

他是华裔，但不会说汉语。
Tā shì huáyì, dàn bú huì shuō Hànyǔ.

彼は中華系ですが、中国語を話せません。

这些第三代华裔，很多没有来过中国。
Zhèxiē dì sān dài huáyì, hěn duō méiyǒu láiguo Zhōngguó.

これら中華系3世の多くは中国に来たことがありません。

他是搞化学的，每天要做实验。
Tā shì gǎo huàxué de, měitiān yào zuò shíyàn.

彼は化学をやっており、毎日実験をしなければなりません。

这次考试我的化学成绩不太好。
Zhè cì kǎoshì wǒ de huàxué chéngjì bú tài hǎo.

今度の試験は化学の成績があまりよくありませんでした。

关于旅游的话题，大家都很感兴趣。
Guānyú lǚyóu de huàtí, dàjiā dōu hěn gǎn xìngqù.

旅行の話題には誰もが興味を持っています。

大家围绕这个热门话题讨论起来了。
Dàjiā wéirào zhège rèmén huàtí tǎolùnqilai le.

みんなはこのホットな話題をめぐって討論を始めました。

这几天黄金的价格又涨了。
Zhè jǐ tiān huángjīn de jiàgé yòu zhǎng le.

ここ数日、金の価格がまた上がった。

这些装饰品都是用黄金做的，一般人买不起。
Zhèxiē zhuāngshìpǐn dōu shì yòng huángjīn zuò de, yìbānrén mǎibuqǐ.

これらのアクセサリーはすべて金でできていて、一般人には買えません。

0151	**灰尘** huīchén	名 ちり、ほこり
0152	**汇率** huìlǜ	名 為替レート
0153	**婚礼** hūnlǐ	名 結婚式
0154	**婚姻** hūnyīn	名 結婚、婚姻
0155	**火柴** huǒchái	名 マッチ
0156	**伙伴** huǒbàn	名 仲間、同僚

指定語句

名詞

動詞

ほか

作文対策語句

刮风了，到处是灰尘。
Guā fēng le, dàochù shì huīchén.

風が吹いて、どこもかしこもほこりまみれです。

他家里很干净，地板上一点儿灰尘也没有。
Tā jiā li hěn gānjìng, dìbǎn shang yìdiǎnr huīchén yě méiyǒu.

彼の家はとても清潔で、床にほこりが全くありません。

今天美元跟人民币的汇率是多少？
Jīntiān měiyuán gēn rénmínbì de huìlǜ shì duōshao?

今日のドルと人民元のレートはいくらですか？

近期汇率市场不太稳定。
Jìnqī huìlǜ shìchǎng bú tài wěndìng.

最近為替相場はあまり安定していません。

在婚礼上，新郎讲了与新娘的恋爱经过。
Zài hūnlǐ shang, xīnláng jiǎngle yǔ xīnniáng de liàn'ài jīngguò.

結婚式で新郎が新婦との馴れ初めを話しました。

他们举办了一个传统的中式婚礼。
Tāmen jǔbànle yí ge chuántǒng de zhōngshì hūnlǐ.

彼らは伝統的な中国式の結婚式を挙げました。

你年龄不小了，该考虑婚姻方面的事了。
Nǐ niánlíng bù xiǎo le, gāi kǎolǜ hūnyīn fāngmiàn de shì le.

もう若くないのだから、結婚のことを考えるべきです。

他因为事业耽误了自己的婚姻。
Tā yīnwèi shìyè dānwule zìjǐ de hūnyīn.

彼は事業のために自分の結婚を遅らせました。

这场火灾是一根火柴引起的。
Zhè cháng huǒzāi shì yì gēn huǒchái yǐnqǐ de.

この火事は1本のマッチが引き起こしたものです。

这盒火柴湿了，划不着了。
Zhè hé huǒchái shī le, huábuzháo le.

このマッチは湿って、火がつかなくなりました。

我们是合作多年的好伙伴。
Wǒmen shì hézuò duō nián de hǎo huǒbàn.

私たちは長年協力してきた、よき仲間です。

有伙伴们在一起，她就不觉得孤单。
Yǒu huǒbànmen zài yìqǐ, tā jiù bù juéde gūdān.

仲間と一緒にいたので、彼女は寂しくありませんでした。

0157		
	机器 jīqì	名 機械、機器

0158		
	肌肉 jīròu	名 筋肉

0159		
	急诊 jízhěn	名 急診

0160		
	集体 jítǐ	名 集団、団体 ↔ "个人 gèrén" 個人

0161		
	记忆 jìyì	名 記憶

0162		
	纪录 jìlù	名 最高記録、レコード

工厂购买了一批先进的机器。
Gōngchǎng gòumǎile yì pī xiānjìn de jīqì.

工場は先進的な機械を一式購入しました。

这些家具都是机器生产出来的。
Zhèxiē jiājù dōu shì jīqì shēngchǎnchulai de.

これらの家具はすべて機械で生産されたものです。

他腿上的肌肉很发达。
Tā tuǐ shang de jīròu hěn fādá.

彼は足の筋肉が発達しています。

他每天都锻炼，肌肉看起来很结实。
Tā měitiān dōu duànliàn, jīròu kànqilai hěn jiēshi.

彼は毎日鍛えていて、筋肉が見るからにがっしりとしています。

我妈妈在医院急诊工作。
Wǒ māma zài yīyuàn jízhěn gōngzuò.

母は病院の救急科で働いています。

这种情况比较危险，我建议尽快去急诊。
Zhè zhǒng qíngkuàng bǐjiào wēixiǎn, wǒ jiànyì jǐnkuài qù jízhěn.

この状況はけっこう危険なので、できるだけ早く救急診療を受けることをお勧めします。

这件事情我们集体决定。
Zhè jiàn shìqing wǒmen jítǐ juédìng.

このことは私たちがみんなで決めます。

他在集体中感受到了家一样的温暖。
Tā zài jítǐ zhōng gǎnshòudàole jiā yíyàng de wēnnuǎn.

彼は集団の中で家のような温かさを感じた。

北京给我留下了美好的记忆。
Běijīng gěi wǒ liúxiàle měihǎo de jìyì.

北京は私に美しい思い出を残してくれました。

十年过去了，这件事我仍然记忆犹新。
Shí nián guòqu le, zhè jiàn shì wǒ réngrán jìyì yóu xīn.

10年経ってもなお、このことをはっきり覚えています。

他打破了男子一百米跑世界纪录。
Tā dǎpòle nánzǐ yìbǎi mǐ pǎo shìjiè jìlù.

彼は男子100メートル走の世界記録を破りました。

他至今仍保持着这项纪录。
Tā zhìjīn réng bǎochízhe zhè xiàng jìlù.

彼は今でもこの記録を保持しています。

指定語句

名詞 動詞 ほか

作文対策語句

Track 028

0163		
	纪律 jìlǜ	名 規律、規則
0164		
	夹子 jiāzi	名 (クリップ・ファイルなど) 物を挟む道具
0165		
	家庭 jiātíng	名 家庭
0166		
	家务 jiāwù	名 家事
0167		
	家乡 jiāxiāng	名 故郷
0168		
	嘉宾 jiābīn	名 ゲスト

指定語句

名詞

動詞

ほか

作文対策語句

他违反了学校的纪律，受到了批评。
Tā wéifǎnle xuéxiào de jìlǜ, shòudàole pīpíng.

彼は学校規則に違反して、お叱りを受けました。

上班时间不准聊天儿，这是工作纪律。
Shàngbān shíjiān bùzhǔn liáotiānr, zhè shì gōngzuò jìlǜ.

勤務時間中のおしゃべりは許可されていません。これは業務規則です。

她头上的发夹子很好看。
Tā tóu shang de fàjiāzi hěn hǎokàn.

彼女のヘアピンはとてもきれいです。

这个夹子里夹着很多证件。
Zhège jiāzi li jiāzhe hěn duō zhèngjiàn.

このファイルには多くの証明書が入っています。

他结婚后，建立了自己的小家庭。
Tā jiéhūn hòu, jiànlìle zìjǐ de xiǎo jiātíng.

彼は結婚後、自分の家庭を築きました。

这个电视剧演的是一些家庭矛盾。
Zhège diànshìjù yǎn de shì yìxiē jiātíng máodùn.

このドラマが描いているのは家庭の矛盾です。

这些年，妻子承担了全部家务劳动。
Zhèxiē nián, qīzi chéngdānle quánbù jiāwù láodòng.

ここ数年、妻が全ての家事を引き受けていました。

洗衣服、做饭这些家务都是我一个人做。
Xǐ yīfu, zuò fàn zhèxiē jiāwù dōu shì wǒ yí ge rén zuò.

洗濯や料理などの家事はすべて私1人でしています。

他 15 岁就离开了家乡，来到了北京。
Tā shíwǔ suì jiù líkāile jiāxiāng, láidàole Běijīng.

彼は15歳で故郷を離れ、北京に来ました。

我的家乡是一个美丽的小村子。
Wǒ de jiāxiāng shì yí ge měilì de xiǎo cūnzi.

私の故郷は美しい小さな村です。

在场的每一位嘉宾都被感动了。
Zàichǎng de měi yí wèi jiābīn dōu bèi gǎndòng le.

その場にいたゲストは皆感動しました。

第一排的座位是留给嘉宾的。
Dì yī pái de zuòwèi shì liúgěi jiābīn de.

1列目の席はゲストに残しておきます。

Track 029

0169	甲 jiǎ	名 (配列順序などの) 一番目
0170	价值 jiàzhí	名 価値
0171	肩膀 jiānbǎng	名 肩
0172	剪刀 jiǎndāo	名 ハサミ
0173	简历 jiǎnlì	名 履歴書
0174	建筑 jiànzhù	名 建築 動 建築する

指定語句

名詞　動詞　ほか

作文対策語句

学生们按成绩分成甲、乙两个班。
Xuéshengmen àn chéngjì fēnchéng jiǎ, yǐ liǎng ge bān.

学生たちは成績によって甲と乙の2つのクラスに分けられます。

他坐在甲等座位上。
Tā zuòzài jiǎděng zuòwèi shang.

彼は一等席に座っています。

我认为，生命的价值就在于奉献自己。
Wǒ rènwéi, shēngmìng de jiàzhí jiù zàiyú fèngxiàn zìjǐ.

人生の価値は自分を捧げることだと思います。

西红柿的营养价值是很高的。
Xīhóngshì de yíngyǎng jiàzhí shì hěn gāo de.

トマトの栄養価は高いです。

他肩膀上扛着一个包。
Tā jiānbǎng shang kángzhe yí ge bāo.

彼は肩にバッグを担いでいます。

他的肩膀很宽，很平。
Tā de jiānbǎng hěn kuān, hěn píng.

彼の肩は広くて平らです。

这把剪刀是刚买来的。
Zhè bǎ jiǎndāo shì gāng mǎilai de.

このハサミは買ってきたばかりです。

他做衣服离不开这把剪刀。
Tā zuò yīfu líbukāi zhè bǎ jiǎndāo.

彼が服を作るにはこのはさみが欠かせない。

我把简历给了那家公司。
Wǒ bǎ jiǎnlì gěile nà jiā gōngsī.

私はその会社に履歴書を送りました。

我们已经看过了你的简历。
Wǒmen yǐjīng kànguole nǐ de jiǎnlì.

私たちはもうあなたの履歴書を見ました。

这个火车站采取了传统的建筑风格。
Zhège huǒchēzhàn cǎiqǔle chuántǒng de jiànzhù fēnggé.

この駅は伝統的な建築様式を取り入れています。

这座桥昨天终于建筑成功了。
Zhè zuò qiáo zuótiān zhōngyú jiànzhù chénggōng le.

昨日ようやくこの橋の建築が無事完了しました。

71

030

0175		
	键盘 jiànpán	图 キーボード、鍵盤

0176		
	讲座 jiǎngzuò	图 講座

0177		
	酱油 jiàngyóu	图 醤油

0178		
	胶水 jiāoshuǐ	图 液体のり

0179		
	角度 jiǎodù	图 角度、観点

0180		
	教材 jiàocái	图 教材

指定語句

名詞

動詞

ほか

作文対策語句

我用的是有 26 个英文字母的键盘。
Wǒ yòng de shì yǒu èrshíliù ge Yīngwén zìmǔ de jiànpán.

私が使っているのは26文字のアルファベットがあるキーボードです。

买这台电脑赠送鼠标和键盘。
Mǎi zhè tái diànnǎo zèngsòng shǔbiāo hé jiànpán.

このパソコンを買うと、マウスとキーボードがついてきます。

我们请了一位著名经济学家来学校做讲座。
Wǒmen qǐngle yí wèi zhùmíng jīngjìxuéjiā lái xuéxiào zuò jiǎngzuò.

私たちは著名な経済学者に学校に来て講座を開いてもらうようお願いしました。

我经常去听各种讲座，收获很大。
Wǒ jīngcháng qù tīng gè zhǒng jiǎngzuò, shōuhuò hěn dà.

私はよくいろいろな講座に行き聴講して、得ることがとても多いです。

炒这个菜要不要放酱油?
Chǎo zhège cài yào bu yào fàng jiàngyóu?

この料理を炒めるのに醤油を入れる必要がありますか？

我吃饺子喜欢蘸醋和酱油。
Wǒ chī jiǎozi xǐhuan zhàn cù hé jiàngyóu.

私は餃子を食べるのに酢と醤油をつけて食べるのが好きです。

用胶水粘一下这个信封。
Yòng jiāoshuǐ zhān yíxià zhège xìnfēng.

のりでこの封筒を閉じてください。

这瓶胶水时间太长了，都快干了。
Zhè píng jiāoshuǐ shíjiān tài cháng le, dōu kuài gān le.

この液体のりは時間がたっているので、もうすぐ乾いてしまいます。

角度太偏，什么也看不到。
Jiǎodù tài piān, shénme yě kànbudào.

角度があまりに偏っているので、何も見えません。

从他的角度考虑，我能理解他为什么要这样做。
Cóng tā de jiǎodù kǎolǜ, wǒ néng lǐjiě tā wèi shénme yào zhèyàng zuò.

彼の観点から考えると、私は彼がなぜこのようにするのかを理解することができます。

这本教材是我们老师编的。
Zhè běn jiàocái shì wǒmen lǎoshī biān de.

この教材は私たちの先生が編集したものです。

你们可以去新华书店买教材。
Nǐmen kěyǐ qù Xīnhuá shūdiàn mǎi jiàocái.

あなたたちは新華書店で教材を購入できます。

73

0181	**教练** jiàoliàn	名 コーチ
0182	**阶段** jiēduàn	名 段階
0183	**结构** jiégòu	名 構成
0184	**结论** jiélùn	名 結論
0185	**戒指** jièzhi	名 指輪
0186	**借口** jièkǒu	名 言い訳　動 言い訳をする

我们的训练都是教练安排的。
Wǒmen de xùnliàn dōu shì jiàoliàn ānpái de.

私たちの訓練はすべてコーチが計画したものです。

他出国担任过两年乒乓球教练。
Tā chūguó dānrènguo liǎng nián pīngpāngqiú jiàoliàn.

彼は海外で2年間卓球のコーチを担当したことがあります。

大学是人生的一个重要阶段。
Dàxué shì rénshēng de yí ge zhòngyào jiēduàn.

大学は人生の重要な段階です。

比赛进入了关键阶段，双方都很紧张。
Bǐsài jìnrùle guānjiàn jiēduàn, shuāngfāng dōu hěn jǐnzhāng.

試合は重要な段階に入ったので、双方とも緊張しています。

这个句子的结构有些复杂。
Zhège jùzi de jiégòu yǒuxiē fùzá.

この文の構成はいささか複雑です。

这篇文章的结构很严密，逻辑性很强。
Zhè piān wénzhāng de jiégòu hěn yánmì, luójíxìng hěn qiáng.

この文章の構成はとても厳密で、論理性がとても強いです。

这篇文章的结论是正确的。
Zhè piān wénzhāng de jiélùn shì zhèngquè de.

この文章の結論は正しいです。

这只是个初步结论，还需要进一步研究。
Zhè zhǐ shì ge chūbù jiélùn, hái xūyào jìnyíbù yánjiū.

これは初期の結論に過ぎず、まだ さらに研究が必要です。

他给妻子买了结婚戒指。
Tā gěi qīzi mǎile jiéhūn jièzhi.

彼は妻に結婚指輪を買いました。

他送给了女朋友一个钻石戒指。
Tā sònggěile nǚpéngyou yí ge zuànshí jièzhi.

彼は彼女にダイヤモンドの指輪を贈りました。

我想不出用什么借口拒绝他。
Wǒ xiǎngbuchū yòng shénme jièkǒu jùjué tā.

私はどんな口実で彼を拒絶するか思いつきませんでした。

他借口说工作忙，就不来了。
Tā jièkǒu shuō gōngzuò máng, jiù bù lái le.

彼は仕事が忙しいのを言い訳にして来ないことになりました。

Track 032

0187		
	金属 jīnshǔ	名 金属
0188		
	近代 jìndài	名 近代
0189		
	精力 jīnglì	名 精力、エネルギー、精神力と体力
0190		
	精神 jīngshén	名 精神、真意
0191		
	酒吧 jiǔbā	名 バー
0192		
	救护车 jiùhù chē	名 救急車

指定語句

名詞

動詞

ほか

作文対策語句

这个门外面包了一层金属。
Zhège mén wàimiàn bāole yì céng jīnshǔ.

このドアの外側は一層の金属で包まれています。

我的眼镜框是金属做的。
Wǒ de yǎnjìngkuàng shì jīnshǔ zuò de.

私の眼鏡のフレームは金属でできています。

1840年到1919年是中国的近代历史时期。
Yībāsìlíng nián dào yījiǔyījiǔ nián shì Zhōngguó de jìndài lìshǐ shíqī.

1840年から1919年が中国の近代史にあたる期間です。

他是一位著名的近代作家。
Tā shì yí wèi zhùmíng de jìndài zuòjiā.

彼は著名な近代の作家です。

我老了，觉得精力不如以前了。
Wǒ lǎo le, juéde jīnglì bùrú yǐqián le.

私は年を取ったので、体力と気力が昔ほどではなくなりました。

他正集中精力，准备这次考试。
Tā zhèng jízhōng jīnglì, zhǔnbèi zhè cì kǎoshì.

彼は力を集中して、今回の試験の準備をしています。

上课的时候要集中精神、认真听讲。
Shàngkè de shíhou yào jízhōng jīngshén, rènzhēn tīngjiǎng.

授業中は集中して、真面目に聞かなくてはいけません。

他这种奋斗的精神值得我们学习。
Tā zhè zhǒng fèndòu de jīngshén zhíde wǒmen xuéxí.

彼のこの闘争心は私たちが学ぶに値します。

这是个音乐酒吧，每天有演出。
Zhè shì ge yīnyuè jiǔbā, měitiān yǒu yǎnchū.

これはミュージックバーで、毎日公演があります。

他们在一个小酒吧见了面。
Tāmen zài yí ge xiǎo jiǔbā jiànle miàn.

彼らは小さいバーで会いました。

他病得很严重，快叫救护车吧。
Tā bìngde hěn yánzhòng, kuài jiào jiùhùchē ba.

彼の病気はとても深刻なので、早く救急車を呼びましょう。

救护车到了，我们听医生指挥。
Jiùhùchē dào le, wǒmen tīng yīshēng zhǐhuī.

救急車が到着し、私たちは医者の指示に従いました。

77

0193		
	舅舅 jiùjiu	名 母の兄弟、おじ

0194		
	橘子 júzi	名 みかん

0195		
	俱乐部 jùlèbù	名 クラブ

0196		
	决赛 juésài	名 決勝

0197		
	决心 juéxīn	名 決心　動 決心する

0198		
	角色 juésè	名 役

指定語句

名詞 | 動詞 | ほか

作文対策語句

明天我们一家去舅舅家。
Míngtiān wǒmen yìjiā qù jiùjiu jiā.

明日、私たち一家はおじの家に行きます。

介绍一下，这位是我舅舅。
Jièshào yíxià, zhè wèi shì wǒ jiùjiu.

紹介します。こちらが私のおじです。

现在正是吃橘子的季节。
Xiànzài zhèng shì chī júzi de jìjié.

今はちょうどみかんの季節です。

她喜欢吃酸味重的橘子。
Tā xǐhuan chī suānwèi zhòng de júzi.

彼女はすっぱいオレンジを食べるのが好きです。

学校成立了一个乒乓球俱乐部。
Xuéxiào chénglìle yí ge pīngpāngqiú jùlèbù.

学校は卓球クラブを創設しました。

学生俱乐部经常举办各种活动。
Xuésheng jùlèbù jīngcháng jǔbàn gè zhǒng huódòng.

学生クラブはしばしば様々な活動を行います。

决赛是在两名中国人之间进行。
Juésài shì zài liǎng míng Zhōngguórén zhījiān jìnxíng.

決勝は2人の中国人の間で行われます。

他在决赛中表现出色，最终获得了冠军。
Tā zài juésài zhōng biǎoxiàn chūsè, zuìzhōng huòdéle guànjūn.

彼は決勝戦で優れた活躍を見せ、ついに優勝しました。

他戒烟的决心很大，一定能成功。
Tā jiè yān de juéxīn hěn dà, yídìng néng chénggōng.

彼の禁煙の決心はとても固いので、必ず成功するでしょう。

他决心改变现在这种生活状况。
Tā juéxīn gǎibiàn xiànzài zhè zhǒng shēnghuó zhuàngkuàng.

彼は現在のこのような生活状況を変えようと決心しました。

他扮演过很多不同的角色。
Tā bànyǎnguo hěn duō bù tóng de juésè.

彼は多くの異なった役を演じたことがあります。

我很喜欢电影中他扮演的那个角色。
Wǒ hěn xǐhuan diànyǐng zhōng tā bànyǎn de nàge juésè.

私は映画の中で彼が演じたあの役がとても好きです。

0199		
	军事 jūnshì	名 軍事
0200		
	卡车 kǎchē	名 トラック
0201		
	开幕式 kāimùshì	名 開幕式
0202		
	开水 kāishuǐ	名 沸騰したお湯
0203		
	课程 kèchéng	名 学校の教育課程
0204		
	空间 kōngjiān	名 空間

指定語句 名詞 動詞 ほか 作文対策語句

双方都不希望发生军事冲突。
Shuāngfāng bù xīwàng fāshēng jūnshì chōngtū.

双方とも軍事衝突を起こすことは望んでいません。

依靠军事不能解决所有问题。
Yīkào jūnshì bù néng jiějué suǒyǒu wèntí.

軍事に頼ってもすべての問題は解決できません。

这辆卡车上装满了家具。
Zhè liàng kǎchē shang zhuāngmǎnle jiājù.

このトラックには家具がいっぱいに詰まれています。

他驾驶着卡车离开了这里。
Tā jiàshǐzhe kǎchē líkāile zhèli.

彼はトラックを運転して、ここから離れました。

参加开幕式的人员都到齐了。
Cānjiā kāimùshì de rényuán dōu dàoqí le.

開幕式に参加する人は揃いました。

我们请了市长参加展览会的开幕式。
Wǒmen qǐngle shìzhǎng cānjiā zhǎnlǎnhuì de kāimùshì.

私たちは市長に展覧会の開幕式に参加してくれるようお願いしました。

我不喝饮料，白开水就可以了。
Wǒ bù hē yǐnliào, báikāishuǐ jiù kěyǐ le.

ドリンクは飲みません、白湯で結構です。

这是开水，小心别烫着。
Zhè shì kāishuǐ, xiǎoxīn bié tàngzhe.

これは熱湯です。火傷しないように注意してください。

他每门课程的成绩都是优秀。
Tā měi mén kèchéng de chéngjì dōu shì yōuxiù.

彼の課程の成績はどれも優秀です。

这是课程表，每天上午都有课。
Zhè shì kèchéngbiǎo, měitiān shàngwǔ dōu yǒu kè.

これは時間割で、毎日午前に授業があります。

他的屋子里放了一张床，空间就很小了。
Tā de wūzi li fàngle yì zhāng chuáng, kōngjiān jiù hěn xiǎo le.

彼の部屋はベッドを1台置くと、空いている場所はわずかになりました。

孩子需要有自己独立的空间。
Háizi xūyào yǒu zìjǐ dúlì de kōngjiān.

子どもには自分の独立した空間が必要です。

035

0205		
	口味 kǒuwèi	名 味
0206		
	会计 kuàijì	名 会計、会計担当者
0207		
	昆虫 kūnchóng	名 昆虫
0208		
	辣椒 làjiāo	名 トウガラシ
0209		
	老百姓 lǎobǎixìng	名 一般人、民間人
0210		
	老板 lǎobǎn	名 店長、経営者、上司

指定語句　名詞　動詞　ほか　作文対策語句

这东西吃起来口味不错。
Zhè dōngxi chīqilai kǒuwèi búcuò.

これは食べてみると味がいいです。

你喜欢什么口味的咖啡?
Nǐ xǐhuan shénme kǒuwèi de kāfēi?

あなたはどのような味のコーヒーが好きですか?

公司有严格的会计制度。
Gōngsī yǒu yángé de kuàijì zhìdù.

会社には厳格な会計制度があります。

现在会计没在,领不了钱。
Xiànzài kuàijì méi zài, lǐngbuliǎo qián.

現在会計担当者がいないので、お金を受け取れません。

房间里飞进来很多昆虫。
Fángjiān li fēijinlai hěn duō kūnchóng.

部屋の中に、たくさんの虫が飛び込んできます。

他是专门研究昆虫的生物学家。
Tā shì zhuānmén yánjiū kūnchóng de shēngwùxuéjiā.

彼は昆虫の研究を専門とする生物学者です。

这种辣椒特别辣,我不敢吃。
Zhè zhǒng làjiāo tèbié là, wǒ bù gǎn chī.

このトウガラシは特に辛く、私は食べようと思いません。

他做什么菜都喜欢放辣椒。
Tā zuò shénme cài dōu xǐhuan fàng làjiāo.

彼はどんな料理を作るにもトウガラシを入れるのが好きです。

政府非常关心老百姓的生活。
Zhèngfǔ fēicháng guānxīn lǎobǎixìng de shēnghuó.

政府は庶民の生活を非常に気にかけています。

我们的目标就是让广大老百姓都满意。
Wǒmen de mùbiāo jiù shì ràng guǎngdà lǎobǎixìng dōu mǎnyì.

私たちの目標は多くの人々をみんな満足させることです。

这是老板交给我的工作,我必须完成。
Zhè shì lǎobǎn jiāogěi wǒ de gōngzuò, wǒ bìxū wánchéng.

これは店長が私に任せた仕事で、やり遂げなければなりません。

我要找你们老板谈这个问题。
Wǒ yào zhǎo nǐmen lǎobǎn tán zhège wèntí.

私はあなたがたの店長とこの問題について話したいです。

Track **036**

0211		
	老婆 lǎopo	名 妻

0212		
	老鼠 lǎoshǔ	名 ネズミ

0213		
	姥姥 lǎolao	名 母方の祖母

0214		
	雷 léi	名 雷

0215		
	类型 lèixíng	名 ジャンル

0216		
	梨 lí	名 梨

指定語句

名詞　動詞　ほか

作文対策語句

我打算给我老婆一个惊喜。
Wǒ dǎsuàn gěi wǒ lǎopo yí ge jīngxǐ.

私は妻に1つサプライズをする
つもりです。

这是我老婆做的小点心，大家尝尝。
Zhè shì wǒ lǎopo zuò de xiǎo diǎnxin, dàjiā chángchang.

これは私の妻が作ったお菓子で
す、みなさん試しに食べてみて
ください。

老鼠咬坏了我的衣服。
Lǎoshǔ yǎohuàile wǒ de yīfu.

ネズミが私の服をかじりまし
た。

我看见了一只小老鼠。
Wǒ kànjiànle yì zhī xiǎo lǎoshǔ.

私は1匹の小さなネズミを見か
けました。

小时候，我妈经常带我去姥姥家。
Xiǎoshíhou, wǒ mā jīngcháng dài wǒ qù lǎolao jiā.

小さいころ、私の母はよく私を
連れて母方の祖母の家に行きま
した。

这是我姥姥和我姥爷的照片，他们结婚40年了。
Zhè shì wǒ lǎolao hé wǒ lǎoye de zhàopiàn, tāmen jiéhūn sìshí nián le.

これは私の母方の祖父母の写真
で、彼らは結婚して40年にな
ります。

这个雷真响，吓得小孩子都哭了。
Zhège léi zhēn xiǎng, xiàde xiǎo háizi dōu kū le.

この雷は本当に激しく、小さい
子がみんなびっくりして泣き出
しました。

打雷了，把电视关掉吧。
Dǎléi le, bǎ diànshì guāndiào ba.

雷が鳴っているので、テレビを
消してください。

你喜欢听什么类型的音乐?
Nǐ xǐhuan tīng shénme lèixíng de yīnyuè?

どんなジャンルの音楽を聞くの
が好きですか？

这种类型的题目在考试中经常出现。
Zhè zhǒng lèixíng de tímù zài kǎoshì zhōng jīngcháng chūxiàn.

このタイプの問題は、試験でよ
く出てきます。

我爱吃梨，不爱吃苹果。
Wǒ ài chī lí, bú ài chī píngguǒ.

私はナシが好きで、リンゴは好
きではありません。

师傅，这梨怎么卖?
Shīfu, zhè lí zěnme mài?

すみません、このナシはいくら
ですか？

Track 037

0217	**理论** lǐlùn	名 理論
0218	**理由** lǐyóu	名 理由
0219	**力量** lìliàng	名 力、能力
0220	**利润** lìrùn	名 利潤
0221	**利息** lìxī	名 利息
0222	**利益** lìyì	名 利益

理论这部分可能不太容易理解。
Lǐlùn zhè bùfen kěnéng bú tài róngyì lǐjiě.

理論のこの部分は理解するのが簡単ではないでしょう。

正确的理论指导是我们获得成功的关键。
Zhèngquè de lǐlùn zhǐdǎo shì wǒmen huòdé chénggōng de guānjiàn.

正確な理論的指導が私たちが成功を得る鍵となります。

你坚持这么做的理由是什么?
Nǐ jiānchí zhème zuò de lǐyóu shì shénme?

あなたがこのようにし続ける理由は何ですか?

我想去中国留学，主要有两个理由。
Wǒ xiǎng qù Zhōngguó liúxué, zhǔyào yǒu liǎng ge lǐyóu.

私が中国へ留学に行きたいのは、主に2つの理由があります。

他的力量很大，能把我举起来。
Tā de lìliàng hěn dà, néng bǎ wǒ jǔqilai.

彼は力持ちで、私を持ち上げることができます。

我会尽自己的力量做好这件事。
Wǒ huì jìn zìjǐ de lìliàng zuòhǎo zhè jiàn shì.

私は自分の能力を尽くしてこのことをきちんとやります。

我们公司的利润比去年增长了 20%。
Wǒmen gōngsī de lìrùn bǐ qùnián zēngzhǎngle bǎi fēn zhī èrshí.

私たちの会社の利潤は去年から20%増加しました。

他们销售这些产品,是有利润分配比例的。
Tāmen xiāoshòu zhèxiē chǎnpǐn, shì yǒu lìrùn fēnpèi bǐlì de.

彼らがこれらの製品を販売するのは、利潤の分配の割合があります。

他每个月能得到 1000 块钱的利息。
Tā měi ge yuè néng dédào yìqiān kuài qián de lìxī.

彼は毎月1000元の利息を得ています。

现在定期存款的利息是多少?
Xiànzài dìngqī cúnkuǎn de lìxī shì duōshao?

現在の定期預金の利息はいくらですか?

大家都维护集体的利益，集体就能搞好。
Dàjiā dōu wéihù jítǐ de lìyì, jítǐ jiù néng gǎohǎo.

みんな集団の利益を擁護するので、集団はうまくいきます。

他把人民的利益看得比什么都重要。
Tā bǎ rénmín de lìyì kànde bǐ shénme dōu zhòngyào.

彼は人民の利益を何よりも重要と見ています。

0223		
	粮食 liángshi	名 食糧
0224		
	列车 lièchē	名 列車
0225		
	铃 líng	名 鈴、ベル
0226		
	零件 língjiàn	名 部品
0227		
	零食 língshí	名 おやつ、間食
0228		
	领域 lǐngyù	名 領域、分野 解説 一般的に学術思想・社会活動を表すときに使用される

今年粮食的产量又获得了丰收。
Jīnnián liángshi de chǎnliàng yòu huòdéle fēngshōu.

今年の食糧の生産量はまた豊作でした。

各级政府都很注重抓粮食生产。
Gè jí zhèngfǔ dōu hěn zhùzhòng zhuā liángshi shēngchǎn.

各レベルの政府は食糧生産の強化をとても重視しています。

本次列车将于下午三点十分到达北京。
Běn cì lièchē jiāng yú xiàwǔ sān diǎn shí fēn dàodá Běijīng.

この列車は午後3時10分に北京に到着します。

列车就要到站了，我们下次再见吧。
Lièchē jiù yào dào zhàn le, wǒmen xià cì zài jiàn ba.

電車がそろそろ駅に着きますよ。次回もお会いしましょう。

上课铃响了，我们开始上课。
Shàngkèlíng xiǎng le, wǒmen kāishǐ shàngkè.

授業開始のベルが鳴り、私たちは授業を始めた。

我自行车上的铃坏了，你能帮我换一个吗?
Wǒ zìxíngchē shang de líng huài le, nǐ néng bāng wǒ huàn yí ge ma?

私の自転車のベルが壊れてしまったので、替えてもらえませんか？

你去买零件来，我帮你修理这台电脑。
Nǐ qù mǎi língjiàn lái, wǒ bāng nǐ xiūlǐ zhè tái diànnǎo.

あなたは部品を買ってきてください、私はこのパソコンを修理してあげます。

这里主要销售汽车零件。
Zhèlǐ zhǔyào xiāoshòu qìchē língjiàn.

ここでは主に車の部品を販売しています。

零食吃多了，对身体没什么好处。
Língshí chīduō le, duì shēntǐ méi shénme hǎochù.

おやつを多く食べるのは、体にとってはまったくよいことがありません。

她的包里永远放着零食。
Tā de bāo li yǒngyuǎn fàngzhe língshí.

彼女のかばんの中にはいつもおやつが入っています。

王教授在经济学领域很有影响。
Wáng jiàoshòu zài jīngjìxué lǐngyù hěn yǒu yǐngxiǎng.

王教授は経済学の分野でとても影響力があります。

我们研究的问题属于不同的文化领域。
Wǒmen yánjiū de wèntí shǔyú bù tóng de wénhuà lǐngyù.

私たちが研究している問題は別々の文化領域に属しています。

0229	龙 lóng	名 竜
0230	陆地 lùdì	名 陸、陸地
0231	论文 lùnwén	名 論文
0232	逻辑 luójí	名 論理、論理学
0233	麦克风 màikèfēng	名 マイク
0234	馒头 mántou	名 マントウ (食品)

春节的时候，这里每年都舞龙。
Chūnjié de shíhou, zhèli měinián dōu wǔ lóng.

春節のときには、ここでは毎年竜舞いがあります。

中国人称自己是龙的传人。
Zhōngguórén chēng zìjǐ shì lóng de chuánrén.

中国人は竜の伝承者を自称しています。

河马生活在水里，不生活在陆地上。
Hémǎ shēnghuózài shuǐ li, bù shēnghuózài lùdì shang.

カバは水の中で生活し、陸地では生活しません。

中国的陆地面积有多少?
Zhōngguó de lùdì miànjī yǒu duōshao?

中国の陸地面積はどのくらいですか？

这些天我在忙着写毕业论文。
Zhèxiē tiān wǒ zài mángzhe xiě bìyè lùnwén.

この数日私は卒業論文を書くので忙しくしています。

我参考了很多别人的论文。
Wǒ cānkǎole hěn duō biérén de lùnwén.

私は他の多くの人の論文を参考にしました。

这篇文章里有逻辑上的错误。
Zhè piān wénzhāng li yǒu luójí shang de cuòwù.

この文章には論理上の誤りがあります。

我们都应该学一些逻辑知识。
Wǒmen dōu yīnggāi xué yìxiē luójí zhīshi.

私たちはみな論理的な知識を学んでおく必要があります。

他拿着麦克风，一边唱一边跳。
Tā názhe màikèfēng, yìbiān chàng yìbiān tiào.

彼はマイクを持って、歌いながら踊っています。

麦克风坏了，我只能大声喊了。
Màikèfēng huài le, wǒ zhǐ néng dàshēng hǎn le.

マイクが壊れて、大声で叫ぶことしかできません。

这些馒头又白又大，很好吃。
Zhèxiē mántou yòu bái yòu dà, hěn hǎochī.

このマントウは白くて大きく、とてもおいしいです。

师傅端来一盘热腾腾的馒头。
Shīfu duānlai yì pán rèténgténg de mántou.

コックが熱々のマントウを運んできました。

指定語句

名詞

動詞

ほか

作文対策語句

0235		
	毛病 máobìng	名 欠点、故障
0236		
	矛盾 máodùn	名 矛盾　形 矛盾した
0237		
	贸易 màoyì	名 貿易
0238		
	眉毛 méimao	名 眉毛
0239		
	媒体 méitǐ	名 メディア
0240		
	煤炭 méitàn	名 石炭

指定語句　名詞　動詞　ほか　作文対策語句

这孩子有个坏毛病，就是爱说谎。
Zhè háizi yǒu ge huài máobìng, jiù shì ài shuōhuǎng.

この子には欠点があって、それはよく嘘をつくことです。

电视机出毛病了，不能看了。
Diànshìjī chū máobìng le, bù néng kàn le.

テレビが故障して、見られなくなりました。

旧的矛盾解决了，新的矛盾又出现了。
Jiù de máodùn jiějué le, xīn de máodùn yòu chūxiàn le.

古い矛盾が解決したら、新しい矛盾が出てきました。

你这种矛盾心情我完全理解。
Nǐ zhè zhǒng máodùn xīnqíng wǒ wánquán lǐjiě.

あなたのその揺れる気持ちが私にはとてもよくわかります。

近年来，两个国家的贸易十分频繁。
Jìnnián lái, liǎng ge guójiā de màoyì shífēn pínfán.

近年、両国間の貿易はとても頻繁です。

我们要千方百计地搞活贸易，促进市场繁荣。
Wǒmen yào qiān fāng bǎi jì de gǎohuó màoyì, cùjìn shìchǎng fánróng.

私たちはあらゆる方法で貿易を活性化し、市場の繁栄を促進する必要があります。

老人的眉毛都白了。
Lǎorén de méimao dōu bái le.

老人の眉毛はもう真っ白です。

她的眉毛长得很好看。
Tā de méimao zhǎngde hěn hǎokàn.

彼女の眉毛は生まれつき美しいです。

我们要多利用新媒体宣传自己。
Wǒmen yào duō lìyòng xīn méitǐ xuānchuán zìjǐ.

私たちは新しいメディアをもっと活用して自分自身を宣伝しなくてはいけません。

媒体的作用在什么时候都不能忽视。
Méitǐ de zuòyòng zài shénme shíhou dōu bù néng hūshì.

メディアの影響はいかなるときでも無視できません。

煤炭在炉中燃烧着呢。
Méitàn zài lú zhōng ránshāozhene.

石炭は炉の中で燃え続けています。

现代化的生产方式使煤炭产量不断增加。
Xiàndàihuà de shēngchǎn fāngshì shǐ méitàn chǎnliàng búduàn zēngjiā.

現代化した生産方式は石炭の生産量を絶えず増加させています。

0241		
	美术 měishù	名 美術
0242	**魅力** mèilì	名 魅力
0243	**梦想** mèngxiǎng	名 夢　動 妄想する、渇望する
0244	**秘密** mìmì	名 秘密　形 秘密の ⊟ "公开 gōngkāi" 公開された
0245	**秘书** mìshū	名 秘書
0246	**蜜蜂** mìfēng	名 ミツバチ

美术能给人良好的艺术享受。
Měishù néng gěi rén liánghǎo de yìshù xiǎngshòu.

美術は人にすばらしい芸術を楽しませてくれます。

这幅美术作品获得了国际大奖。
Zhè fú měishù zuòpǐn huòdéle guójì dàjiǎng.

この美術作品は国際的な大賞を獲得しました。

他身上有一股巨大的魅力吸引着我。
Tā shēnshang yǒu yì gǔ jùdà de mèilì xīyǐnzhe wǒ.

彼には私を引きつける大きな魅力があります。

他现场演奏的魅力征服了每位观众。
Tā xiànchǎng yǎnzòu de mèilì zhēngfúle měi wèi guānzhòng.

彼の現場での演奏の魅力は全ての観客をとりこにしました。

你想长生不老，这只能是个永远的梦想。
Nǐ xiǎng chángshēng bùlǎo, zhè zhǐ néng shì ge yǒngyuǎn de mèngxiǎng.

不老不死、それは永遠の夢にしかすぎません。

他梦想着有一天成为电影明星。
Tā mèngxiǎngzhe yǒu yì tiān chéngwéi diànyǐng míngxīng.

彼は映画スターになる日を夢見ています。

这两个国家举行了一次秘密会议。
Zhè liǎng ge guójiā jǔxíngle yí cì mìmì huìyì.

この2ヶ国は秘密会議を行いました。

这是个秘密，你就不要打听了。
Zhè shì ge mìmì, nǐ jiù búyào dǎtīng le.

これは秘密なので、尋ねないでください。

王部长的秘书是一位精明强干的人。
Wáng bùzhǎng de mìshū shì yí wèi jīng míng qiáng gàn de rén.

王部長の秘書は有能で仕事のできる人です。

她做总经理的秘书已经十年了。
Tā zuò zǒngjīnglǐ de mìshū yǐjīng shí nián le.

彼女が社長の秘書になってもう10年になります。

花园里有很多小蜜蜂。
Huāyuán li yǒu hěn duō xiǎo mìfēng.

庭園には多くのミツバチがいます。

这些花儿引来了很多蜜蜂。
Zhèxiē huār yǐnlaile hěn duō mìfēng.

これらの花は多くのミツバチを引き寄せました。

Track 042

0247		
	面积 miànjī	名 面積

0248		
	名牌 míngpái	名 有名ブランド

0249		
	名片 míngpiàn	名 名刺

0250		
	明星 míngxīng	名 スター

0251		
	命令 mìnglìng	名 命令　動 命令する

0252		
	命运 mìngyùn	名 運命

我家房子的面积是 120 平方米。
Wǒ jiā fángzi de miànjī shì yìbǎi èrshí píngfāngmǐ.

私の家の面積は120平方メートルです。

我想买个面积在 80 平方米左右的房子。
Wǒ xiǎng mǎi ge miànjī zài bāshí píngfāngmǐ zuǒyòu de fángzi.

私は面積が80平方メートル前後の家を買いたいです。

他生活很讲究，穿的、用的都是名牌。
Tā shēnghuó hěn jiǎngjiu, chuān de, yòng de dōu shì míngpái.

彼は生活にとてもこだわっていて、着るものも使うものもみんなブランド物です。

这些服装都是世界名牌，普通人买不起。
Zhèxiē fúzhuāng dōu shì shìjiè míngpái, pǔtōngrén mǎibuqǐ.

これらの服はみな世界的ブランドで、普通の人には手が出ません。

我们交换一下名片吧。
Wǒmen jiāohuàn yíxià míngpiàn ba.

名刺を交換しましょう。

我今天忘了带名片，不好意思。
Wǒ jīntiān wàngle dài míngpiàn, bù hǎoyìsi.

今日名刺を忘れました。すみません。

这次演唱会来了很多明星。
Zhè cì yǎnchànghuì láile hěnduō míngxīng.

今回のコンサートにはたくさんのスターが出演しました。

他现在是好莱坞的明星了。
Tā xiànzài shì Hǎoláiwū de míngxīng le.

彼は今ハリウッドのスターになった。

这是命令，谁都不能违抗。
Zhè shì mìnglìng, shéi dōu bù néng wéikàng.

これは命令で、誰も逆らうことはできません。

他命令的口气非常强硬。
Tā mìnglìng de kǒuqì fēicháng qiángyìng.

彼が命令した口調はとてもきついものでした。

命运掌握在每个人自己手中。
Mìngyùn zhǎngwòzài měi ge rén zìjǐ shǒu zhōng.

運命はみなそれぞれが握っています。

没有人能预测出别人的命运。
Méiyǒu rén néng yùcèchū biérén de mìngyùn.

他人の運命を予測できる人はいません。

Track 043

0253		
	模特儿 mótèr	名 モデル 解説 "模特" とも
0254		
	摩托车 mótuōchē	名 バイク
0255		
	木头 mùtou	名 木、丸太
0256		
	目标 mùbiāo	名 目標、ゴール
0257		
	目录 mùlù	名 目録、カタログ、(本・雑誌などの)目次
0258		
	目前 mùqián	名 目下、現在

指定語句

名詞

動詞

ほか

作文対策語句

她 16 岁就开始以模特儿身份出道了。
Tā shíliù suì jiù kāishǐ yǐ mótèr shēnfèn chūdào le.

彼女は16歳にモデルとしてデビューしました。

他长得又高又帅，像模特儿一样。
Tā zhǎngde yòu gāo yòu shuài, xiàng mótèr yíyàng.

彼は背が高くてハンサムでもあります、まるでモデルのようです。

我喜欢看摩托车比赛。
Wǒ xǐhuan kàn mótuōchē bǐsài.

私はバイクレースを見るのが好きです。

这辆摩托车的轮子出了问题，不能骑了。
Zhè liàng mótuōchē de lúnzi chūle wèntí, bù néng qí le.

このバイクの車輪が故障して、もう乗れません。

这块木头可以用来做张桌子。
Zhè kuài mùtou kěyǐ yòng lái zuò zhāng zhuōzi.

この木はテーブルを作るのに使えます。

这些家具都是木头做的。
Zhèxiē jiājù dōu shì mùtou zuò de.

こちらの家具は全部木で作られています。

他们发现目标后，显得很兴奋。
Tāmen fāxiàn mùbiāo hòu, xiǎnde hěn xīngfèn.

目標を見つけてから、彼らは気持ちが興奮しています。

年轻人应该树立远大的人生目标。
Niánqīng rén yīnggāi shùlì yuǎndà de rénshēng mùbiāo.

若者は人生の大きな目標を持つべきです。

我看书一般先看目录，了解主要内容。
Wǒ kàn shū yìbān xiān kàn mùlù, liǎojiě zhǔyào nèiróng.

私は本を読むとき、通常まず目次を読んで、主な内容を理解します。

借书之前最好先查一下图书目录。
Jiè shū zhīqián zuìhǎo xiān chá yíxià túshū mùlù.

本を借りる前、図書目録を調べたほうがいいと思います。

我们的汉语水平目前还不够好。
Wǒmen de Hànyǔ shuǐpíng mùqián hái búgòu hǎo.

私たちの中国語のレベルはまだまだです。

到目前为止，我还没有接到录取通知书。
Dào mùqián wéizhǐ, wǒ hái méiyǒu jiēdào lùqǔ tōngzhī shū.

今のところ、私はまだ入学通知書を受け取っていません。

044

0259		
	脑袋 nǎodai	名 頭、頭脳
0260		
	内部 nèibù	名 内部、会社内
0261		
	内科 nèikē	名 内科
0262		
	能源 néngyuán	名 エネルギー
0263		
	年代 niándài	名 時代
0264		
	年纪 niánjì	名 年、年齢

他大脑袋，小眼睛。
Tā dà nǎodai, xiǎo yǎnjing.

彼は頭が大きく、目が小さい。

他虽然老了，可脑袋特别清楚。
Tā suīrán lǎo le, kě nǎodai tèbié qīngchu.

彼は年を取りましたが、頭はとても冴えています。

这是公司内部的消息，不可以向外传。
Zhè shì gōngsī nèibù de xiāoxi, bù kěyǐ xiàng wài chuán.

これは会社内のニュースです、外部には伝えないでください。

这台机器的内部构造非常复杂。
Zhè tái jīqì de nèibù gòuzào fēicháng fùzá.

この機器の内部構造は非常に複雑です。

请给我挂一个内科。
Qǐng gěi wǒ guà yí ge nèikē.

内科の受診手続きをお願いします。

他是内科大夫，看不了这种病。
Tā shì nèikē dàifu, kànbuliǎo zhè zhǒng bìng.

彼は内科の医者で、この種類の病気は治療できません。

很多国家都面临着能源不足的问题。
Hěn duō guójiā dōu miànlínzhe néngyuán bùzú de wèntí.

多くの国はエネルギー不足の問題に直面しています。

他们正在寻找新能源，以解决当前的能源危机。
Tāmen zhèngzài xúnzhǎo xīn néngyuán, yǐ jiějué dāngqián de néngyuán wēijī.

彼らは目下のエネルギー危機を解決するために、新エネルギーを探しているところです。

我不清楚这块手表是什么年代的。
Wǒ bù qīngchu zhè kuài shǒubiǎo shì shénme niándài de.

この腕時計がいつの時代のものか、はっきりと分かりません。

她是上个世纪 60 年代出生的人。
Tā shì shàng ge shìjì liùshí niándài chūshēng de rén.

彼女は1960年代に生まれた方です。

请问，您多大年纪了？
Qǐngwèn, nín duōdà niánjì le?

ちょっとお尋ねしますが、おいくつになられましたか？

酒吧里都是年轻人，没有我这个年纪的人。
Jiǔbā li dōu shì niánqīng rén, méiyǒu wǒ zhège niánjì de rén.

バーの中は若者ばかりで、私のような年齢の人はいませんでした。

Track 045

0265		
	牛仔裤 niúzǎikù	名 ジーンズ

0266		
	农村 nóngcūn	名 農村

0267		
	农民 nóngmín	名 農民

0268		
	农业 nóngyè	名 農業

0269		
	女士 nǔshì	名 女士、さん

0270		
	欧洲 Ōuzhōu	名 ヨーロッパ諸国

指定語句
名詞
動詞
ほか
作文対策語句

这条牛仔裤太瘦，我穿不进去。
Zhè tiáo niúzǎikù tài shòu, wǒ chuānbujìnqu.

このジーンズは細すぎて、私は穿けません。

你穿牛仔裤特别好看。
Nǐ chuān niúzǎikù tèbié hǎokàn.

あなたの穿いているジーンズは特に格好いいですね。

我是在农村长大的，20岁才来城市。
Wǒ shì zài nóngcūn zhǎngdà de, èrshí suì cái lái chéngshì.

私は田舎で育ち、20歳で都会に来ました。

这20多年的时间，很多农村都富起来了。
Zhè èrshí duō nián de shíjiān, hěn duō nóngcūn dōu fùqilai le.

この20年余りで、多くの農村地域が豊かになってきました。

改革开放以后，很多农民都富裕起来了。
Gǎigé kāifàng yǐhòu, hěn duō nóngmín dōu fùyùqilai le.

改革開放以来、多くの農民は豊かになってきました。

我出生在农村，父母都是农民。
Wǒ chūshēngzài nóngcūn, fùmǔ dōu shì nóngmín.

私は農村で生まれました、両親も農民です。

这个国家一直很重视农业发展。
Zhège guójiā yìzhí hěn zhòngshì nóngyè fāzhǎn.

この国はずっと農業の発展を重視しています。

农业是这个发展中国家的基础。
Nóngyè shì zhège fāzhǎn zhōng guójiā de jīchǔ.

農業はこの発展途上国の基礎です。

女士们、先生们，晚会马上就要开始了。
Nǚshìmen、xiānshengmen, wǎnhuì mǎshàng jiù yào kāishǐ le.

紳士淑女の皆さん、まもなくパーティーが始まります。

那位女士是跟她的丈夫一起来的。
Nà wèi nǚshì shì gēn tā de zhàngfu yìqǐ lái de.

あの女性はご主人と一緒にいらっしゃいました。

他到过英国、法国等欧洲国家。
Tā dàoguo Yīngguó、Fàguó děng Ōuzhōu guójiā.

彼はイギリスやフランスなどのヨーロッパ諸国を訪問しました。

欧洲国家基本都使用欧元。
Ōuzhōu guójiā jīběn dōu shǐyòng ōuyuán.

ヨーロッパ諸国は基本的にユーロを使用します。

0271		
	盆 pén	名 洗面器、たらい、鉢
0272		
	拼音 pīnyīn	名 ピンイン　動 表音式表記をする
0273		
	频道 píndào	名 チャンネル
0274		
	期间 qījiān	名 期間、間
0275		
	奇迹 qíjì	名 奇跡
0276		
	企业 qǐyè	名 企業

指定語句 | 名詞 | 動詞 | ほか | 作文対策語句

我得买一个脸盆。
Wǒ děi mǎi yí ge liǎnpén.

私は洗面器を1つ買わなければ。

这是用来洗衣服的盆。
Zhè shì yòng lái xǐ yīfu de pén.

これは洗濯用のたらいです。

我们先学习拼音，然后再学习汉字。
Wǒmen xiān xuéxí pīnyīn, ránhòu zài xuéxí Hànzì.

まずピンインを学び、次に漢字を学びます。

我的拼音不好，但是我会努力学的。
Wǒ de pīnyīn bù hǎo, dànshì wǒ huì nǔlì xué de.

ピンインは苦手ですが、一生懸命勉強します。

体育节目在第五频道。
Tǐyù jiémù zài dì wǔ píndào.

スポーツ番組は第5チャンネルです。

这个节目没意思，我们换个频道吧。
Zhège jiémù méi yìsi, wǒmen huàn ge píndào ba.

この番組は面白くありません、チャンネルを変えましょう。

这份调查是他在暑假期间完成的。
Zhè fèn diàochá shì tā zài shǔjià qījiān wánchéng de.

この調査は彼が夏休みで完成させたものです。

他在大学期间一直没有谈恋爱。
Tā zài dàxué qījiān yìzhí méiyǒu tán liàn'ài.

彼は大学の期間、一度も恋愛しませんでした。

这座桥是建筑历史上的一个奇迹。
Zhè zuò qiáo shì jiànzhù lìshǐ shang de yí ge qíjì.

この橋は建築史における一つの奇跡である。

她的病能治好，是一个医学奇迹。
Tā de bìng néng zhìhǎo, shì yí ge yīxué qíjì.

彼女の病気を完治させられることは、医学の奇跡です。

那家公司是世界 500 强企业。
Nà jiā gōngsī shì shìjiè wǔbǎi qiáng qǐyè.

あの会社は世界の大企業500社の1つです。

他在一个大型国有企业从事管理工作。
Tā zài yí ge dàxíng guóyǒu qǐyè cóngshì guǎnlǐ gōngzuò.

彼は大手の国営企業で業務管理に従事しています。

Track 047

0277	气氛 qìfēn	名 雰囲気、気分 [発音] "qifen" とも
0278	汽油 qìyóu	名 ガソリン
0279	前途 qiántú	名 前途、未来
0280	枪 qiāng	名 銃、槍
0281	墙 qiáng	名 壁、塀
0282	青春 qīngchūn	名 青春

指定語句 名詞 動詞 ほか 作文対策語句

这里到处充满了节日的气氛。
Zhèlǐ dàochù chōngmǎnle jiérì de qìfēn.

ここは至るところに祝日のムードが溢れている。

会议是在友好的气氛中进行的。
Huìyì shì zài yǒuhǎo de qìfēn zhōng jìnxíng de.

会議は友好的なムードの中行われました。

你的车加柴油还是汽油?
Nǐ de chē jiā cháiyóu háishi qìyóu?

車の給油は軽油ですか、それともガソリンですか。

我闻到了一股汽油味儿。
Wǒ wéndàole yì gǔ qìyóu wèir.

ガソリンのにおいがしました。

你们都很年轻，前途很美好。
Nǐmen dōu hěn niánqīng, qiántú hěn měihǎo.

あなたたちはみな若くて、前途洋々です。

你不努力学习，会影响你的前途。
Nǐ bù nǔlì xuéxí, huì yǐngxiǎng nǐ de qiántú.

勉強を頑張らないと、あなたの将来に影響しますよ。

罪犯可能带着枪呢，大家都要小心。
Zuìfàn kěnéng dàizhe qiāng ne, dàjiā dōu yào xiǎoxīn.

犯人は銃を持っているかもしれません、みなさん、気をつけて！

听到枪响，人们都躲了起来。
Tīngdào qiāng xiǎng, rénmen dōu duǒle qǐlai.

銃声が聞こえて、人々は身を隠しました。

他在墙上挂上了一张中国地图。
Tā zài qiáng shang guàshàngle yì zhāng Zhōngguó dìtú.

彼は中国の地図を壁に掛けました。

他们把学校的墙拆了，建起了市场。
Tāmen bǎ xuéxiào de qiáng chāi le, jiànqǐle shìchǎng.

彼らは学校の塀を取り壊して、市場を建設し始めました。

青春时期是人生中最美好的阶段。
Qīngchūn shíqī shì rénshēng zhōng zuì měihǎo de jiēduàn.

青春時代は人生の最も美しい時期です。

他把自己的青春献给了这片土地。
Tā bǎ zìjǐ de qīngchūn xiàngěile zhè piàn tǔdì.

彼は自分の青春をこの土地に捧げました。

0283		
	青少年 qīngshàonián	名 青少年

0284		
	情景 qíngjǐng	名 光景、様子

0285		
	情绪 qíngxù	名 気分、気持ち、不満

0286		
	球迷 qiúmí	名 球技のファン

0287		
	趋势 qūshì	名 傾向、動向

0288		
	圈 quān	名 円、輪

指定語句

名詞

動詞

ほか

作文対策語句

青少年是一个国家的未来和希望。
Qīngshàonián shì yí ge guójiā de wèilái hé xīwàng.

青少年は一国の未来と希望です。

他在青少年时期就有了这样的理想。
Tā zài qīngshàonián shíqī jiù yǒule zhèyàng de lǐxiǎng.

彼は青少年時代にこのような理想を持っていました。

眼前的情景让我想起了家乡。
Yǎnqián de qíngjǐng ràng wǒ xiǎngqǐle jiāxiāng.

目の前の光景は私に故郷を思い出させました。

我们离别时的情景我记得很清楚。
Wǒmen líbié shí de qíngjǐng wǒ jìde hěn qīngchu.

私たちが別れたときの景色を、私はまだはっきり覚えています。

他一句话也不说，看起来情绪不太好。
Tā yí jù huà yě bù shuō, kànqǐlai qíngxù bú tài hǎo.

彼は一言も話しません、機嫌がよくなさそうに見えます。

他对这件事有情绪，所以没来开会。
Tā duì zhè jiàn shì yǒu qíngxù, suǒyǐ méi lái kāihuì.

彼はこの事に不満があったので、会議に来ませんでした。

这场足球比赛吸引了八万名球迷。
Zhè chǎng zúqiú bǐsài xīyǐnle bā wàn míng qiúmí.

このサッカーの試合は8万人のファンを惹きつけました。

很多没有买到票的球迷非常着急。
Hěn duō méiyǒu mǎidào piào de qiúmí fēicháng zháojí.

チケットが手に入らなかったたくさんのサッカーファンがとても焦っています。

和平是未来世界发展的趋势。
Hépíng shì wèilái shìjiè fāzhǎn de qūshì.

平和はこれから世界が発展していく成り行きです。

气候逐渐变暖的趋势引起了各国的重视。
Qìhòu zhújiàn biànnuǎn de qūshì yǐnqǐle gèguó de zhòngshì.

気候の温暖化傾向は、各国から重要視されています。

你在这儿画个圈就可以了。
Nǐ zài zhèr huà ge quān jiù kěyǐ le.

ここに丸をかいていただければ結構です。

学生们围坐成一个圈进行讨论。
Xuéshengmen wéizuòchéng yí ge quān jìnxíng tǎolùn.

学生たちは輪になって座り、議論を進めます。

Track 049

0289	权力 quánlì	名 権力
0290	权利 quánlì	名 権利
0291	人才 réncái	名 人材、器量
0292	人口 rénkǒu	名 人口、家族の人数
0293	人类 rénlèi	名 人類
0294	人民币 rénmínbì	名 人民元

指定語句
名詞
動詞
ほか
作文対策語句

全国人民代表大会是中国最高的权力机关。
Quánguó rénmín dàibiǎo dàhuì shì Zhōngguó zuìgāo de quánlì jīguān.

全国人民代表大会は中国最高の権力機構です。

他把所有的权力都控制在自己手中。
Tā bǎ suǒyǒu de quánlì dōu kòngzhìzài zìjǐ shǒu zhōng.

彼はすべての権力をわが手中に収めています。

我是他妻子，有权利知道他在哪儿。
Wǒ shì tā qīzi, yǒu quánlì zhīdao tā zài nǎr.

私は彼の妻で、彼の居場所を知る権利があります。

我们很注意保护消费者的权利。
Wǒmen hěn zhùyì bǎohù xiāofèizhě de quánlì.

私たちは消費者の権利を守ることに気を配っています。

我们需要计算机方面的专门人才。
Wǒmen xūyào jìsuànjī fāngmiàn de zhuānmén réncái.

我々にはコンピュータ関連の専門人材が必要です。

你们这样做是浪费人才。
Nǐmen zhèyàng zuò shì làngfèi réncái.

あなたたちのやり方では、才能をつぶしてしまいます。

这个城市人口增长很快。
Zhège chéngshì rénkǒu zēngzhǎng hěn kuài.

この都市は人口増加（のペース）が速いです。

目前，农村人口的数量多于城市人口。
Mùqián, nóngcūn rénkǒu de shùliàng duōyú chéngshì rénkǒu.

今、農村の人口は都会の人口より多いです。

我们应当保护人类生存的环境。
Wǒmen yīngdāng bǎohù rénlèi shēngcún de huánjìng.

我々は人類が生存する環境を守るべきです。

每个民族的文化是人类文明的一个组成部分。
Měi ge mínzú de wénhuà shì rénlèi wénmíng de yí ge zǔchéng bùfen.

それぞれの民族の文化はすべて人類の文明の一部です。

现在一美元可以换多少人民币?
Xiànzài yì měiyuán kěyǐ huàn duōshao rénmínbì?

今、1ドルを何元に両替できますか。

对不起，我们只收人民币。
Duìbuqǐ, wǒmen zhǐ shōu rénmínbì.

申し訳ありませんが、人民元の支払いのみを受け付けています。

0295

人生
rénshēng

名 人生

0296

人事
rénshì

名 人事、世間の物事

0297

人物
rénwù

名 人物

0298

人员
rényuán

名 人員、スタッフ

0299

日程
rìchéng

名 日程

0300

日历
rìlì

名 カレンダー

人生是幸福的，也是短暂的。
Rénshēng shì xìngfú de, yě shì duǎnzàn de.

人生とは幸福なもので、短いものでもあります。

结婚是人生中的一件大事。
Jiéhūn shì rénshēng zhōng de yí jiàn dàshì.

結婚は人生の一大イベントです。

公司的矛盾多，人事关系复杂。
Gōngsī de máodùn duō, rénshì guānxi fùzá.

会社のトラブルが多く、人間関係は複雑です。

公司的人事制度还需要进一步完善。
Gōngsī de rénshì zhìdù hái xūyào jìnyíbù wánshàn.

会社の人事制度はもう一歩改善する必要があります。

这次会议来了很多重要人物。
Zhè cì huìyì láile hěn duō zhòngyào rénwù.

この会議に多くの重要人物が来ました。

他描写了三种不同性格的人物。
Tā miáoxiěle sān zhǒng bù tóng xìnggé de rénwù.

彼は性格の異なる3つのタイプの人物を描写しました。

我是车站的工作人员，有问题可以找我。
Wǒ shì chēzhàn de gōngzuò rényuán, yǒu wèntí kěyǐ zhǎo wǒ.

私は駅の職員です、何か問題があれば私を呼んでいいですよ。

全校的教学人员都参加了这次会议。
Quánxiào de jiàoxué rényuán dōu cānjiāle zhè cì huìyì.

全校の教員はみなこの会議に出席しました。

由于情况的变化，我对原来的日程做了些调整。
Yóuyú qíngkuàng de biànhuà, wǒ duì yuánlái de rìchéng zuòle xiē tiáozhěng.

状況の変化で、私は元の日程を少し調整しました。

这次活动的日程表已经发给大家了。
Zhè cì huódòng de rìchéngbiǎo yǐjīng fāgěi dàjiā le.

今回のイベントの日程表はすでにみなさんに配られています。

你查查日历，看20号是星期几。
Nǐ chácha rìlì, kàn èrshí hào shì xīngqī jǐ.

カレンダーを見て、20日が何曜日か調べてください。

每过一天，他就撕下一页日历。
Měi guò yì tiān, tā jiù sīxià yí yè rìlì.

一日が過ぎるたびに、彼はカレンダーの1ページを破りました。

指定語句 | 名詞 | 動詞 | ほか | 作文対策語句

0301		
	日期 rìqī	名 日付

0302		
	日用品 rìyòngpǐn	名 日用品

0303		
	日子 rìzi	名 日々

0304		
	如今 rújīn	名 今ごろ、今や

0305		
	软件 ruǎnjiàn	名 ソフトウェア ⇔ "**硬件 yìngjiàn**" ハードウェア

0306		
	嗓子 sǎngzi	名 喉、声

他出国的日期已经确定了。
Tā chūguó de rìqī yǐjīng quèdìng le.

彼の出国の日付はもう確定しました。

会议的日期有所变动，请大家注意通知。
Huìyì de rìqī yǒu suǒ biàndòng, qǐng dàjiā zhùyì tōngzhī.

会議の日付が変更されました。みなさんは通知に気を配るようにしてください。

我刚来这里，下午要去买一些日用品。
Wǒ gāng lái zhèli, xiàwǔ yào qù mǎi yìxiē rìyòngpǐn.

私はここに来たばかりです、午後日用品を買いに行かないといけません。

我的行李箱里都是一些日用品。
Wǒ de xíngli xiāng li dōu shì yìxiē rìyòngpǐn.

私のスーツケースの中身はすべて日用品です。

那段艰苦的日子，我们是一起度过的。
Nà duàn jiānkǔ de rìzi, wǒmen shì yìqǐ dùguò de.

あの苦しい日々を、私たちは一緒に過ごしました。

我们搞了很多活动，纪念这个日子。
Wǒmen gǎole hěn duō huódòng, jìniàn zhège rìzi.

たくさんの活動を行って、この日を記念しました。

当年的穷地方，如今变成大城市了。
Dāngnián de qióng dìfang, rújīn biànchéng dà chéngshì le.

当時の貧困地域は、今や大都会に変わりました。

事到如今，你后悔也来不及了。
Shì dào rújīn, nǐ hòuhuǐ yě láibují le.

今となっては、後悔してももう間に合いません。

这套软件是我们公司自己开发的。
Zhè tào ruǎnjiàn shì wǒmen gōngsī zìjǐ kāifā de.

このソフトウェアは我が社が開発したものです。

这是个学汉语的软件，很好用。
Zhè shì ge xué Hànyǔ de ruǎnjiàn, hěn hǎoyòng.

これは中国語学習のアプリで、使いやすいです。

你嗓子发炎了，快去医院吧。
Nǐ sǎngzi fāyán le, kuài qù yīyuàn ba.

喉が炎症を起こしたのです、早く病院に行きなさい。

他嗓子好，唱歌很好听。
Tā sǎngzi hǎo, chànggē hěn hǎotīng.

彼は声が良くて、歌が上手です。

指定語句

名詞

動詞

ほか

作文対策語句

0307		
	色彩 sècǎi	名 色彩、(事物や思想の) 傾向

0308		
	沙漠 shāmò	名 砂漠

0309		
	沙滩 shātān	名 砂浜、ビーチ

0310		
	闪电 shǎndiàn	名 稲妻

0311		
	扇子 shànzi	名 扇子

0312		
	商品 shāngpǐn	名 商品

她喜欢穿色彩鲜艳的衣服。
Tā xǐhuān chuān sècǎi xiānyàn de yīfu.

彼女は色あざやかな服を着るのが好きです。

他的作品很具有地方色彩。
Tā de zuòpǐn hěn jùyǒu dìfāng sècǎi.

彼の作品はローカル色がよく出ています。

他在沙漠中走了好几天才走出来。
Tā zài shāmò zhōng zǒule hǎojǐ tiān cái zǒuchulai.

彼は砂漠の中を何日間も歩いて、やっと抜け出した。

他们多年来一直在治理这片沙漠。
Tāmen duō nián lái yìzhí zài zhìlǐ zhè piàn shāmò.

彼らは長年ずっとこの辺りの砂漠を整備しています。

我经常到海边的沙滩散步。
Wǒ jīngcháng dào hǎibiān de shātān sànbù.

私はよく海辺のビーチに行って散歩をする。

这里每年都举行沙滩排球赛。
Zhèlǐ měinián dōu jǔxíng shātān páiqiú sài.

ここでは毎年ビーチバレーの試合が行われます。

我们先看到闪电，然后才听到雷声。
Wǒmen xiān kàndào shǎndiàn, ránhòu cái tīngdào léi shēng.

先に稲妻が見え、その後になって雷鳴が聞こえました。

天空中划过一道闪电。
Tiānkōng zhōng huàguò yí dào shǎndiàn.

一筋の稲妻が空を引き裂きました。

我这把扇子是丝绸做的，很漂亮。
Wǒ zhè bǎ shànzi shì sīchóu zuò de, hěn piàoliang.

私のこの扇子はシルクで作られたもので、とても綺麗です。

很多老人摇着扇子，在楼下聊天儿。
Hěn duō lǎorén yáozhe shànzi, zài lóu xià liáotiānr.

多くのお年寄りがうちわであおぎながら、建物の下でおしゃべりをしています。

这里出售的商品有质量保证。
Zhèlǐ chūshòu de shāngpǐn yǒu zhìliàng bǎozhèng.

ここで売っている商品には品質保証が付いています。

我买东西一般都去小商品批发市场。
Wǒ mǎi dōngxi yìbān dōu qù xiǎoshāngpǐn pīfā shìchǎng.

私は普段日用品の卸売マーケットに買い物に行きます。

指定語句 | 名詞 | 動詞 | ほか | 作文対策語句

117

053

0313		
	商务 shāngwù	名 商用、ビジネス、通商事務

0314		
	商业 shāngyè	名 商業

0315		
	蛇 shé	名 蛇

0316		
	设备 shèbèi	名 設備

0317		
	设施 shèshī	名 施設

0318		
	身材 shēncái	名 スタイル

第 3 周 / 第 1 天

商务出差费将由公司报销。 Shāngwù chūchāifèi jiāng yóu gōngsī bàoxiāo.	ビジネス出張の経費は会社が負担します。
近年来电子商务发展非常迅速。 Jìnniánlái diànzǐ shāngwù fāzhǎn fēicháng xùnsù.	Eコマースが近年たいへん急速に発展しています。
这是一条著名的商业街，很热闹。 Zhè shì yì tiáo zhùmíng de shāngyèjiē, hěn rènao.	これは有名なビジネス街で、大変にぎわっています。
这两个国家的商业往来很密切。 Zhè liǎng ge guójiā de shāngyè wǎnglái hěn mìqiè.	この2つの国の商業交流はとても活発です。
我属蛇，1989 年出生。 Wǒ shǔ shé, yījiǔbājiǔ nián chūshēng.	私は蛇年で、1989年生まれです。
这里没有蛇，你不用害怕。 Zhèli méiyǒu shé, nǐ búyòng hàipà.	ここは蛇がいないので、怖がらなくていいですよ。
学校购买了一批教学设备。 Xuéxiào gòumǎile yì pī jiàoxué shèbèi.	学校は1ロットの教育設備を購入しました。
他们的生产设备很简陋，很难提高效率。 Tāmen de shēngchǎn shèbèi hěn jiǎnlòu, hěn nán tígāo xiàolǜ.	彼らの生産設備はお粗末で、効率を上げることはなかなか難しいです。
这里的交通设施需要进一步完善。 Zhèli de jiāotōng shèshī xūyào jìnyíbù wánshàn.	ここの交通施設はさらに整えさせなければなりません。
这个地区建立了一套完整的文化设施。 Zhège dìqū jiànlìle yí tào wánzhěng de wénhuà shèshī.	このエリアに設備が整った文化施設が建設されました。
她是学跳舞的，身材很好。 Tā shì xué tiàowǔ de, shēncái hěn hǎo.	彼女はダンスをやっていたので、スタイルがいいです。
他长得身材高大，很有力气。 Tā zhǎngde shēncái gāodà, hěn yǒu lìqi.	彼は背が高く、力持ちです。

Track 054

0319		
□ □ □	**身份** shēnfèn	名 身分 発音 "shēnfen" とも
0320		
□ □ □	**神话** shénhuà	名 神話
0321		
□ □ □	**声调** shēngdiào	名 声のトーン、声調
0322		
□ □ □	**绳子** shéngzi	名 縄
0323		
□ □ □	**诗** shī	名 詩
0324		
□ □ □	**狮子** shīzi	名 ライオン、獅子

买火车票和飞机票需要用身份证。
Mǎi huǒchē piào hé fēijī piào xūyào yòng
shēnfènzhèng.

列車の切符と航空券を買うには、身分証明書が必要です。

无论你是什么身份，我们都平等地对待。
Wúlùn nǐ shì shénme shēnfèn, wǒmen dōu
píngděngde duìdài.

あなたがどんな身分であろうと、私たちは平等に接します。

古代有很多神话流传到现在。
Gǔdài yǒu hěn duō shénhuà liúchuándào xiànzài.

古代からたくさんの神話物語が現在まで伝わってきました。

关于人类起源的问题，流传着很多神话。
Guānyú rénlèi qǐyuán de wèntí, liúchuánzhe hěn
duō shénhuà.

人類の起源に関する問題について、たくさんの神話が伝えられています。

他怕影响别人，所以压低了声调。
Tā pà yǐngxiǎng biéren, suǒyǐ yādīle shēngdiào.

ほかの人に影響を与えるだろうと思って、彼は声を抑えました。

汉语普通话有四个声调。
Hànyǔ pǔtōnghuà yǒu sì ge shēngdiào.

中国語の標準語には4つの声調があります。

这条绳子很粗，应该不会断。
Zhè tiáo shéngzi hěn cū, yīnggāi bú huì duàn.

この縄は太いから、切れるはずがありません。

你在这个箱子外面捆两道绳子就结实了。
Nǐ zài zhège xiāngzi wàimiàn kǔn liǎng dào
shéngzi jiù jiēshi le.

この箱の外を縄で2回も縛れば頑丈になります。

古代留下来很多好诗，今天人们仍然喜欢。
Gǔdài liúxiàlai hěn duō hǎo shī, jīntiān rénmen
réngrán xǐhuan.

昔から伝承されてきたたくさんの素晴らしい詩は、今でもやはり人々に好まれています。

我心情不好的时候，就喜欢写诗。
Wǒ xīnqíng bù hǎo de shíhou, jiù xǐhuan xiě shī.

機嫌がよくないときには、詩を書くのが好きです。

这头狮子非常凶猛。
Zhè tóu shīzi fēicháng xiōngměng.

このライオンは非常に凶暴です。

这只狮子饿了，在到处找东西吃。
Zhè zhī shīzi è le, zài dàochù zhǎo dōngxi chī.

このライオンは空腹で、あらゆるところで食べ物を探しています。

指定語句 | 名詞 | 動詞 | ほか | 作文対策語句

121

Track 055

0325		
	石头 shítou	名 石
0326		
	时差 shíchā	名 時差
0327		
	时代 shídài	名 時代
0328		
	时刻 shíkè	名 とき、時間　副 いつも
0329		
	时期 shíqī	名 時期、時代
0330		
	实话 shíhuà	名 本当の話

指定語句 | 名詞 | 動詞 | ほか | 作文対策語句

这是一座石头房子，很结实。
Zhè shì yí zuò shítou fángzi, hěn jiēshi.

これは石の家で、とても頑丈です。

这些长椅是石头做的，冬天很凉。
Zhèxiē chángyǐ shì shítou zuò de, dōngtiān hěn liáng.

この長い椅子は石でできています。冬は涼しいです。

他坐了一天飞机，时差还乱着呢。
Tā zuòle yì tiān fēijī, shíchā hái luànzhene.

彼は飛行機に1日乗っていたので、まだ時差ボケしています。

两地的时差是一小时，注意把手表调过来。
Liǎng dì de shíchā shì yì xiǎoshí, zhùyì bǎ shǒubiǎo tiáoguolai.

2カ所の時差は1時間です、腕時計の調整には注意してください。

我们正处在一个和平时代，应该大力发展经济。
Wǒmen zhèng chùzài yí ge hépíng shídài, yīnggāi dàlì fāzhǎn jīngjì.

平和な時代を生きる私たちは、大いに経済発展に力を入れるべきでしょう。

他的少年时代是在农村度过的。
Tā de shàonián shídài shì zài nóngcūn dùguò de.

少年時代、彼は農村で過ごしてきました。

在这个危险的时刻，他站出来了。
Zài zhège wēixiǎn de shíkè, tā zhànchulai le.

この危険なとき、彼ははっきりと自分の立場を表明しました。

他生命的最后时刻，还想着工作。
Tā shēngmìng de zuìhòu shíkè, hái xiǎngzhe gōngzuò.

彼は死ぬ間際でも、まだ仕事のことを考えています。

青年时期，我有过很多梦想。
Qīngnián shíqī, wǒ yǒuguo hěnduō mèngxiǎng.

青年時代、いろいろな夢を追い求めていました。

每个历史时期都会出现一些英雄人物。
Měi ge lìshǐ shíqī dōu huì chūxiàn yìxiē yīngxióng rénwù.

歴史の時期ごとに、英雄となる人物が現れていました。

你说实话，到底愿意不愿意?
Nǐ shuō shíhuà, dàodǐ yuànyì bu yuànyì?

望むのか望まないのか、正直に言って。

我把实话都告诉你了，你看着办吧。
Wǒ bǎ shíhuà dōu gàosu nǐ le, nǐ kànzhe bàn ba.

私は本当のことをあなたに言いました。どうするかはあなた次第です。

0331		
	实验 shíyàn	名 実験

0332		
	食物 shíwù	名 食べ物

0333		
	士兵 shìbīng	名 兵士

0334		
	市场 shìchǎng	名 市場、マーケット

0335		
	事实 shìshí	名 事実

0336		
	事物 shìwù	名 事物、あらゆる物と事

他们正在实验这种新方法。
Tāmen zhèngzài shíyàn zhè zhǒng xīn fāngfǎ.

彼らはこの種類の新しい方法を今実験しています。

这个办法还要经过实验的检验。
Zhège bànfǎ hái yào jīngguò shíyàn de jiǎnyàn.

この方法について、まだ実験というテストを経なければなりません。

冰箱里一点儿食物也没有了。
Bīngxiāng li yìdiǎnr shíwù yě méiyǒu le.

冷蔵庫の中には何の食べ物も残されていませんでした。

学校为每个运动员准备了充足的食物和水。
Xuéxiào wèi měi ge yùndòngyuán zhǔnbèile chōngzú de shíwù hé shuǐ.

学校は選手の皆さんに十分な食べ物と水を用意しておきました。

部队每年都要招收一批新士兵。
Bùduì měinián dōu yào zhāoshōu yì pī xīn shìbīng.

軍隊は毎年一陣の新しい兵士を募集しています。

作为一名老士兵，他严格要求自己。
Zuòwéi yì míng lǎo shìbīng, tā yángé yāoqiú zìjǐ.

熟練兵として、彼は自分に厳しくしています。

我经常去附近的蔬菜市场买菜。
Wǒ jīngcháng qù fùjìn de shūcài shìchǎng mǎi cài.

私は近くの野菜市場によく買い物に行きます。

这种新产品在市场上已经有卖的了。
Zhè zhǒng xīn chǎnpǐn zài shìchǎng shang yǐjīng yǒu mài de le.

この種の新製品はすでに市場で販売されています。

事实证明他的话是对的。
Shìshí zhèngmíng tā de huà shì duì de.

彼の言ったことが正しいと事実が証明しています。

我不想隐瞒事实，所以都说出来了。
Wǒ bù xiǎng yǐnmán shìshí, suǒyǐ dōu shuōchulai le.

事実を隠したくないので、すべて打ち明けました。

出国十年，家乡的事物变化非常大。
Chūguó shí nián, jiāxiāng de shìwù biànhuà fēicháng dà.

海外に出て10年、故郷のさまざまなことが大きく変わりました。

人们都喜欢追求美好的事物。
Rénmen dōu xǐhuan zhuīqiú měihǎo de shìwù.

人々は美しいものを追求するのが好きです。

0337	**事先** shìxiān	名 事前
0338	**试卷** shìjuàn	名 答案用紙、試験用紙
0339	**收据** shōujù	名 レシート、領収書
0340	**手工** shǒugōng	名 手仕事、手作業
0341	**手术** shǒushù	名 手術
0342	**手套** shǒutào	名 手袋

这次考试事先没有通知，是临时决定的。
Zhè cì kǎoshì shìxiān méiyǒu tōngzhī, shì línshí juédìng de.

今回の試験は事前の通知なしに、臨時で決まったのです。

事先你们怎么都不告诉我啊?
Shìxiān nǐmen zěnme dōu bú gàosu wǒ a?

なぜ前もって私に話してくれないのですか。

考试结束了，请把你们的试卷交给老师。
Kǎoshì jiéshù le, qǐng bǎ nǐmen de shìjuàn jiāogěi lǎoshī.

試験が終わりました。問題用紙を先生に渡してください。

这次考试的试卷一共有五页。
Zhè cì kǎoshì de shìjuàn yígòng yǒu wǔ yè.

今回の試験用紙は合計で5ページあります。

这是你买书的收据，请收好。
Zhè shì nǐ mǎi shū de shōujù, qǐng shōuhǎo.

これは本を買ったレシートです、どうぞお納めください。

麻烦你给我写个收据吧。
Máfan nǐ gěi wǒ xiě ge shōujù ba.

お手数ですが領収書を書いていただけますか。

这件毛衣是手工织出来的。
Zhè jiàn máoyī shì shǒugōng zhīchulai de.

このセーターは手で編んだものです。

过去很多手工劳动现在都改用机器了。
Guòqù hěn duō shǒugōng láodòng xiànzài dōu gǎi yòng jīqì le.

むかし手作業でやっていた仕事は現在機械でするようになりました。

她的病很严重，需要马上动手术。
Tā de bìng hěn yánzhòng, xūyào mǎshàng dòng shǒushù.

彼女の病は深刻なので、すぐ手術する必要があります。

这个手术的难度很大，医生没有足够的把握。
Zhège shǒushù de nándù hěn dà, yīshēng méiyǒu zúgòu de bǎwò.

この手術は難しすぎて、医者は十分な自信がありません。

天太冷了，你戴上手套吧。
Tiān tài lěng le, nǐ dàishàng shǒutào ba.

あまりにも寒いので、手袋をはめてください。

他没戴手套，手都冻红了。
Tā méi dài shǒutào, shǒu dōu dòng hóng le.

彼は手袋をはめなかったので、手が凍えて赤くなってしまいました。

指定語句

名詞

動詞

ほか

作文対策語句

Track 058

0343		
	手续 shǒuxù	名 手続き

0344		
	手指 shǒuzhǐ	名 指

0345		
	寿命 shòumìng	名 寿命

0346		
	书架 shūjià	名 本棚

0347		
	梳子 shūzi	名 くし

0348		
	蔬菜 shūcài	名 野菜

我的入学手续很快就办好了。 Wǒ de rùxué shǒuxù hěn kuài jiù bàn hǎo le.	入学の手続きはすぐに終わりました。
报到的手续很简单，你提供身份证就可以了。 Bàodào de shǒuxù hěn jiǎndān, nǐ tígōng shēnfèn zhèng jiù kěyǐ le.	申込手続はとても簡単です。身分証明書を提供すればいいです。
他的十个手指非常灵活。 Tā de shí ge shǒuzhǐ fēicháng línghuó.	彼の10本の指はとてもよく動きます。
我的手指破了，不能打字了。 Wǒ de shǒuzhǐ pò le, bù néng dǎzì le.	指を怪我したので、パソコンで字を打つことができません。
这里的人们平均寿命是74岁。 Zhèlǐ de rénmen píngjūn shòumìng shì qīshísì suì.	ここの人々は平均寿命が74歳です。
有些虫子的寿命只有几个月。 Yǒuxiē chóngzi de shòumìng zhǐ yǒu jǐ ge yuè.	一部の虫の寿命は数か月しかありません。
书架全满了，还有很多书堆在地上。 Shūjià quán mǎn le, hái yǒu hěn duō shū duīzài dìshang.	本棚は本でいっぱいになっていて、床にもたくさんの本が積み上がっています。
书太多了，书架上都放不下了。 Shū tài duō le, shūjià shang dōu fàngbuxià le.	本が多すぎて、本棚に入らなくなりました。
她每天用这把梳子梳头。 Tā měitiān yòng zhè bǎ shūzi shūtóu.	彼女は毎日このくしで髪を整えます。
宾馆里提供一次性的梳子。 Bīnguǎn li tígōng yícìxìng de shūzi.	ホテルでは使い捨てのくしを提供しています。
多吃蔬菜和水果，身体才会更健康。 Duō chī shūcài hé shuǐguǒ, shēntǐ cái huì gèng jiànkāng.	野菜と果物をたくさん食べたら、体が健康になります。
这里的蔬菜价格不太高，老百姓都可以接受。 Zhèlǐ de shūcài jiàgé bú tài gāo, lǎobǎixìng dōu kěyǐ jiēshòu.	ここの野菜は値段が高くないので、庶民にも受け入れられています。

059

0349		
	鼠标 shǔbiāo	名 マウス

0350		
	数据 shùjù	名 データ

0351		
	双方 shuāngfāng	名 双方、両方

0352		
	税 shuì	名 税金、税

0353		
	丝绸 sīchóu	名 シルク、絹布

0354		
	私人 sīrén	名 個人

这个鼠标是买电脑时送的。
Zhège shǔbiāo shì mǎi diànnǎo shí sòng de.

このマウスはパソコンを買った
ときについてきたものです。

这种鼠标比那种要贵 100 块钱。
Zhè zhǒng shǔbiāo bǐ nà zhǒng yào guì yìbǎi kuài
qián.

この種類のマウスはあの種類よ
り100元高いです。

这些数据是真实、可靠的。
Zhèxiē shùjù shì zhēnshí, kěkào de.

これらのデータは事実に合って
いて、信頼できます。

你们再对一遍这几个数据，看看有没有错误。
Nǐmen zài duì yí biàn zhè jǐ ge shùjù, kànkan yǒu
méiyǒu cuòwù.

このいくつかのデータに間違い
がないかどうか、あなたたちで
もう一度見てみてください。

夫妻双方都购买了我们的保险。
Fūqī shuāngfāng dōu gòumǎile wǒmen de bǎoxiǎn.

ご夫婦そろって私たちの保険を
購入しました。

双方一致认为应该加强合作。
Shuāngfāng yízhì rènwéi yīnggāi jiāqiáng hézuò.

双方は協力を強化することで意
見が一致しました。

我买房子需要交哪些税?
Wǒ mǎi fángzi xūyào jiāo nǎxiē shuì?

マンションを買うにはどんな税
金を払う必要がありますか。

你可以在机场购买一些免税商品。
Nǐ kěyǐ zài jīchǎng gòumǎi yìxiē miǎnshuì
shāngpǐn.

空港で免税品を少し買うことが
できます。

我主要买了一些丝绸带回去做纪念。
Wǒ zhǔyào mǎile yìxiē sīchóu dàihuiqu zuò jìniàn.

私はシルクを記念に買って、
もって帰りました。

这些衣服都是丝绸做的，很漂亮。
Zhèxiē yīfu dōu shì sīchóu zuò de, hěn piàoliang.

これらの服はシルクでできてい
て、綺麗です。

现在，私人办的企业越来越多了。
Xiànzài, sīrén bàn de qǐyè yuè lái yuè duō le.

現在、個人経営の企業がだんだ
んと増えてきました。

我和他私人关系很好，他会帮忙的。
Wǒ hé tā sīrén guānxi hěn hǎo, tā huì bāngmáng
de.

彼との個人的な関係が良好なの
で、彼は助けてくれるはずです。

指定語句

名詞

動詞

ほか

作文対策語句

Track 060

0355		
思想 sīxiǎng	名 考え方、思想

0356		
宿舍 sùshè	名 宿舎、寮

0357		
锁 suǒ	名 錠　動 鍵をかける

0358		
台阶 táijiē	名 階段

0359		
太极拳 tàijíquán	名 太極拳

0360		
太太 tàitai	名 奥さん、夫人

你这种怕吃苦的思想是不对的。
Nǐ zhè zhǒng pà chīkǔ de sīxiǎng shì búduì de.

苦労を恐れるようなあなたの考え方は正しくないです。

他的思想很传统，接受不了新鲜东西。
Tā de sīxiǎng hěn chuántǒng, jiēshòubuliǎo xīnxiān dōngxi.

彼の考え方は伝統的で、新しいものを受け入れられません。

宿舍的条件不错，可以做饭。
Sùshè de tiáojiàn búcuò, kěyǐ zuò fàn.

宿舎の条件はよく、ご飯を作ることができます。

我的宿舍周围有商店、有饭馆。
Wǒ de sùshè zhōuwéi yǒu shāngdiàn, yǒu fànguǎn.

寮の周りには商店やレストランがあります。

你把大门的锁放在哪里了？
Nǐ bǎ dàmén de suǒ fàngzài nǎli le?

この門の錠をどこに置きましたか？

大门已经锁了，我进不去了。
Dàmén yǐjīng suǒ le, wǒ jìnbuqù le.

大門は鍵がかかっていて、私は入れません。

这个台阶很高，老年人上去很费力。
Zhège táijiē hěn gāo, lǎonián rén shàngqu hěn fèilì.

この階段はとても多く、お年寄りは上るのが大変です。

他们已经修好了台阶，现在好走多了。
Tāmen yǐjīng xiūhǎole táijiē, xiànzài hǎozǒu duō le.

彼らが階段を修理し終えて、今は歩きやすくなりました。

很多老人在公园里打太极拳。
Hěn duō lǎorén zài gōngyuán li dǎ tàijíquán.

多くのお年寄りは公園で太極拳をやっています。

这位是我的太极拳师傅。
Zhè wèi shì wǒ de tàijíquán shīfu.

この方は私の太極拳の先生です。

张太太，您这边请。
Zhāng tàitai, nín zhèbiān qǐng.

張夫人、こちらへどうぞ。

他比他太太小两岁。
Tā bǐ tā tàitài xiǎo liǎng suì.

彼は奥さんより2歳年下です。

133

0361		
	桃 táo	名 桃

0362		
	特色 tèsè	名 特色

0363		
	特征 tèzhēng	名 特徴

0364		
	提纲 tígāng	名 概略、要点

0365		
	题目 tímù	名 テーマ、題目

0366		
	天空 tiānkōng	名 空

这些都是刚摘下来的桃，很好吃。
Zhèxiē dōu shì gāng zhāixialai de táo, hěn hǎochī.

これらはすべて摘んだばかりの桃です。とても美味しいです。

我带了几个桃，大家随便尝尝吧。
Wǒ dàile jǐ ge táo, dàjiā suíbiàn cháng chang ba.

桃をいくつか持ってきました。どうぞみなさんでご自由に食べてください。

她的打扮很有特色。
Tā de dǎbàn hěn yǒu tèsè.

彼女の身なりは特色があります。

这是一家具有京味儿特色的饭馆。
Zhè shì yì jiā jùyǒu jīngwèir tèsè de fànguǎn.

これは北京の味を特徴としたレストランです。

你记住了那个人的特征没有？
Nǐ jìzhùle nàge rén de tèzhēng méiyǒu?

あの人の特徴を覚えていますか。

雨水少是这里气候的明显特征。
Yǔshuǐ shǎo shì zhèli qìhòu de míngxiǎn tèzhēng.

雨水が少ないのはここの気候の顕著な特徴です。

你可以先写一个提纲，给老师看看。
Nǐ kěyǐ xiān xiě yí ge tígāng, gěi lǎoshī kànkan.

先に概略を書いて、先生に見せてもいいですよ。

光写这份提纲，就花了我一个月的时间。
Guāng xiě zhè fèn tígāng, jiù huāle wǒ yí ge yuè de shíjiān.

概略を書くだけで、1ヶ月もかかりました。

老师在黑板上写了几个作文题目。
Lǎoshī zài hēibǎn shang xiěle jǐ ge zuòwén tímù.

先生は黒板に作文のテーマをいくつか書きました。

这本书每课后面的练习题目很多。
Zhè běn shū měi kè hòumian de liànxí tímù hěn duō.

この本の各課の後ろにある練習テーマはたくさんあります。

蓝蓝的天空中飘着几朵白云。
Lánlán de tiānkōng zhōng piāozhe jǐ duǒ báiyún.

青空にはいくつかの雲が漂っています。

这种现象只有在傍晚的天空中才能看到。
Zhè zhǒng xiànxiàng zhǐyǒu zài bàngwǎn de tiānkōng zhōng cái néng kàndào.

夕方の空でしかこのような現象を見ることができません。

0367	**土地** tǔdì	名 土地
0368	**土豆** tǔdòu	名 じゃがいも
0369	**兔子** tùzi	名 うさぎ
0370	**团** tuán	名 団 量 塊、団
0371	**外公** wàigōng	名 (方言で) 母方の祖父
0372	**外交** wàijiāo	名 外交

城市建设占用了不少农村土地。
Chéngshì jiànshè zhànyòngle bù shǎo nóngcūn tǔdì.

街づくりで、多くの農村の土地を占用しました。

我们一直生活在这块土地上。
Wǒmen yìzhí shēnghuózài zhè kuài tǔdì shang.

私たちはずっとこの土地で生活しています。

他买了很多菜，有土豆、黄瓜、西红柿等等。
Tā mǎile hěn duō cài, yǒu tǔdòu, huángguā, xīhóngshì děngděng.

彼はジャガイモ、キュウリ、トマトなどたくさんの野菜を買いました。

我中午吃的是土豆烧牛肉。
Wǒ zhōngwǔ chī de shì tǔdòu shāo niúròu.

私がお昼に食べたのは肉じゃがです。

我很喜欢小兔子，多可爱啊！
Wǒ hěn xǐhuan xiǎo tùzi, duō kě'ài a!

子うさぎが大好きです。なんて可愛いんでしょうか！

这些孩子兔子似的跳来跳去。
Zhèxiē háizi tùzi shìde tiào lái tiào qù.

子供たちはうさぎみたいに跳び回りました。

他们组成了一个记者团去采访。
Tāmen zǔchéngle yí ge jìzhětuán qù cǎifǎng.

彼らは記者団を結成して、取材に行きました。

我看到远处有一团火。
Wǒ kàndào yuǎnchù yǒu yì tuán huǒ.

遠いところに一玉の炎を見ました。

这个周末我打算去看望外公。
Zhège zhōumò wǒ dǎsuàn qù kànwàng wàigōng.

今週末私は母方の祖父を訪ねるつもりです。

这张照片是我外公年轻的时候照的。
Zhè zhāng zhàopiàn shì wǒ wàigōng niánqīng de shíhou zhào de.

この写真は、母方の祖父が若い頃に撮ったものです。

两个国家正式建立了外交关系。
Liǎng ge guójiā zhèngshì jiànlìle wàijiāo guānxi.

両国は正式に外交関係を樹立しました。

这次事件说明我们的外交政策很成功。
Zhè cì shìjiàn shuōmíng wǒmen de wàijiāo zhèngcè hěn chénggōng.

この事件が、我々の外交政策は成功であると説明しています。

指定語句 | 名詞 | 動詞 | ほか | 作文対策語句

0373		
	玩具 wánjù	名 おもちゃ

0374		
	王子 wángzǐ	名 王子

0375		
	网络 wǎngluò	名 ネットワーク

0376		
	微笑 wēixiào	名 微笑み　動 微笑む

0377		
	围巾 wéijīn	名 マフラー

0378		
	尾巴 wěiba	名 尻尾

指定語句 | 名詞 | 動詞 | ほか | 作文対策語句

我每次出差都给孩子买玩具。
Wǒ měi cì chūchāi dōu gěi háizi mǎi wánjù.

出張するたびに、子供におもちゃを買ってあげます。

漂亮的小玩具把孩子们都吸引住了。
Piàoliang de xiǎo wánjù bǎ háizimen dōu xīyǐnzhù le.

きれいなおもちゃは子供たちをくぎ付けにしました。

故事里，她爱上了那个王子。
Gùshi li, tā àishàngle nàge wángzǐ.

物語の中で、彼女はその王子様を愛しました。

这部小说写了一个王子报仇的故事。
Zhè bù xiǎoshuō xiěle yí ge wángzǐ bàochóu de gùshi.

この小説には1人の王子が復讐する物語が書かれました。

他们的关系已经形成了一个网络。
Tāmen de guānxi yǐjīng xíngchéngle yí ge wǎngluò.

彼らの関係はすでに1つのネットワークを形成しています。

现在的供电网络还要进一步扩大。
Xiànzài de gōngdiàn wǎngluò hái yào jìnyíbù kuòdà.

現在の電力供給ネットワークをさらに拡大する必要があります。

姑娘的脸上露出了幸福的微笑。
Gūniang de liǎn shang lùchūle xìngfú de wēixiào.

娘の顔には幸せそうな微笑みが浮かんでいます。

服务员微笑着跟我们打招呼。
Fúwùyuán wēixiàozhe gēn wǒmen dǎ zhāohu.

店員は微笑みながら、挨拶してくれます。

你戴这条红围巾非常漂亮。
Nǐ dài zhè tiáo hóng wéijīn fēicháng piàoliang.

この赤いマフラーをつけるととてもきれいです。

这条围巾是丝绸做的，很舒适。
Zhè tiáo wéijīn shì sīchóu zuò de, hěn shūshì.

このマフラーはシルクでできているので、心地よいです。

这孩子喜欢摸小猫的尾巴。
Zhè háizi xǐhuan mō xiǎo māo de wěiba.

この子どもは子猫の尻尾を触るのが好きです。

我喜欢松鼠的长尾巴。
Wǒ xǐhuan sōngshǔ de cháng wěiba.

私はリスの長い尻尾が好きです。

0379		
	未来 wèilái	名 未来、これから

0380		
	位置 wèizhì	名 位置、ポジション

0381		
	胃 wèi	名 胃

0382		
	胃口 wèikǒu	名 食欲、好み

0383		
	文件 wénjiàn	名 文書、文献

0384		
	文具 wénjù	名 文房具

第3周 / 第3天

他对未来充满了信心。
Tā duì wèilái chōngmǎnle xìnxīn.

彼は未来に対する自信にあふれています。

在未来的两个月里，我们将举行一次考试。
Zài wèilái de liǎng ge yuè li, wǒmen jiāng jǔxíng yí cì kǎoshì.

これからの2ヶ月の間に、私たちは1回試験を行います。

我家的位置在市中心，交通很方便。
Wǒ jiā de wèizhì zài shì zhōngxīn, jiāotōng hěn fāngbiàn.

我が家の位置は街の中心なので、交通の便がいいです。

大家都希望他仍然留在经理的位置上。
Dàjiā dōu xīwàng tā réngrán liúzài jīnglǐ de wèizhì shang.

みな彼がそのままマネージャーのポジションに残ってほしいと思っています。

他觉得胃疼，肚子胀。
Tā juéde wèi téng, dùzi zhàng.

彼は胃が痛く、お腹も張っているように感じています。

他得了胃病，需要打针吃药。
Tā déle wèibìng, xūyào dǎzhēn chī yào.

彼は胃病にかかったので、注射をしたり薬を飲んだりする必要があります。

他胃口很好，吃得很多。
Tā wèikǒu hěn hǎo, chīde hěn duō.

彼は食欲があり、たくさん食べます。

他完全没有胃口，什么都不想吃。
Tā wánquán méiyǒu wèikǒu, shénme dōu bù xiǎng chī.

彼はまったく食欲がなく、何も食べたくありませんでした。

这份文件很重要，你要保存好。
Zhè fèn wénjiàn hěn zhòngyào, nǐ yào bǎocúnhǎo.

この文書は重要です、きちんと保存してください。

这些都是保密文件，不能让别人看到。
Zhèxiē dōu shì bǎomì wénjiàn, bù néng ràng biérén kàndào.

これらは全て機密文書です。他の人に見られてはいけません。

那个商店卖的文具比较便宜。
Nàge shāngdiàn mài de wénjù bǐjiào piányi.

あの店で売っている文房具はわりあい安いです。

我需要一些纸、笔等办公文具。
Wǒ xūyào yìxiē zhǐ、bǐ děng bàngōng wénjù.

私には紙やペンなどの事務用品が必要です。

指定語句 名詞 動詞 ほか 作文対策語句

141

065

0385		
	文明 wénmíng	名 文明

0386		
	文学 wénxué	名 文学

0387		
	文字 wénzì	名 文字、漢字、文字言語

0388		
	卧室 wòshì	名 寝室

0389		
	屋子 wūzi	名 部屋

0390		
	武术 wǔshù	名 武術

第3周 / 第4天

中国是一个具有五千年文明历史的国家。
Zhōngguó shì yí ge jùyǒu wǔqiān nián wénmíng lìshǐ de guójiā.

中国は五千年もの文明の歴史を持っている国です。

这里的人都很文明，说话很讲礼貌。
Zhèli de rén dōu hěn wénmíng, shuōhuà hěn jiǎng lǐmào.

ここの人はみなマナーがよく、話し方が礼儀正しいです。

她从小就喜欢文学，读了很多小说。
Tā cóngxiǎo jiù xǐhuan wénxué, dúle hěn duō xiǎoshuō.

彼女は小さいときから文学が好きで、たくさんの小説を読みました。

他是一位著名的儿童文学作家。
Tā shì yí wèi zhùmíng de értóng wénxué zuòjiā.

彼は有名な児童文学作家です。

文字的产生标志着人类文明时代的开始。
Wénzì de chǎnshēng biāozhìzhe rénlèi wénmíng shídài de kāishǐ.

文字の発生は、人類の文明時代の始まりを示しています。

音乐的美妙是无法用文字来形容的。
Yīnyuè de měimiào shì wúfǎ yòng wénzì lái xíngróng de.

音楽の美しさは言葉で表現することができません。

他的卧室布置得很漂亮。
Tā de wòshì bùzhìde hěn piàoliang.

彼の寝室はきれいにしつらえられています。

这两间卧室比较大，那间小一点儿。
Zhè liǎng jiān wòshì bǐjiào dà, nà jiān xiǎo yìdiǎnr.

この2つの寝室は広くて、あの寝室は少し狭いです。

天黑了，屋子里什么也看不见。
Tiān hēi le, wūzi li shénme yě kànbujiàn.

日が暮れて、部屋の中は何も見えません。

外面太冷了，我们回屋子里吧。
Wàimiàn tài lěng le, wǒmen huí wūzi li ba.

外はあまりに寒いので、部屋の中に戻りましょう。

他六岁时就开始练习武术。
Tā liù suì shí jiù kāishǐ liànxí wǔshù.

彼は6歳から武術を練習し始めました。

我很喜欢看武术表演，非常精彩。
Wǒ hěn xǐhuan kàn wǔshù biǎoyǎn, fēicháng jīngcǎi.

私は武術のショーを見ることが好きです。とてもすばらしいです。

指定語句
名詞
動詞
ほか
作文対策語句

143

0391	物理 wùlǐ	名 物理
0392	物质 wùzhì	名 物質、もの
0393	雾 wù	名 霧
0394	戏剧 xìjù	名 演劇、劇
0395	系 xì	名 学部、学科
0396	系统 xìtǒng	名 システム、系統

他是搞物理研究的科学家。
Tā shì gǎo wùlǐ yánjiū de kēxuéjiā.

彼は物理の研究を行っている科学者です。

他就喜欢做各种物理实验，研究物理现象。
Tā jiù xǐhuan zuò gè zhǒng wùlǐ shíyàn, yánjiū wùlǐ xiànxiàng.

彼はさまざまな物理実験を行ったり、物理現象を研究することが好きです。

他们正在分析这种物质，看到底是什么。
Tāmen zhèngzài fēnxī zhè zhǒng wùzhì, kàn dàodǐ shì shénme.

彼らはちょうどこの物質を分析しており、どんなものであるか確認しようとしています。

人们的物质生活已经大大丰富了。
Rénmen de wùzhì shēnghuó yǐjīng dàdà fēngfù le.

人々の生活はもう大いに豊かになりました。

天气预报说，明天早晨有大雾。
Tiānqì yùbào shuō, míngtiān zǎochen yǒu dà wù.

天気予報によると、明日の朝は霧だそうです。

水面上有一层薄薄的雾。
Shuǐmiàn shang yǒu yì céng báobáo de wù.

水面に薄い霧がかかっています。

他是名戏剧演员，一生演了无数角色。
Tā shì míng xìjù yǎnyuán, yìshēng yǎnle wúshù juésè.

彼は演劇の俳優で、生涯で数えきれないほどの役柄を演じました。

这部戏剧真实地反映了农村生活。
Zhè bù xìjù zhēnshíde fǎnyìngle nóngcūn shēnghuó.

この劇は農村生活をリアルに表しました。

他大学时代读的是法律系。
Tā dàxué shídài dú de shì fǎlǜxì.

彼が大学時代に勉強していたのは法律学部でした。

我下午要去一趟系办公室。
Wǒ xiàwǔ yào qù yí tàng xì bàngōngshì.

午後は学部の事務室へ行ってこなければいけません。

语言是一个很复杂的系统。
Yǔyán shì yí ge hěn fùzá de xìtǒng.

言語は複雑なシステムです。

他的消化系统出了一些问题。
Tā de xiāohuà xìtǒng chūle yìxiē wèntí.

彼の消化器系にいくつか問題が起こりました。

0397		
	细节 xìjié	名 細部、詳細
0398		
	夏令营 xiàlìngyíng	名 サマーキャンプ、夏の林間学校
0399		
	县 xiàn	名 県
0400		
	现代 xiàndài	名 現代　形 近代的な
0401		
	现实 xiànshí	名 現実　形 現実的な
0402		
	现象 xiànxiàng	名 現象

有时候不注意细节，就会出现大问题。
Yǒu shíhou bú zhùyì xìjié, jiù huì chūxiàn dà wèntí.

ときに細部に注意しなかったために、大きな問題が起こります。

在检查的时候，任何细节都不能漏掉。
Zài jiǎnchá de shíhou, rènhé xìjié dōu bù néng lòudiào.

検査しているときには、どんな細かいことも抜かすわけにはいきません。

我的孩子暑假要参加一个夏令营。
Wǒ de háizi shǔjià yào cānjiā yí ge xiàlìngyíng.

私の子どもは夏休みにサマーキャンプへ行きます。

我们学校今年要举办两个夏令营活动。
Wǒmen xuéxiào jīnnián yào jǔbàn liǎng ge xiàlìngyíng huódòng.

私たちの学校は今年2回サマーキャンプ活動を行います。

他从小就生活在这个小县。
Tā cóngxiǎo jiù shēnghuózài zhège xiǎo xiàn.

彼は幼いときからこの小さな県で生活しています。

我俩是同一个县的老乡。
Wǒ liǎ shì tóng yí ge xiàn de lǎoxiāng.

私たち2人は同じ県の同郷人です。

现代城市的一个特点是，高楼多、汽车多、人口多。
Xiàndài chéngshì de yí ge tèdiǎn shì, gāolóu duō, qìchē duō, rénkǒu duō.

近代都市の特徴は、高層ビル、車、人口が多いことです。

现代医学认为，健康与心情有很大关系。
Xiàndài yīxué rènwéi, jiànkāng yǔ xīnqíng yǒu hěn dà guānxi.

現代医学では、健康は心と大きな関係があると考えられています。

他当演员的梦想变成了现实。
Tā dāng yǎnyuán de mèngxiǎng biànchéngle xiànshí.

彼の俳優になるという夢は現実のものになりました。

他想当演员的想法很不现实。
Tā xiǎng dāng yǎnyuán de xiǎngfǎ hěn bú xiànshí.

彼が俳優になりたいという考えは非現実的です。

刮风、下雨是常见的自然现象。
Guā fēng, xià yǔ shì chángjiàn de zìrán xiànxiàng.

風が吹いたり雨が降ったりするのは、よく見られる自然現象です。

不遵守交通规则的现象越来越少了。
Bù zūnshǒu jiāotōng guīzé de xiànxiàng yuè lái yuè shǎo le.

交通ルールを守らないという現象はますます少なくなっています。

指定語句

名詞

動詞

ほか

作文対策語句

0403		
	香肠 xiāngcháng	名 ソーセージ

0404		
	项链 xiàngliàn	名 ネックレス

0405		
	项目 xiàngmù	名 プロジェクト

0406		
	象棋 xiàngqí	名 中国将棋

0407		
	小麦 xiǎomài	名 小麦

0408		
	效率 xiàolǜ	名 効率

指定語句

名詞

動詞

ほか

作文対策語句

这是我妈妈做的香肠，你要不要尝尝？
Zhè shì wǒ māma zuò de xiāngcháng, nǐ yào bu yào chángchang?

これは母が作ったソーセージです。試しに食べてみますか？

这家餐馆最有名的就是香肠炒饭。
Zhè jiā cānguǎn zuì yǒumíng de jiù shì xiāngcháng chǎofàn.

このレストランで最も有名なのはソーセージチャーハンです。

这条项链是妈妈送给我的。
Zhè tiáo xiàngliàn shì māma sònggěi wǒ de.

このネックレスは母がくれたのです。

你戴上这条项链，显得更漂亮了。
Nǐ dàishàng zhè tiáo xiàngliàn, xiǎnde gèng piàoliang le.

あなたがこのネックレスをつけたら、もっときれいになりました。

这个研究项目要在明年完成。
Zhège yánjiū xiàngmù yào zài míngnián wánchéng.

この研究プロジェクトは来年完成します。

这是国家重点项目，必须保证质量。
Zhè shì guójiā zhòngdiǎn xiàngmù, bìxū bǎozhèng zhìliàng.

これは国の重要プロジェクトで、品質を保証しなければなりません。

他是学校的象棋冠军，水平很高。
Tā shì xuéxiào de xiàngqí guànjūn, shuǐpíng hěn gāo.

彼は学校の中国将棋チャンピオンで、レベルが高いです。

我们俩下一盘象棋怎么样？
Wǒmen liǎ xià yì pán xiàngqí zěnmeyàng?

私たち2人で中国将棋を指すのはいかがですか。

北方的平原地区生产小麦。
Běifāng de píngyuán dìqū shēngchǎn xiǎomài.

北方の平野地域では、小麦を生産しています。

看到小麦长得这么好，农民们很高兴。
Kàndào xiǎomài zhǎngde zhème hǎo, nóngmínmen hěn gāoxìng.

小麦がこんなによく育ったのを見て、農民たちは喜んでいます。

工厂由于采用了新技术，大大提高了生产效率。
Gōngchǎng yóuyú cǎiyòngle xīn jìshù, dàdà tígāole shēngchǎn xiàolǜ.

工場は新しい技術を採用したので、大いに生産効率が上がりました。

他们办事的效率太低了，我都等了一个小时了。
Tāmen bànshì de xiàolǜ tài dī le, wǒ dōu děngle yí ge xiǎoshí le.

彼らは処理の効率が低すぎます。私はもう1時間も待っています。

0409 **血** xiě	名 血 発音 単音節、または単音節に分節可能で話し言葉のときは "xiě" と発音し、複音節で書き言葉に用いる場合は "xuè" と発音する
0410 **心理** xīnlǐ	名 心理、心情
0411 **心脏** xīnzàng	名 心臓
0412 **信号** xìnhào	名 信号、合図
0413 **行人** xíngrén	名 通行人
0414 **行为** xíngwéi	名 行為

他的手流血了，需要包扎。
Tā de shǒu liú xiě le, xūyào bāozā.

彼の手は出血していて、包帯を巻く必要があります。

他经常去医院献血。
Tā jīngcháng qù yīyuàn xiànxiě.

彼はしばしば献血をするために病院に行きます。

他的这种心理很不正常。
Tā de zhè zhǒng xīnlǐ hěn bú zhèngcháng.

彼のこのような心理はとても正常ではありません。

她完全是出于一种嫉妒心理才这么做的。
Tā wánquán shì chūyú yì zhǒng jídù xīnlǐ cái zhème zuò de.

彼女は完全に嫉妬心からこんなふうにしたのです。

老王心脏不太好，不能做剧烈运动。
Lǎo Wáng xīnzàng bú tài hǎo, bù néng zuò jùliè yùndòng.

王さんは心臓があまりよくないので、激しいスポーツができません。

病人需要马上做心脏手术。
Bìngrén xūyào mǎshàng zuò xīnzàng shǒushù.

患者さんは今すぐ心臓手術をする必要があります。

我的手机在这里没有信号。
Wǒ de shǒujī zài zhèlǐ méiyǒu xìnhào.

私の携帯はここでは圏外です。

开车时要主要观察交通信号。
Kāichē shí yào zhǔyào guānchá jiāotōng xìnhào.

車を運転するときは、主に信号をよく見る必要があります。

路上的行人多起来了。
Lùshang de xíngrén duōqilai le.

道を通る人が増えてきました。

这些车辆挡住了行人的去路。
Zhèxiē chēliàng dǎngzhùle xíngrén de qùlù.

これらの車は通行人の通り道をふさいでいます。

乱扔垃圾是一种不文明的行为。
Luàn rēng lājī shì yì zhǒng bù wénmíng de xíngwéi.

むやみにゴミを捨てることはマナーのよくない行為です。

他救人的行为得到了人们的赞扬。
Tā jiù rén de xíngwéi dédàole rénmen de zànyáng.

人を救った彼の行為は、人々に賞賛されました。

Track **070**

0415		
	形式 xíngshì	名 形式、様式
0416		
	形势 xíngshì	名 情勢、雲行き
0417		
	形象 xíngxiàng	名 イメージ、人物像　形 (表現が) 具体的な
0418		
	形状 xíngzhuàng	名 形状、形
0419		
	性质 xìngzhì	名 性質
0420		
	兄弟 xiōngdì	名 兄弟

小说是文学作品的一种形式。
Xiǎoshuō shì wénxué zuòpǐn de yì zhǒng xíngshì.

小説は文学作品の1つの形式です。

这种新的艺术形式还没有被大家接受。
Zhè zhǒng xīn de yìshù xíngshì hái méiyǒu bèi dàjiā jiēshòu.

このような新しい芸術形式はまだみなに受け入れられていません。

目前的经济形势比较稳定。
Mùqián de jīngjì xíngshì bǐjiào wěndìng.

目下の経済情勢は比較的安定しています。

请你谈谈对当前国际形势的看法。
Qǐng nǐ tántan duì dāngqián guójì xíngshì de kànfǎ.

現在の国際情勢についてお考えを話していただけませんか。

教师的形象会给学生带来一定的影响。
Jiàoshī de xíngxiàng huì gěi xuésheng dàilai yídìng de yǐngxiǎng.

教師のイメージは学生に一定の影響を与えます。

他讲得非常形象，我们都能联想到当时的情况。
Tā jiǎngde fēicháng xíngxiàng, wǒmen dōu néng liánxiǎngdào dāngshí de qíngkuàng.

彼の話は真に迫っていて、私たちはみな当時の状況を連想することができました。

各种形状的照相机摆满了柜台。
Gè zhǒng xíngzhuàng de zhàoxiàngjī bǎimǎnle guìtái.

さまざまな形のカメラがカウンターにぎっしりと並べてあります。

你能描述一下那个东西的形状吗?
Nǐ néng miáoshù yíxià nàge dōngxi de xíngzhuàng ma?

あの物の形をちょっと説明してもらえますか。

两个问题的性质不同，解决方法也会不同。
Liǎng ge wèntí de xìngzhì bù tóng, jiějué fāngfǎ yě huì bù tóng.

2つの問題は性質が違うので、解決方法も違うでしょう。

这是不同性质的问题，应该区别对待。
Zhè shì bù tóng xìngzhì de wèntí, yīnggāi qūbié duìdài.

これは性質が異なる問題です、区別して対処すべきです。

我们兄弟三个性格完全不同。
Wǒmen xiōngdì sān ge xìnggé wánquán bù tóng.

我々兄弟3人は性格が完全に違っています。

他们的关系像亲兄弟一样亲密。
Tāmen de guānxi xiàng qīn xiōngdì yíyàng qīnmì.

彼らの関係は実の兄弟のように親密です。

0421	胸 xiōng	名 胸、胸部
0422	学历 xuélì	名 学歴
0423	学术 xuéshù	名 学術
0424	学问 xuéwen	名 学問、学識
0425	押金 yājīn	名 保証金、デポジット
0426	牙齿 yáchǐ	名 歯

指定語句
名詞
動詞
ほか
作文対策語句

他走路总是挺着胸，显得很精神。
Tā zǒulù zǒngshì tǐngzhe xiōng, xiǎnde hěn jīngshen.

彼は歩くときにいつも胸を張って、元気いっぱいに見えます。

奥运会的金牌终于挂在了胸前。
Àoyùnhuì de jīnpái zhōngyú guàzàile xiōng qián.

オリンピックの金メダルがやっと胸にかけられました。

公司要求被聘人员具有大学学历。
Gōngsī yāoqiú bèi pìn rényuán jùyǒu dàxué xuélì.

会社は人員採用に際して大卒であることを求めています。

我们不完全看学历，更注重实际能力。
Wǒmen bù wánquán kàn xuélì, gèng zhùzhòng shíjì nénglì.

私たちは学歴だけを見ているのではなく、実際の能力をより重視しています。

下个月王教授要去参加一个学术会议。
Xià ge yuè Wáng jiàoshòu yào qù cānjiā yí ge xuéshù huìyì.

来月、王教授はある学術会議に参加します。

你们从事的是学术研究，不能有半点儿马虎。
Nǐmen cóngshì de shì xuéshù yánjiū, bù néng yǒu bàndiǎnr mǎhu.

あなたたちが従事しているのは学術研究です、少しもなおざりにしてはいけません。

我的老师很会做学问，他的学术成果很有影响。
Wǒ de lǎoshī hěn huì zuò xuéwen, tā de xuéshù chéngguǒ hěn yǒu yǐngxiǎng.

私の先生は問に長じていて、彼の学術成果は影響力があります。

虽然他很有学问，但非常虚心。
Suīrán tā hěn yǒu xuéwen, dàn fēicháng xūxīn.

彼は学識がありますが、非常に謙虚です。

我已经付了三天的押金。
Wǒ yǐjīng fùle sān tiān de yājīn.

3日分のデポジットを支払いました。

等你离开饭店的时候，再退给你押金。
Děng nǐ líkāi fàndiàn de shíhou, zài tuìgěi nǐ yājīn.

ホテルを出るときにデポジットは返金されます。

这种牙膏有保护牙齿的作用。
Zhè zhǒng yágāo yǒu bǎohù yáchǐ de zuòyòng.

この歯磨き粉は歯を保護する効果があります。

她的牙齿又洁白又整齐。
Tā de yáchǐ yòu jiébái yòu zhěngqí.

彼女の歯は白くて歯並びがいいです。

Track 072

0427		
	宴会 yànhuì	名 宴会

0428		
	阳台 yángtái	名 ベランダ

0429		
	样式 yàngshì	名 スタイル、様式

0430		
	腰 yāo	名 腰

0431		
	业务 yèwù	名 業務

0432		
	夜 yè	名 夜、夜中

市长举行宴会招待会议代表。
Shìzhǎng jǔxíng yànhuì zhāodài huìyì dàibiǎo.

市長は宴会を開いて、会議の代表をもてなしました。

这次宴会的规模很大，超过了以前。
Zhè cì yànhuì de guīmó hěn dà, chāoguòle yǐqián.

今回の宴会は規模が大きく、以前のものを超えました。

这套房子有两个房间有阳台。
Zhè tào fángzi yǒu liǎng ge fángjiān yǒu yángtái.

この家にはベランダつきの部屋が2つあります。

你可以在阳台上养一些花儿。
Nǐ kěyǐ zài yángtái shang yǎng yìxiē huār.

ベランダで少し花を植えることができます。

我很喜欢这件衣服的样式。
Wǒ hěn xǐhuan zhè jiàn yīfu de yàngshì.

この服のデザインがとても好きです。

他们又按原来的样式修好了这座楼。
Tāmen yòu àn yuánlái de yàngshì xiūhǎole zhè zuò lóu.

彼らはもとの様式に従って、このビルを修理しました。

我这两天腰疼，打不了篮球了。
Wǒ zhè liǎng tiān yāo téng, dǎbuliǎo lánqiú le.

この2日間腰が痛いので、バスケットボールができません。

他弯腰捡起了地上的东西。
Tā wān yāo jiǎnqǐle dìshang de dōngxi.

彼は腰を曲げて、地面のものを拾い上げました。

我们公司的主要业务是电脑销售。
Wǒmen gōngsī de zhǔyào yèwù shì diànnǎo xiāoshòu.

弊社の主な業務内容はコンピューターの販売です。

最近公司的业务不太多，你们可以休息两天。
Zuìjìn gōngsī de yèwù bú tài duō, nǐmen kěyǐ xiūxi liǎng tiān.

最近会社の仕事があまり多くないので、あなたたちは2日間休んでいいですよ。

夜深了，他还在工作。
Yè shēn le, tā hái zài gōngzuò.

夜が更けましたが、彼はまだ仕事をしています。

他一直写到夜里两点才休息。
Tā yìzhí xiědào yèli liǎng diǎn cái xiūxi.

彼は夜中の2時までずっと書いて、ようやく休みました。

157

0433		
	一辈子 yíbèizi	名 一生

0434		
	遗憾 yíhàn	名 遺憾な、残念な

0435		
	疑问 yíwèn	名 疑問

0436		
	乙 yǐ	名 (十干の) 乙

0437		
	以来 yǐlái	名 以来、～から

0438		
	义务 yìwù	名 義務　形 ボランティアの ⇔ "权利 quánlì" 権利

父亲说的这些话影响了他一辈子。
Fùqin shuō de zhèxiē huà yǐngxiǎngle tā yíbèizi.

父が言ったこのことは彼の一生に影響を与えました。

结婚是一辈子的大事，一定要考虑好。
Jiéhūn shì yíbèizi de dàshì, yídìng yào kǎolǜhǎo.

結婚は人生の一大事です。よく考えなければなりません。

非常遗憾，我不能参加比赛了。
Fēicháng yíhàn, wǒ bù néng cānjiā bǐsài le.

非常に残念ではありますが、私は試合に出ることができなくなりました。

对于这种做法，我们表示遗憾。
Duìyú zhè zhǒng zuòfǎ, wǒmen biǎoshì yíhàn.

このようなやり方に対して、私たちはとても残念に思っています。

如果你有疑问，可以随时提出来。
Rúguǒ nǐ yǒu yíwèn, kěyǐ suíshí tíchulai.

疑問がありましたら、いつでも申し出てください。

经过他的解释，大家的疑问都消除了。
Jīngguò tā de jiěshì, dàjiā de yíwèn dōu xiāochú le.

彼の説明で、みなの疑問が消え去りました。

足球队分成甲级队和乙级队两类。
Zúqiúduì fēnchéng jiǎjíduì hé yǐjíduì liǎng lèi.

サッカーチームはAクラスとBクラスの2種類に分けられています。

我们按照考试成绩分成了甲班和乙班。
Wǒmen ànzhào kǎoshì chéngjì fēnchéngle jiǎbān hé yǐbān.

私たちは試験の成績によって、AクラスとBクラスに分けています。

自从认识以来，我没见过他喝酒。
Zìcóng rènshi yǐlái, wǒ méi jiànguo tā hē jiǔ.

知り合ってから、私は彼がお酒を飲むところを見たことがありません。

改革开放以来，人民的生活水平不断提高。
Gǎigé kāifàng yǐlái, rénmín de shēnghuó shuǐpíng búduàn tígāo.

改革開放以来、人々の生活水準は絶えず向上しています。

他觉得自己有责任、有义务帮助这些孩子。
Tā juéde zìjǐ yǒu zérèn, yǒu yìwù bāngzhù zhèxiē háizi.

彼は子どもたちを助ける責任と義務が自分自身にあると思っています。

我们参加了两天的义务劳动。
Wǒmen cānjiāle liǎng tiān de yìwù láodòng.

私たちは2日間の奉仕労働に参加しました。

Track 074

0439 **意义** yìyì	名 意義
0440 **因素** yīnsù	名 要素、要因
0441 **银** yín	名 銀
0442 **英雄** yīngxióng	名 英雄
0443 **营养** yíngyǎng	名 栄養
0444 **影子** yǐngzi	名 影

这篇文章的主要意义是谈健康问题。
Zhè piān wénzhāng de zhǔyào yìyì shì tán jiànkāng wèntí.

この文章における主な意義は健康問題を語ることです。

举办书法比赛具有重要意义。
Jǔbàn shūfǎ bǐsài jùyǒu zhòngyào yìyì.

書道コンクールを行うことには重要な意義があります。

聪明只是成功的一个因素。
Cōngmíng zhǐ shì chénggōng de yí ge yīnsù.

頭がいいのは成功の1つの要素です。

比赛失败了，因素可能是多方面的。
Bǐsài shībài le, yīnsù kěnéng shì duō fāngmiàn de.

試合に負けました。その要因は多面的かもしれません。

她买了一条银项链。
Tā mǎile yì tiáo yín xiàngliàn.

彼女は銀のネックレスを買いました。

这些都是用白银制成的，比较贵重。
Zhèxiē dōu shì yòng báiyín zhìchéng de, bǐjiào guìzhòng.

これらはすべて銀で作られていて、かなり貴重です。

中国历史上出现过很多民族英雄。
Zhōngguó lìshǐ shang chūxiànguo hěn duō mínzú yīngxióng.

中国の歴史には、たくさんの国民的英雄が現れました。

我爱读关于英雄故事的书。
Wǒ ài dú guānyú yīngxióng gùshi de shū.

英雄の物語に関する本を読むことが好きです。

病人现在身体很弱，需要加强营养。
Bìngrén xiànzài shēntǐ hěn ruò, xūyào jiāqiáng yíngyǎng.

患者は今体が弱っているので、栄養をたっぷり取らなければなりません。

你吃的这些东西没什么营养。
Nǐ chī de zhèxiē dōngxi méi shénme yíngyǎng.

あなたが食べるこれらのものは少しも栄養がありません。

他利用太阳的影子计算了塔的高度。
Tā lìyòng tàiyáng de yǐngzi jìsuànle tǎ de gāodù.

彼は太陽の影を利用して塔の高さを計りました。

他站在灯下，看着自己长长的影子。
Tā zhànzài dēng xià, kànzhe zìjǐ chángcháng de yǐngzi.

彼は明かりの下に立って、自分の長い影を見ています。

161

| 0445 | 硬件 yìngjiàn | 名 ハードウェア |
| | | ⇔ "软件 ruǎnjiàn" ソフトウェア |

| 0446 | 勇气 yǒngqì | 名 勇気 |

| 0447 | 用途 yòngtú | 名 用途 |

| 0448 | 优势 yōushì | 名 優勢 |
| | | ⇔ "劣势 lièshì" 劣勢 |

| 0449 | 幼儿园 yòu'éryuán | 名 幼稚園 |

| 0450 | 语气 yǔqì | 名 口調、話しの調子 |

指定語句

名詞

動詞

ほか

作文対策語句

我帮你检查一下硬件有没有问题。
Wǒ bāng nǐ jiǎnchá yíxià yìngjiàn yǒu méiyǒu wèntí.

ハードウエアに問題があるかどうか、あなたが点検するのを手伝います。

硬件的好坏直接影响计算机的功能。
Yìngjiàn de hǎohuài zhíjiē yǐngxiǎng jìsuànjī de gōngnéng.

ハードウエアの良し悪しがコンピュータの性能に直接影響します。

听了队长的话，我们勇气倍增。
Tīngle duìzhǎng de huà, wǒmen yǒngqì bèizēng.

キャプテンの話を聞いて、私たちの勇気は倍増しました。

我们一定要鼓起勇气，争取第一。
Wǒmen yídìng yào gǔqǐ yǒngqì, zhēngqǔ dì yī.

私たちは必ず勇気を奮い起こして、1位をもぎとります。

他们向观众介绍了这些产品的用途。
Tāmen xiàng guānzhòng jièshàole zhèxiē chǎnpǐn de yòngtú.

彼らは観客にこれらの商品の用途を説明しました。

这些材料在工业上都有不同的用途。
Zhèxiē cáiliào zài gōngyè shang dōu yǒu bù tóng de yòngtú.

これらの材料は工業上、それぞれの用途がある。

这场比赛，我们的优势非常明显。
Zhè chǎng bǐsài, wǒmen de yōushì fēicháng míngxiǎn.

この試合で、私たちの優勢は明らかだ。

他们在竞争中发挥出了自己的优势。
Tāmen zài jìngzhēng zhōng fāhuīchūle zìjǐ de yōushì.

彼らは競争しながら、自らの強みを発揮しました。

他的孩子三岁，刚上幼儿园。
Tā de háizi sān suì, gāng shàng yòu'éryuán.

彼の子どもは3歳で、幼稚園に上がったばかりです。

我们学校附近就有一所幼儿园。
Wǒmen xuéxiào fùjìn jiù yǒu yì suǒ yòu'éryuán.

私たちの学校の近くに幼稚園が1つあります。

听他的语气，好像不高兴了。
Tīng tā de yǔqì, hǎoxiàng bù gāoxìng le.

彼の口調を聞くと、機嫌が悪いようです。

他用商量的语气说:"你们看行不行?"
Tā yòng shāngliang de yǔqì shuō:"Nǐmen kàn xíng bu xíng?"

彼は相談するような口調で「これでいかがでしょうか?」と言いました。

163

0451		
	玉米 yùmǐ	名 トウモロコシ

0452		
	元旦 Yuándàn	名 元旦 解説 新暦の1月1日を指す

0453		
	员工 yuángōng	名 労働者

0454		
	原料 yuánliào	名 原料

0455		
	原则 yuánzé	名 原則、基本 コロ "原则上" 基本的に

0456		
	愿望 yuànwàng	名 願い

田里的玉米长得很好。
Tián li de yùmǐ zhǎngde hěn hǎo.

畑のトウモロコシはよく育っています。

这是用玉米做的粥。
Zhè shì yòng yùmǐ zuò de zhōu.

これはトウモロコシで作ったお粥です。

明天是元旦，我们放假。
Míngtiān shì Yuándàn, wǒmen fàngjià.

明日は元旦です、私たちはお休みです。

元旦那天，我想去南方旅游。
Yuándàn nà tiān, wǒ xiǎng qù nánfāng lǚyóu.

元旦は南方へ旅行したいです。

我们的领导作风很民主，重视每个员工的意见。
Wǒmen de lǐngdǎo zuòfēng hěn mínzhǔ, zhòngshì měi ge yuángōng de yìjiàn.

我々のリーダーのやり方は民主的であり、すべての労働者の意見を尊重しています。

四天后，她顺利应聘成为一家超市的员工。
Sì tiān hòu, tā shùnlì yìngpìn chéngwéi yì jiā chāoshì de yuángōng.

4日後、彼女はスーパーマーケットの従業員になるための申請に成功しました。

这种工业原料是从国外进口的。
Zhè zhǒng gōngyè yuánliào shì cóng guówài jìnkǒu de.

この工業用原料は海外から輸入されたものです。

他们已经加强了原料出口的管理。
Tāmen yǐjīng jiāqiángle yuánliào chūkǒu de guǎnlǐ.

彼らはすでに原材料の輸出管理を強化しました。

我做买卖的原则是公平，对谁都一样。
Wǒ zuò mǎimai de yuánzé shì gōngpíng, duì shéi dōu yíyàng.

私のビジネスの原則は公正で、誰に対しても同じです。

经理原则上同意了这个计划。
Jīnglǐ yuánzé shang tóngyìle zhège jìhuà.

マネージャーは原則としてこの計画に同意しました。

世界和平是我们每一个人的愿望。
Shìjiè hépíng shì wǒmen měi yí ge rén de yuànwàng.

世界平和は私たち一人一人の願いです。

这是一个美好的愿望，希望将来能实现。
Zhè shì yí ge měihǎo de yuànwàng, xīwàng jiānglái néng shíxiàn.

これは素晴らしい願いです。将来それを実現してほしいと思います。

指定語句

名詞

動詞

ほか

作文対策語句

0457		
	乐器 yuèqì	名 楽器
0458		
	运气 yùnqi	名 運、運気
0459		
	账户 zhànghù	名 口座
0460		
	灾害 zāihài	名 災害
0461		
	战争 zhànzhēng	名 戦争 ⇔ "和平 hépíng" 平和
0462		
	长辈 zhǎngbèi	名 年長者、目上の人

指定語句
名詞
動詞
ほか
作文対策語句

除了笛子，他以前没有接触过任何乐器。
Chúle dízi, tā yǐqián méiyǒu jiēchùguo rènhé yuèqì.

横笛を除いて、彼はこれまで何の楽器にも触ったことはありませんでした。

她会好几种乐器，比如钢琴和小提琴。
Tā huì hǎojǐ zhǒng yuèqì, bǐrú gāngqín hé xiǎotíqín.

彼女はいくつもの楽器ができます、例えばピアノやバイオリンです。

他运气很好，找到了自己喜欢的工作。
Tā yùnqi hěn hǎo, zhǎodàole zìjǐ xǐhuan de gōngzuò.

彼は運がいいです。自分の好きな仕事を見つけました。

如果运气好的话，我们可以看到日出。
Rúguǒ yùnqi hǎo dehuà, wǒmen kěyǐ kàndào rìchū.

運が良ければ、私たちは日の出が見られますよ。

他的账户上已经没有钱了。
Tā de zhànghù shang yǐjīng méiyǒu qián le.

彼の口座にはもうお金がありません。

你需要个账户管理的密码，才能进入这个系统。
Nǐ xūyào ge zhànghù guǎnlǐ de mìmǎ, cái néng jìnrù zhège xìtǒng.

口座管理パスワードが必要です、でなければこのシステムに入ることはできません。

我的家乡遭受了百年不遇的洪水，灾害很严重。
Wǒ de jiāxiāng zāoshòule bǎi nián bú yù de hóngshuǐ, zāihài hěn yánzhòng.

私の故郷は極めてまれな洪水に遭い、被害が重大です。

有些灾害的发生是难以预料的。
Yǒuxiē zāihài de fāshēng shì nányǐ yùliào de.

一部の災害の発生は予測が難しいです。

无数次的战争，让这里变得非常贫穷了。
Wúshù cì de zhànzhēng, ràng zhèlǐ biànde fēicháng pínqióng le.

数えきれないほどの戦争によって、ここは非常に貧しくなりました。

我们主张，两国应该尽早结束战争。
Wǒmen zhǔzhāng, liǎng guó yīnggāi jǐnzǎo jiéshù zhànzhēng.

両国ができる限り早く戦争を終結させるよう、私たちは主張します。

这孩子很懂礼貌，对长辈很尊敬。
Zhè háizi hěn dǒng lǐmào, duì zhǎngbèi hěn zūnjìng.

この子は礼儀正しく、年長者を敬っています。

在中国，每年春节都要给长辈拜年。
Zài Zhōngguó, měinián Chūnjié dōu yào gěi zhǎngbèi bàinián.

中国では、毎年旧正月に年長者へ年始のあいさつ回りをします。

167

Track 078

0463		
	哲学 zhéxué	名 哲学
0464		
	整体 zhěngtǐ	名 (事柄や集団の) 全体、総体
0465		
	证件 zhèngjiàn	名 証明書、証書
0466		
	证据 zhèngjù	名 証拠
0467		
	政府 zhèngfǔ	名 政府
0468		
	政治 zhèngzhì	名 政治

指定語句

名詞

動詞

ほか

作文対策語句

学习哲学会使人的思想变得深刻。
Xuéxí zhéxué huì shǐ rén de sīxiǎng biànde shēnkè.

哲学の勉強は人の考えを深めることができます。

这篇文章中包含了很多人生的哲学。
Zhè piān wénzhāng zhōng bāohánle hěn duō rénshēng de zhéxué.

この文章には多くの人生の哲学が含まれています。

我们班是一个整体，大家一起行动。
Wǒmen bān shì yí ge zhěngtǐ, dàjiā yìqǐ xíngdòng.

私たちのクラスは一丸となって、みなで一緒に行動します。

文章的几个部分相互关联，构成一个整体。
Wénzhāng de jǐ ge bùfen xiānghù guānlián, gòuchéng yí ge zhěngtǐ.

文章のいくつかの部分は相互に関連していて、全体を構成しています。

我要出国，现在正办理各种证件。
Wǒ yào chūguó, xiànzài zhèng bànlǐ gè zhǒng zhèngjiàn.

私は海外に行く予定があって、今さまざまな証明書の手続きをしているところです。

这个证件的有效期限为五年。
Zhège zhèngjiàn de yǒuxiào qīxiàn wéi wǔ nián.

この証書の有効期限は5年です。

你们做出这样的判断，得有证据才行。
Nǐmen zuòchū zhèyàng de pànduàn, děi yǒu zhèngjù cái xíng.

あなたたちがそう判断しても、証拠がなければ絶対ダメです。

我现在只是猜测，还缺乏有力的证据。
Wǒ xiànzài zhǐshì cāicè, hái quēfá yǒulì de zhèngjù.

今はただの推測です、まだ有力な証拠はありません。

中央政府制定了发展经济的政策。
Zhōngyāng zhèngfǔ zhìdìngle fāzhǎn jīngjì de zhèngcè.

中央政府は経済を発展させる政策を決めました。

各地群众都很支持政府的这项决定。
Gèdì qúnzhòng dōu hěn zhīchí zhèngfǔ de zhè xiàng juédìng.

各地の民衆はみな、政府のこの決定を支持します。

他很关心国家政治和国家的发展。
Tā hěn guānxīn guójiā zhèngzhì hé guójiā de fāzhǎn.

彼は国の政治と発展に関心を持っています。

最近国家政治稳定，经济繁荣。
Zuìjìn guójiā zhèngzhì wěndìng, jīngjì fánróng.

最近国の政治が安定していて、経済も繁栄しています。

0469	支票 zhīpiào	名 小切手
0470	执照 zhízhào	名 許可証
0471	志愿者 zhìyuànzhě	名 ボランティア
0472	制度 zhìdù	名 制度、ルール
0473	秩序 zhìxù	名 秩序
0474	智慧 zhìhuì	名 知恵

指定語句 名詞 動詞 ほか 作文対策語句

这张支票你要保管好，千万别弄丢了。

Zhè zhāng zhīpiào nǐ yào bǎoguǎnhǎo, qiānwàn bié nòngdiū le.

この小切手はちゃんと保管してください。くれぐれもなくさないように。

他送来一张三万元的支票。

tā sònglai yì zhāng sān wàn yuán de zhīpiào.

彼から3万元の小切手が送られてきました。

公司的执照快过期了，得重新办理登记手续。

Gōngsī de zhízhào kuài guòqī le, děi chóngxīn bànlǐ dēngjì shǒuxù.

会社の営業許可証はもうじき期限が切れるので、更新手続きをしなければいけません。

我是警察，请出示您的驾驶执照。

Wǒ shì jǐngchá, qǐng chūshì nín de jiàshǐ zhízhào.

警察です。あなたの運転免許証をお出しいただけますか。

我愿意做一名志愿者，到山区支援教育。

Wǒ yuànyì zuò yì míng zhìyuànzhě, dào shānqū zhīyuán jiàoyù.

私はボランティアになって、山間地帯へ教育支援に行きたいです。

汉语教师志愿者的工作很辛苦，也很光荣。

Hànyǔ jiàoshī zhìyuànzhě de gōngzuò hěn xīnkǔ, yě hěn guāngróng.

中国語教師のボランティアの仕事は大変ですが、光栄でもあります。

大家应该遵守公司的各项制度。

Dàjiā yīnggāi zūnshǒu gōngsī de gè xiàng zhìdù.

みな会社のあらゆるルールを守るべきである。

这些不合理的和过时的制度应该及时修改。

Zhèxiē bù hélǐ de hé guòshí de zhìdù yīnggāi jíshí xiūgǎi.

これらの不合理で時代遅れの制度は、すぐさま改正すべきです。

这个班课堂秩序很好，没有随意进出的情况。

Zhège bān kètáng zhìxù hěn hǎo, méiyǒu suíyì jìnchū de qíngkuàng.

このクラスは秩序が良く、勝手に人が出入りすることはありません。

请大家遵守会场的秩序，关掉手机。

Qǐng dàjiā zūnshǒu huìchǎng de zhìxù, guāndiào shǒujī.

みなさま会場のルールを守り、携帯の電源を切ってください。

集体的智慧是无穷的，什么都要靠大家想办法。

Jítǐ de zhìhuì shì wúqióng de, shénme dōu yào kào dàjiā xiǎng bànfǎ.

集団の知恵は無限なので、あらゆることはみんなの知恵に頼ります。

我们要集中大家的智慧，攻下这道技术难关。

Wǒmen yào jízhōng dàjiā de zhìhuì, gōngxià zhè dào jìshù nánguān.

私たちはみなさんの知恵を集めて、この技術的難関を突破しましょう。

0475		
	中介 zhōngjiè	名 仲介

0476		
	中心 zhōngxīn	名 中心、(事柄の) 核心

0477		
	中旬 zhōngxún	名 中旬

0478		
	种类 zhǒnglèi	名 種類

0479		
	重量 zhòngliàng	名 重さ、重量

0480		
	猪 zhū	名 豚
		解説 イノシシは "**野猪 yězhū**"

我是通过中介租的这个房子。 Wǒ shì tōngguò zhōngjiè zū de zhège fángzi.	仲介業者を通じてこの家を借りました。
我们以网站为中介，发布我们的最新产品。 Wǒmen yǐ wǎngzhàn wéi zhōngjiè, fābù wǒmen de zuìxīn chǎnpǐn.	私たちはウェブサイトを介して、最新商品を公表します。
图书馆在学校的中心位置。 Túshūguǎn zài xuéxiào de zhōngxīn wèizhì.	図書館は学校の中心にあります。
这篇文章的中心很明确。 Zhè piān wénzhāng de zhōngxīn hěn míngquè.	この文章の主旨は明確です。
北京的天气到三月中旬才会暖和起来。 Běijīng de tiānqì dào sānyuè zhōngxún cái huì nuǎnhuoqilai.	北京の天気は3月中旬になってからやっと暖かくなります。
五月中旬，我们这里会举办一次美术展览。 Wǔyuè zhōngxún, wǒmen zhèlǐ huì jǔbàn yí cì měishù zhǎnlǎn.	5月中旬、私たちはここで美術展を開催します。
这些动物属于不同种类。 Zhèxiē dòngwù shǔyú bù tóng zhǒnglèi.	これらの動物は異なる種類です。
这个服装店服装种类非常多。 Zhège fúzhuāngdiàn fúzhuāng zhǒnglèi fēicháng duō.	この洋服店は、服の種類が非常に多いです。
这箱子重量轻，我一个人搬就可以了。 Zhè xiāngzi zhòngliàng qīng, wǒ yí ge rén bān jiù kěyǐ le.	この箱は軽いから、私1人で運べば十分だ。
你帮我称一称这条鱼的重量吧。 Nǐ bāng wǒ chēng yi chēng zhè tiáo yú de zhòngliàng ba.	この魚の重さを量るのを手伝ってください。
他过去在农村养过猪。 Tā guòqù zài nóngcūn yǎngguo zhū.	彼はかつて農村で豚を飼っていました。
他从来没有吃过猪肉。 Tā cónglái méiyǒu chīguo zhūròu.	彼は豚肉を食べたことがありません。

173

0481		
	竹子 zhúzi	名 竹

0482		
	主人 zhǔrén	名 主人、ホスト ⇔ "客人 kèrén" 客、ゲスト

0483		
	主任 zhǔrèn	名 主任、担当

0484		
	主题 zhǔtí	名 テーマ、主題

0485		
	主席 zhǔxí	名 議長、主席

0486		
	主张 zhǔzhāng	名 主張　動 主張する

熊猫最爱吃竹子。
Xióngmāo zuì ài chī zhúzi.

パンダは竹を食べるのが一番好きです。

这些筷子是用竹子做成的。
Zhèxiē kuàizi shì yòng zhúzi zuòchéng de.

これらの箸は竹で作ったものです。

主人非常热情，所有的客人都很开心。
Zhǔrén fēicháng rèqíng, suǒyǒu de kèrén dōu hěn kāixīn.

ホストはとても親切で、すべてのゲストは喜んでいました。

那只小狗一看到主人就摇起了尾巴。
Nà zhī xiǎo gǒu yí kàndào zhǔrén jiù yáoqǐle wěiba.

あの子犬は飼い主を見るとすぐ尻尾を振り始めました。

主任安排好了春节期间的值班人员。
Zhǔrèn ānpáihǎole Chūnjié qījiān de zhíbān rényuán.

主任は春節期間の当直スタッフを手配し終えました。

你有什么问题，可以向班主任反映。
Nǐ yǒu shénme wèntí, kěyǐ xiàng bānzhǔrèn fǎnyìng.

質問があれば、クラスの担任に知らせてください。

这部影片主题鲜明，故事也很有意思。
Zhè bù yǐngpiàn zhǔtí xiānmíng, gùshi yě hěn yǒu yìsi.

この映画のテーマは明確で、ストーリーも面白いです。

这次研讨会的主题是环境保护。
Zhè cì yántǎohuì de zhǔtí shì huánjìng bǎohù.

本セミナーのテーマは環境保護です。

会议主席来了，大家都热情地鼓起了掌。
Huìyì zhǔxí lái le, dàjiā dōu rèqíngde gǔqǐle zhǎng.

会議の議長が来て、みなは心をこめて拍手し始めました。

最近国家主席出访了五个国家。
Zuìjìn guójiā zhǔxí chūfǎngle wǔ ge guójiā.

最近国家主席は5つの国を訪問しました。

他被眼前的情况吓呆了，一点儿主张也没有了。
Tā bèi yǎnqián de qíngkuàng xiàdāi le, yìdiǎnr zhǔzhāng yě méiyǒu le.

彼は目の前の状況に凍り付いて、少しも主張ができなくなりました。

他主张去海边城市旅行，大家都表示同意。
Tā zhǔzhāng qù hǎibiān chéngshì lǚxíng, dàjiā dōu biǎoshì tóngyì.

彼は海辺の町へ旅行に行こうと言い、みな賛成しました。

指定語句

名詞

動詞

ほか

作文対策語句

175

0487	**专家** zhuānjiā	名 專門家
0488	**状况** zhuàngkuàng	名 状況
0489	**状态** zhuàngtài	名 状態、調子
0490	**姿势** zīshì	名 姿勢
0491	**资格** zīgé	名 資格
0492	**资金** zījīn	名 資金

我们厂从外地请来了两名专家。
Wǒmen chǎng cóng wàidì qǐnglaile liǎng míng zhuānjiā.

私たちの工場はよその土地から
2名の専門家を招きました。

他们打算请有关专家来解决这个问题。
Tāmen dǎsuàn qǐng yǒuguān zhuānjiā lái jiějué zhège wèntí.

彼らは関連の専門家を招いて、
この問題を解決してもらうつも
りです。

他虽然上了年纪，但健康状况良好。
Tā suīrán shàngle niánjì, dàn jiànkāng zhuàngkuàng liánghǎo.

彼は年を取っていますが、健康
状態は良好です。

他们正在想办法改变技术落后的状况。
Tāmen zhèngzài xiǎng bànfǎ gǎibiàn jìshù luòhòu de zhuàngkuàng.

彼らは技術が後れている状況を
変える方法を考えているところ
です。

昨晚他睡了一个好觉，今天的状态不错。
Zuówǎn tā shuìle yí ge hǎo jiào, jīntiān de zhuàngtài búcuò.

昨晩彼は熟睡したので、今日は
調子がいいです。

你要调整好自己的心理状态，别整天不高兴。
Nǐ yào tiáozhěnghǎo zìjǐ de xīnlǐ zhuàngtài, bié zhěngtiān bù gāoxìng.

あなたは自分の精神状態をコン
トロールしなければいけませ
ん。一日中ずっとふてくされて
いないでください。

那个小学生写字的姿势不正确。
Nàge xiǎoxuéshēng xiě zì de zīshì bú zhèngquè.

あの小学生は字を書く姿勢がよ
くありません。

他站累了，换了一个姿势。
Tā zhànlèi le, huànle yí ge zīshì.

彼は立ち疲れて、姿勢を変えま
した。

论资格，他最应该当校长。
Lùn zīgé, tā zuì yīnggāi dāng xiàozhǎng.

資格でいえば、彼が最も校長に
なるべきです。

她通过了律师考试，取得了律师资格。
Tā tōngguòle lǜshī kǎoshì, qǔdéle lǜshī zīgé.

彼女は司法試験に受かって、弁
護士の資格を取りました。

这个发明为工程建设节约了一大笔资金。
Zhège fāmíng wèi gōngchéng jiànshè jiéyuēle yí dà bǐ zījīn.

この発明は建設工事で大量の資
金を節約しました。

我们准备筹集一笔资金，用于奖励科研人员。
Wǒmen zhǔnbèi chóují yì bǐ zījīn, yòngyú jiǎnglì kēyán rényuán.

私たちは科学研究員の奨励資金
を集める準備をしています。

0493	**资料** zīliào	名 資料、生産上の必需品
0494	**资源** zīyuán	名 資源
0495	**字母** zìmǔ	名 音標文字、字母 解説 音を書き表す場合に基本となるひとつひとつの文字。アルファベットやかな文字など。
0496	**字幕** zìmù	名 字幕
0497	**总裁** zǒngcái	名 (企業・集団の) 首脳、党首
0498	**总理** zǒnglǐ	名 総理

指定語句 | 名詞 | 動詞 | ほか | 作文対策語句

这篇文章的资料很丰富，很有说服力。
Zhè piān wénzhāng de zīliào hěn fēngfù, hěn yǒu shuōfúlì.

この文章の資料は豊富で、説得力があります。

目前市场上生产资料充足，可以应对需要。
Mùqián shìchǎng shang shēngchǎn zīliào chōngzú, kěyǐ yìngduì xūyào.

現在、市場には十分な生産資源があり、需要に対応できます。

我国淡水资源短缺，应该节约用水。
Wǒ guó dànshuǐ zīyuán duǎnquē, yīnggāi jiéyuē yòngshuǐ.

我が国は淡水資源が不足しているので、用水を節約すべきです。

在有些地方，资源浪费的现象还比较严重。
Zài yǒuxiē dìfang, zīyuán làngfèi de xiànxiàng hái bǐjiào yánzhòng.

一部の地方では、資源の無駄遣いがまだかなり深刻です。

这孩子会背 26 个英文字母。
Zhè háizi huì bèi èrshíliù ge Yīngwén zìmǔ.

この子は26のアルファベットを暗唱できます。

我习惯了用小写字母，不适应大写字母。
Wǒ xíguànle yòng xiǎoxiě zìmǔ, bú shìyìng dàxiě zìmǔ.

私は小文字を使用することに慣れていて、大文字には慣れていません。

这部电影有英文字幕，我可以看懂。
Zhè bù diànyǐng yǒu Yīngwén zìmù, wǒ kěyǐ kàndǒng.

この映画は英語の字幕があるので、見て理解できました。

京剧表演的时候如果有字幕，我就能听清了。
Jīngjù biǎoyǎn de shíhou rúguǒ yǒu zìmù, wǒ jiù néng tīngqīng le.

京劇の公演時に字幕があれば、はっきりわかります。

集团总裁也要来参加会议，我一定要做好准备。
Jítuán zǒngcái yě yào lái cānjiā huìyì, wǒ yídìng yào zuòhǎo zhǔnbèi.

グループのCEOも会議に参加されるので、私はきちんと準備しなければいけません。

总裁的座位旁边，已经摆好了鲜花。
Zǒngcái de zuòwèi pángbiān, yǐjīng bǎihǎole xiānhuā.

責任者の座席の隣に、すでにお花が並べてありました。

总理来到灾区，看望和慰问了灾区群众。
Zǒnglǐ láidào zāiqū, kànwàng hé wèiwènle zāiqū qúnzhòng.

総理は被災地に来て、被災地の人々を見舞い、慰めました。

几个国家的总理进行了多边会谈。
Jǐ ge guójiā de zǒnglǐ jìnxíngle duōbiān huìtán.

いくつかの国の総理が多国間協議を行いました。

0499		
	总统 zǒngtǒng	名 大統領

0500		
	组织 zǔzhī	名 組織　動 企画する、組織する

0501		
	最初 zuìchū	名 最初、初め

0502		
	作品 zuòpǐn	名 作品

0503		
	作文 zuòwén	名 作文

指定語句　名詞　動詞　ほか　作文対策語句

美国总统将于下个月来华访问。

Měiguó zǒngtǒng jiāng yú xià ge yuè láihuá fǎngwèn.

アメリカの大統領は来月訪中する予定です。

他被选为下一届总统了。

Tā bèi xuǎnwéi xià yí jiè zǒngtǒng le.

彼は次の大統領に選ばれました。

那个组织的历史很长，制度很完善。

Nàge zǔzhī de lìshǐ hěn cháng, zhìdù hěn wánshàn.

あの組織の歴史は長く、システムはすべて整っています。

周末我们组织了一个晚会，大家玩儿得很开心。

Zhōumò wǒmen zǔzhīle yí ge wǎnhuì, dàjiā wánrde hěn kāixin.

週末私たちはパーティを企画して、みなで楽しく遊びました。

最初的时候，他很不习惯国外的生活。

Zuìchū de shíhou, tā hěn bù xíguàn guówài de shēnghuó.

最初のころ、彼は海外の生活に全然慣れていませんでした。

最初我并不了解他，后来我们才渐渐成了朋友。

zuìchū wǒ bìng bù liǎojiě tā, hòulái wǒmen cái jiànjiàn chéngle péngyou.

初めは彼のことがよく分かりませんでしたが、その後私たちはだんだんと友達になりました。

这部作品描写了普通人的生活，非常真实感人。

Zhè bù zuòpǐn miáoxiěle pǔtōngrén de shēnghuó, fēicháng zhēnshí gǎnrén.

この作品は庶民の生活を描いています、非常にリアルで感動しました。

这篇书法作品有自己独特的风格，可以评奖。

Zhè piān shūfǎ zuòpǐn yǒu zìjǐ dútè de fēnggé, kěyǐ píngjiǎng.

この書道作品には独特の風格があります、表彰もありうるでしょう。

他写的作文每次都能得到老师的表扬。

Tā xiě de zuòwén měi cì dōu néng dédào lǎoshī de biǎoyáng.

彼が書いた作文は毎回先生に褒められます。

这篇作文写得很生动，很感人。

Zhè piān zuòwén xiěde hěn shēngdòng, hěn gǎnrén.

この作文は生き生きと書かれていて、人を感動させます。

减字默认词

　シラバスでは、指定されている語句以外にも紹介されている語句があり、本ページではそのうち、指定語句の1文字または2文字のみで成り立つ語句（减字默认词）をご紹介いたします。

摆放 bǎifàng 置く
背后 bèihòu 背後、後ろ
编写 biānxiě 編さんする
标签 biāoqiān ラベル
采用 cǎiyòng 採用する
查询 cháxún 問い合わせる
产量 chǎnliàng 生産高
虫子 chóngzi 虫
辞退 cítuì 辞退する
刺眼 cìyǎn まぶしい
促销 cùxiāo 販売促進する
订单 dìngdān 注文する
独自 dúzì 一人で
躲避 duǒbì 避ける
法则 fǎzé 法則
返回 fǎnhuí 戻る
房屋 fángwū 家屋
废旧 fèijiù 使い古された
分享 fēnxiǎng 共有する
概率 gàilǜ 確率
古老 gǔlǎo 古い
观赏 guānshǎng 観賞する
柜子 guìzi たんす
含量 hánliàng 含有量
含有 hányǒu 含む
缓慢 huǎnmàn 緩慢な
货架 huòjià 商品棚
计算机 jìsuànjī コンピュータ

纪念品 jìniànpǐn 景品
加强 jiāqiáng 強化する
驾驶员 jiàshǐyuán ドライバー
驾照 jiàzhào 運転免許証
减弱 jiǎnruò 弱める
奖品 jiǎngpǐn 賞品
靠近 kàojìn 近寄っている
夸大 kuādà 誇張する
礼品 lǐpǐn 贈り物
美食 měishí 美食
名称 míngchēng 名称
木材 mùcái 木材
拍摄 pāishè 撮影する
拍照 pāizhào 写真を撮る
陪伴 péibàn 付き添う
品牌 pǐnpái ブランド
凭借 píngjiè 頼る
强大 qiángdà 強大である
身份证 shēnfènzhèng 身分証明書
升高 shēnggāo 上げる
升值 shēngzhí 価値が上がる
诗歌 shīgē 詩
诗人 shīrén 詩人
食品 shípǐn 食品
收集 shōují 集める
受益 shòuyì 利益を受ける

树木 shùmù 樹木
水源 shuǐyuán 水源
睡眠 shuìmián 寝る
搜集 sōují 捜し集める
俗语 súyǔ ことわざ
特产 tèchǎn 特産品
提升 tíshēng 昇進させる
体型 tǐxíng 体型
同伴 tóngbàn 仲間
外婆 wàipó 母方の祖母
外形 wàixíng 外形
文件夹 wénjiànjiā フォルダ
问卷 wènjuàn アンケート
物品 wùpǐn 物品
显而易见 xiǎn'ér yì jiàn 誰の目にも明らかな
显示器 xiǎnshìqì ディスプレイ
相册 xiàngcè フォトアルバム
销量 xiāoliàng 売れ行き
研制 yánzhì 開発する
夜晚 yèwǎn 夜
艺术品 yìshùpǐn 芸術品
增强 zēngqiáng 強化する
掌声 zhǎngshēng 拍手の音
主持人 zhǔchírén 司会、ホスト
住宿 zhùsù 宿泊する

1 章

HSK 指定語句 1300

動詞 0504-0970

1300 の指定語句のうち、467 の動詞を掲載
しています。

0504		
	爱护 àihù	動 大切にする、守る
0505		
	爱惜 àixī	動 大切にする
0506		
	安慰 ānwèi	動 慰める 形 安らぐ
0507		
	安装 ānzhuāng	動 取り付ける
0508		
	熬夜 áo//yè	動 夜更かしをする、徹夜する
0509		
	把握 bǎwò	動 つかむ 名 成功の可能性、自信

指定語句

名詞 動詞 ほか

作文対策語句

你要学会爱护自己的身体，不要抽那么多烟。
Nǐ yào xuéhuì àihù zìjǐ de shēntǐ, búyào chōu nàme duō yān.

あなたは自分の身体を大切にすることを学ばなければ。そんなに多くタバコを吸ってはいけません。

游客们很爱护这里的环境。
Yóukèmen hěn àihù zhèlǐ de huánjìng.

旅行者たちはとてもここの環境に配慮しています。

他很爱惜时间，不浪费一分一秒。
Tā hěn àixī shíjiān, bú làngfèi yì fēn yì miǎo.

彼はとても時間を大切にするので、一分一秒を無駄にしません。

他很爱惜自己的身体，经常锻炼。
Tā hěn àixī zìjǐ de shēntǐ, jīngcháng duànliàn.

彼は自分の体を大切にしていて、いつも体を鍛えています。

我安慰了他半天，他心情才好一些了。
Wǒ ānwèile tā bàntiān, tā xīnqíng cái hǎo yìxiē le.

私が彼を長いこと慰めて、彼の気分はやっと少しよくなりました。

看到此情景，他心中既安慰又难过。
Kàndào cǐ qíngjǐng, tā xīnzhōng jì ānwèi yòu nánguò.

この情景を見ると、彼の心の中は慰められもしますが辛くもあります。

这些教室都已经安装了空调。
Zhèxiē jiàoshì dōu yǐjīng ānzhuāngle kōngtiáo.

これらの教室にはすべてエアコンがすでに取り付けられています。

门窗都已经安装好了。
Ménchuāng dōu yǐjīng ānzhuānghǎo le.

ドアも窓もすべてすでにしっかりと取り付けられました。

他最近天天熬夜，脸色很不好。
Tā zuìjìn tiāntiān áoyè, liǎnsè hěn bù hǎo.

彼は最近毎日夜更かししていて、顔色が悪いです。

长期熬夜是不良的生活习惯。
Chángqī áoyè shì bùliáng de shēnghuó xíguàn.

長いこと夜更かしするのは、よくない生活習慣です。

他把握住了命运，获得了成功。
Tā bǎwòzhùle mìngyùn, huòdéle chénggōng.

彼はしっかりとチャンスをつかんで、成功を得ました。

科学家们对这次试验是有把握的。
Kēxuéjiāmen duì zhè cì shìyàn shì yǒu bǎwò de.

科学者たちは今回の実験に自信を持っています。

0510		
	摆 bǎi	動 置く、振る

0511		
	办理 bànlǐ	動 処理をする

0512		
	包含 bāohán	動 含まれる

0513		
	包括 bāokuò	動 含む、含める **解説** "**包含**"の対象は意義・道理・精神など抽象的なものが多く、"**包括**"の対象は抽象的・具体的の両方可。

0514		
	保持 bǎochí	動 状態を維持する

0515		
	保存 bǎocún	動 保存する、集めて持っている

指定語句

名詞 動詞 ほか

作文対策語句

电视机摆在这个位置最好。

Diànshìjī bǎizài zhège wèizhì zuì hǎo.

テレビはこの位置に置くのが一番いいです。

他向我摆手，意思是不要说话。

Tā xiàng wǒ bǎishǒu, yìsi shì búyào shuōhuà.

彼は私に手を振りました。その意味は話してはいけないということです。

他正在办理出国手续，准备去留学。

Tā zhèngzài bànlǐ chūguó shǒuxù, zhǔnbèi qù liúxué.

彼は今まさに出国手続き中で、留学に行く準備をしています。

这种事我们从来没有办理过。

Zhè zhǒng shì wǒmen cónglái méiyǒu bànlǐguo.

こういうことは、これまで私たちは取り扱ったことがありません。

这个故事包含着深刻的道理。

Zhège gùshi bāohánzhe shēnkè de dàolǐ.

この物語には深い考えが含まれています。

我认为失败中包含成功的因素。

Wǒ rènwéi shībài zhōng bāohán chénggōng de yīnsù.

私は失敗の中に成功の要素が含まれていると思います。

我去过很多国家，包括中国和美国。

Wǒ qùguo hěn duō guójiā, bāokuò Zhōngguó hé Měiguó.

私は中国や米国を含む多くの国に行ったことがあります。

你喜欢的运动是否包括打篮球?

Nǐ xǐhuan de yùndòng shìfǒu bāokuò dǎ lánqiú?

お気に入りのスポーツに、バスケットボールは含まれますか？

请大家保持安静，不要大声说话。

Qǐng dàjiā bǎochí ānjìng, búyào dàshēng shuōhuà.

皆さんお静かに、大きな声を出さないでください。

他饭后散步的习惯保持了很多年。

Tā fàn hòu sànbù de xíguàn bǎochíle hěn duō nián.

彼は食後の散歩の習慣を長年維持しています。

我保存着她送给我的每一件礼物。

Wǒ bǎocúnzhe tā sònggěi wǒ de měi yí jiàn lǐwù.

私は彼女がくれたすべてのプレゼントをとってあります。

留学的经历已经保存在我的记忆中了。

Liúxué de jīnglì yǐjīng bǎocúnzài wǒ de jìyì zhōng le.

留学の体験は私の記憶の中に保存されています。

087

0516

保留

bǎoliú

動 保存している、惜しむ

0517

报到

bàodào

動 到着・着任を報告する

0518

报道

bàodào

動 報道する 名 ルポ、ニュース記事

0519

抱怨

bàoyuàn

動 不満に思う

0520

背

bèi

動 暗記する 名 背中

解説 「背負う」の意では "bēi" と発音する

0521

避免

bìmiǎn

動 免れる、避ける

这个城市保留了很多古老的建筑。
Zhège chéngshì bǎoliúle hěn duō gǔlǎo de jiànzhù.

この都市はとても多くの古い建築物を保存しています。

你有什么好的意见就提出来，不要保留。
Nǐ yǒu shénme hǎo de yìjiàn jiù tíchulai, búyào bǎoliú.

いい意見があれば出して、惜しまないでください。

他今天去公司报到了，明天正式上班。
Tā jīntiān qù gōngsī bàodào le, míngtiān zhèngshì shàngbān.

彼は今日会社に行って入社手続きを済ませました、そして明日正式に仕事を始めます。

新同学 20 号到学校报到。
Xīn tóngxué èrshí hào dào xuéxiào bàodào.

新入生は20日に入学手続きを済ませます。

电视里正在报道这件事情。
Diànshì li zhèngzài bàodào zhè jiàn shìqing.

テレビではちょうどこのことを報道しています。

我看过了这件事情的新闻报道。
Wǒ kànguole zhè jiàn shìqing de xīnwén bàodào.

私はこの件に関するニュースの報道を見ました。

互相抱怨不能解决任何问题。
Hùxiāng bàoyuàn bù néng jiějué rènhé wèntí.

お互いに不平を言うのでは何の問題も解決しません。

他考试不及格，抱怨题目太难。
Tā kǎoshì bù jígé, bàoyuàn tímù tài nán.

彼は試験が不合格で、テーマが難しすぎると不平を言いました。

老师天天让我们背课文。
Lǎoshī tiāntiān ràng wǒmen bèi kèwén.

先生は毎日私たちに教科書の本文を暗記させます。

我的背有点儿疼。
Wǒ de bèi yǒudiǎnr téng.

背中が少し痛いです。

司机及时采取措施，避免了一场事故。
Sījī jíshí cǎiqǔ cuòshī, bìmiǎnle yì cháng shìgù.

運転手はすぐに対策をとったので、事故を免れました。

我们这两天尽量避免跟他见面。
Wǒmen zhè liǎng tiān jǐnliàng bìmiǎn gēn tā jiànmiàn.

私たちはこの2日間できるだけ彼に会うのを避けました。

指定語句

名詞

動詞

ほか

作文対策語句

189

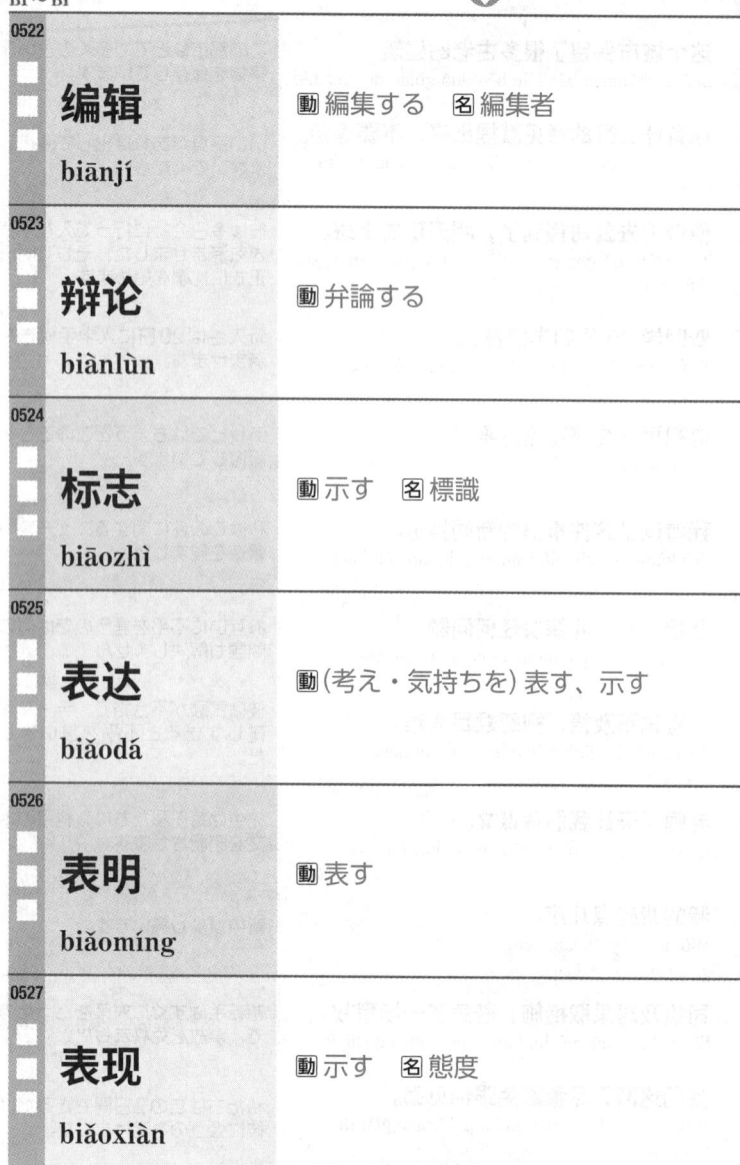

0522 编辑 biānjí	動 編集する 名 編集者	
0523 辩论 biànlùn	動 弁論する	
0524 标志 biāozhì	動 示す 名 標識	
0525 表达 biǎodá	動 (考え・気持ちを) 表す、示す	
0526 表明 biǎomíng	動 表す	
0527 表现 biǎoxiàn	動 示す 名 態度	

他编辑过很多关于学做中国菜的书。
Tā biānjíguo hěn duō guānyú xué zuò Zhōngguó cài de shū.

彼は中華料理の作り方を学ぶ多くの本を編集したことがあります。

他大学毕业后当上了一名编辑。
Tā dàxué bìyè hòu dāngshàngle yì míng biānjí.

彼は大学を卒業後編集者になりました。

双方就环境保护问题展开了辩论。
Shuāngfāng jiù huánjìng bǎohù wèntí zhǎnkāile biànlùn.

双方は環境保護問題について論争を始めました。

这场辩论非常精彩，双方的理由都很充分。
Zhè cháng biànlùn fēicháng jīngcǎi, shuāngfāng de lǐyóu dōu hěn chōngfèn.

今回の弁論はとても素晴らしく、双方の論拠はどれも十分なものでした。

这标志着历史进入了一个新时期。
Zhè biāozhìzhe lìshǐ jìnrùle yí ge xīn shíqī.

これは歴史が新しい時期に入ったことを示します。

这个交通标志显示前面的路不让走了。
Zhège jiāotōng biāozhì xiǎnshì qiánmiàn de lù bú ràng zǒu le.

この道路標識は前の道が走れなくなっていることを示しています。

在会上，他表达了自己的看法。
Zài huì shang, tā biǎodále zìjǐ de kànfǎ.

会議で彼は自分の意見を伝えました。

他的表达能力还需要进一步提高。
Tā de biǎodá nénglì hái xūyào jìnyíbù tígāo.

彼の表現力はさらに磨いていく必要があります。

他不说话，表明他不同意这么做。
Tā bù shuōhuà, biǎomíng tā bù tóngyì zhème zuò.

彼が話をしないのは、このようにするのに同意しないことを表しています。

事实表明，我们的做法是完全正确的。
Shìshí biǎomíng, wǒmen de zuòfǎ shì wánquán zhèngquè de.

事実が私たちのやり方は完全に正しいということを証明しています。

在这次活动中，他表现得很勇敢。
Zài zhè cì huódòng zhōng, tā biǎoxiànde hěn yǒnggǎn.

このイベントの中で、彼はとても大胆に振る舞いました。

他今天在活动中有很好的表现。
Tā jīntiān zài huódòng zhōng yǒu hěn hǎo de biǎoxiàn.

彼は今日イベントの中でとてもいい態度を示した。

0528	**播放** bōfàng	動 放送する
0529	**补充** bǔchōng	動 補充する
0530	**不如** bùrú	動 〜に及ばない、〜のほうがいい
0531	**不足** bùzú	動 不足している、足りない　名 不足
0532	**采访** cǎifǎng	動 インタビューする
0533	**采取** cǎiqǔ	動 (対策を) とる

指定語句

名詞 | 動詞 | ほか

作文対策語句

电视台正在播放这场比赛。
Diànshìtái zhèngzài bōfàng zhè chǎng bǐsài.

テレビ局がこの試合を放送中です。

这个台每天下午三点播放音乐节目。
Zhège tái měitiān xiàwǔ sān diǎn bōfàng yīnyuè jiémù.

この局では、毎日午後3時に音楽番組を放送します。

运动之后，身体需要补充一些水。
Yùndòng zhīhòu, shēntǐ xūyào bǔchōng yìxiē shuǐ.

運動の後、身体に少しの水を補給する必要があります。

你补充得很好，刚才我确实没想到这个问题。
Nǐ bǔchōngde hěn hǎo, gāngcái wǒ quèshí méi xiǎngdào zhège wèntí.

あなたが補足してくれてよかった。私は先ほど確かにこの問題を思いつきませんでした。

我英语不如你，还是你当翻译吧。
Wǒ Yīngyǔ bùrú nǐ, háishi nǐ dāng fānyì ba.

私の英語はあなたに及ばないので、やはりあなたが翻訳してください。

你这几句话还不如不说。
Nǐ zhè jǐ jù huà hái bùrú bù shuō.

あなたのこの何言かは言わないほうがいいです。

我们现在资金不足，不能进行这个项目。
Wǒmen xiànzài zījīn bùzú, bù néng jìnxíng zhège xiàngmù.

私たちは現在資金が不足していて、このプロジェクトを進めることができません。

参加会议的不足 100 人。
Cānjiā huìyì de bù zú yìbǎi rén.

会議に参加したのは100人足らずです。

最近很多记者采访了这位一百多岁的老人。
Zuìjìn hěn duō jìzhě cǎifǎngle zhè wèi yìbǎi duō suì de lǎorén.

最近多くの記者がこの100歳を超えたお年寄りにインタビューしました。

他采访过很多重要的政治人物。
Tā cǎifǎngguo hěn duō zhòngyào de zhèngzhì rénwù.

彼は多くの重要な政治家にインタビューしたことがあります。

我们正在采取措施，保护这些动物。
Wǒmen zhèngzài cǎiqǔ cuòshī, bǎohù zhèxiē dòngwù.

私たちは今まさに処置を講じて、これらの動物を保護しています。

过几天，警察就会对他们采取行动。
Guò jǐ tiān, jǐngchá jiù huì duì tāmen cǎiqǔ xíngdòng.

何日か後、警察は彼らに対して行動を起こします。

0534		
	踩 cǎi	動 踏む
0535		
	参考 cānkǎo	動 参考にする
0536		
	参与 cānyù	動 参加する
0537		
	操心 cāo//xīn	動 心配する、心を煩わす
0538		
	测验 cèyàn	動 測定する
0539		
	插 chā	動 差し込む、入れる

指定語句　名詞　動詞　ほか　作文対策語句

车上人多，一不小心就会踩到别人。
Chē shang rén duō, yí bù xiǎoxīn jiù huì cǎidào biérén.

車内には人が多く、うっかりすると他の人の足を踏んでしまいます。

这些小草不能踩，踩完就长不出来了。
Zhèxiē xiǎo cǎo bù néng cǎi, cǎiwán jiù zhǎngbuchūlái le.

これらの草の芽を踏んではいけません。踏んでしまうと成長できなくなります。

要想写好论文，你需要参考别人的研究成果。
Yào xiǎng xiě hǎo lùnwén, nǐ xūyào cānkǎo biérén de yánjiū chéngguǒ.

良い論文を書くには、他人の研究成果を参考にする必要があります。

我不懂英语，很多英文资料无法参考。
Wǒ bù dǒng Yīngyǔ, hěn duō Yīngwén zīliào wúfǎ cānkǎo.

英語が分からないので、たくさんの英語の資料を調べる手立てがありません。

这次活动希望大家积极参与。
Zhè cì huódòng xīwàng dàjiā jījí cānyù.

このイベントは皆さんの積極的な参加を期待します。

没有大家的参与，我们的活动是不可能成功的。
Méiyǒu dàjiā de cānyù, wǒmen de huódòng shì bù kěnéng chénggōng de.

皆さんの参加がないと、私たちのイベントが成功することはありえません。

妈妈总是为孩子的学习操心。
Māma zǒngshì wèi háizi de xuéxí cāoxīn.

母はいつも子どもの学習に心を煩わせている。

奶奶为这个家操了一辈子心。
Nǎinai wèi zhège jiā cāole yíbèizi xīn.

祖母は生涯この家のことに心を煩わせました。

明天要测验数学，我还没复习呢。
Míngtiān yào cèyàn shùxué, wǒ hái méi fùxí ne.

明日は数学のテストがあるのに、私はまだ復習していません。

这次测验的结果已经出来了。
Zhè cì cèyàn de jiéguǒ yǐjīng chūlái le.

今回のテスト結果がすでに出ました。

他把花插到花瓶里了。
Tā bǎ huā chādào huāpíng li le.

彼は花を花瓶に挿しました。

新来的同学可以插到第三班。
Xīn lái de tóngxué kěyǐ chādào dì sān bān.

新しく来た同級生は第3組に入れたらよいでしょう。

195

0540		
	拆 chāi	動 開封する、壊す

0541		
	产生 chǎnshēng	動 産み出す

0542		
	抄 chāo	動 書き写す

0543		
	吵架 chǎo//jià	動 言い争う

0544		
	炒 chǎo	動 炒める

0545		
	沉默 chénmò	動 沈黙する

指定語句

名詞

動詞

ほか

作文対策語句

这封信我可以拆开吗?
Zhè fēng xìn wǒ kěyǐ chāikāi ma?

この手紙は私が開封してもいいですか?

这儿的旧房子都拆了。
Zhèr de jiù fángzi dōu chāi le.

ここの古い家は取り壊されました (解体されました)。

最近妻子也对足球产生了兴趣。
Zuìjìn qīzi yě duì zúqiú chǎnshēngle xìngqù.

最近、妻もサッカーに興味を持つようになりました。

这样做可能会产生一些问题。
Zhèyàng zuò kěnéng huì chǎnshēng yìxiē wèntí.

このようにすると恐らくいくつかの問題が起こります。

我原来写得不清楚,又抄了一遍。
Wǒ yuánlái xiěde bù qīngchu, yòu chāole yí biàn.

私が最初に書いたのははっきりしなかったので、もう一度書き写しました。

他把课文抄在笔记本上了。
Tā bǎ kèwén chāozài bǐjìběn shang le.

彼は教科書の本文をノートに書き写しました。

他经常因为一点儿小事跟别人吵架。
Tā jīngcháng yīnwèi yìdiǎnr xiǎo shì gēn biérén chǎojià.

彼はよくほんの些細な事でほかの人と言い争います。

我们之间从来没吵过架。
Wǒmen zhījiān cónglái méi chǎoguo jià.

私たちの間ではこれまで言い争ったことはありません。

菜都切好了,你来炒吧。
Cài dōu qiēhǎo le, nǐ lái chǎo ba.

野菜はちゃんと切り終わりました。炒めてください。

炒两盘菜就够我们吃了。
Chǎo liǎng pán cài jiù gòu wǒmen chī le.

料理を2品作れば私たちが食べるのに十分です。

大家都在说话,只有他一直沉默着。
Dàjiā dōu zài shuōhuà, zhǐyǒu tā yìzhí chénmòzhe.

みんな話していますが、彼だけがずっと黙っています。

她受不了这种沉默的气氛,转身离开了。
Tā shòubuliǎo zhè zhǒng chénmò de qìfēn, zhuǎnshēn líkāi le.

彼女はこの誰も何も言わない雰囲気に耐えられず、向きを変えて立ち去りました。

Track 092

0546	称 chēng	動 量る、〜と呼ぶ
0547	称赞 chēngzàn	動 称賛する
0548	成立 chénglì	動 成立する
0549	成熟 chéngshú	動 成熟する 形 成熟した
0550	成长 chéngzhǎng	動 成長する
0551	承担 chéngdān	動 負担する

指定語句

名詞

動詞

ほか

作文対策語句

你称一下，看这袋米有多少斤。
Nǐ chēng yíxià, kàn zhè dài mǐ yǒu duōshao jīn.

量ってみてください。この袋の米がどのくらいあるのか見ましょう。

他懂得很多，大家都称他"活词典"。
Tā dǒngde hěn duō, dàjiā dōu chēng tā "huó cídiǎn".

彼は多くのことを知っているので、みんな彼のことを「生き字引」と呼んでいます。

大家都称赞他是个聪明能干的小伙子。
Dàjiā dōu chēngzàn tā shì ge cōngmíng nénggàn de xiǎohuǒzi.

みんなは彼が聡明で仕事のできる若者と称賛しています。

提起老张，没有一个人不称赞。
Tíqǐ lǎo Zhāng, méiyǒu yí ge rén bù chēngzàn.

張さんのことをいうと、褒めない人はいません。

新中国成立于 1949 年。
Xīn Zhōngguó chénglìyú yījiǔsìjiǔ nián.

新中国は1949年に誕生しました。

新的文学院马上就要成立了。
Xīn de wénxuéyuàn mǎshàng jiù yào chénglì le.

新しい文学部がもうすぐ設立されます。

现在还不能吃，等成熟了再吃。
Xiànzài hái bù néng chī, děng chéngshúle zài chī.

今はまだ食べられません、熟すのを待ってから食べましょう。

现在条件成熟了，我打算开一个公司。
Xiànzài tiáojiàn chéngshú le, wǒ dǎsuàn kāi yí ge gōngsī.

条件が整った今、私は会社を立ち上げる予定です。

他们是 80 年代成长起来的科学家。
Tāmen shì bāshí niándài chéngzhǎngqilai de kēxuéjiā.

彼らは80年代に成長してきた科学者です。

几年不见，他从一个孩子成长为一名教师。
Jǐ nián bújiàn, tā cóng yí ge háizi chéngzhǎngwéi yì míng jiàoshī.

数年見ないうちに、彼は子どもから一人の教師に成長しました。

保险公司承担了他全部的医疗费用。
Bǎoxiǎn gōngsī chéngdānle tā quánbù de yīliáo fèiyòng.

保険会社は彼のすべての医療費を負担しました。

这个责任恐怕你承担不起。
Zhège zérèn kǒngpà nǐ chéngdānbuqǐ.

この責任は恐らくあなたには負いきれません。

0552		
	承认 chéngrèn	動 認める

0553		
	承受 chéngshòu	動 受け入れる

0554		
	吃亏 chī//kuī	動 損をする

0555		
	持续 chíxù	動 続く

0556		
	冲 chōng	動 突破する、注ぐ

0557		
	充满 chōngmǎn	動 充満する

他后来承认了自己的错误。
Tā hòulái chéngrènle zìjǐ de cuòwù.

彼は後に自分の間違いを認めました。

我们应该承认失败这个事实。
Wǒmen yīnggāi chéngrèn shībài zhège shìshí.

私たちは失敗したという事実を受け止めなければなりません。

他做这个决定，承受了很大的压力。
Tā zuò zhège juédìng, chéngshòule hěn dà de yālì.

彼はこの決定をするのに大きなプレッシャーを受けました。

他小小年龄，怎么承受得了这种打击呢?
Tā xiǎoxiǎo niánlíng, zěnme chéngshòudeliǎo zhè zhǒng dǎjī ne?

彼のちっちゃな年齢で、どうしてこのようなショックを受け止められるでしょうか。

不相信科学，早晚会吃亏的。
Bù xiāngxìn kēxué, zǎowǎn huì chīkuī de.

科学を信じないと、遅かれ早かれ損をするでしょう。

那次比赛我们准备不足，所以吃了很大的亏。
Nà cì bǐsài wǒmen zhǔnbèi bùzú, suǒyǐ chīle hěn dà de kuī.

あの試合では私たちは準備不足だったので、こっぴどくやられました。

他发烧已经持续三天了。
Tā fāshāo yǐjīng chíxù sān tiān le.

彼の熱はすでに3日間続いています。

近年来，中国经济一直持续增长。
Jìnnián lái, Zhōngguó jīngjì yìzhí chíxù zēngzhǎng.

近年、中国経済はずっと成長し続けています。

在比赛中，他第一个冲到终点。
Zài bǐsài zhōng, tā dì yī ge chōngdào zhōngdiǎn.

試合で、彼は一番にゴールに駆け込みました。

这种咖啡用热水一冲就可以喝了。
Zhè zhǒng kāfēi yòng rèshuǐ yì chōng jiù kěyǐ hē le.

この種類のコーヒーは熱湯を注ぐとすぐに飲めるようになります。

教室里充满了歌声和笑声。
Jiàoshì li chōngmǎnle gēshēng hé xiàoshēng.

教室には歌声と笑い声がいっぱいでした。

他的每句话都充满了信心。
Tā de měi jù huà dōu chōngmǎnle xìnxīn.

彼の一言一言は自信に満ちていました。

指定語句
名詞
動詞
ほか
作文対策語句

0558

重复

chóngfù

動 繰り返す、重複する

0559

出版

chūbǎn

動 出版する

0560

出口

chūkǒu

動 輸出する　名 出口

↔ "**进口** jìnkǒu" 輸入する

0561

出示

chūshì

動 提示する、見せる

0562

出席

chūxí

動 出席する

0563

处理

chǔlǐ

動 処理する、解決する

指定语句

名词 动词 ほか

作文对策语句

我没听清楚，请你重复一遍可以吗?
Wǒ méi tīngqīngchu, qǐng nǐ chóngfù yí biàn kěyǐ ma?

はっきり聞こえなかったので、もう一度繰り返してもらえますか？

这两段话的内容重复了，可以删去一段。
Zhè liǎng duàn huà de nèiróng chóngfù le, kěyǐ shānqu yí duàn.

この2つの内容は重複しているので、一方を削除することができます。

这本书已经出版五年了。
Zhè běn shū yǐjīng chūbǎn wǔ nián le.

この本は出版してもう5年になります。

这本书是哪个出版社出版的?
Zhè běn shū shì nǎge chūbǎnshè chūbǎn de?

この本はどこの出版社が出版したものですか？

这些产品是准备出口到国外的。
Zhèxiē chǎnpǐn shì zhǔnbèi chūkǒudào guówài de.

これらの製品は国外に輸出する予定のものです。

我们在地铁站的出口见面吧。
Wǒmen zài dìtiězhàn de chūkǒu jiànmiàn ba.

私たちは地下鉄の出口で会いましょう。

我是警察，请出示您的驾驶执照。
Wǒ shì jǐngchá, qǐng chūshì nín de jiàshǐ zhízhào.

警察です。あなたの運転免許証を見せていただけますか。

请出示您的有效证件。
Qǐng chūshì nín de yǒuxiào zhèngjiàn.

あなたの有効な証明書を見せてください。

公司主要领导都将出席这次会议。
Gōngsī zhǔyào lǐngdǎo dōu jiāng chūxí zhè cì huìyì.

会社の主要な責任者はみなこの会議に出席します。

这次会议出席的人数达到了 600 人。
Zhè cì huìyì chūxí de rénshù dádàole liùbǎi rén.

この会議に出席する人数は600人に達しました。

这件事情我们还没来得及处理。
Zhè jiàn shìqing wǒmen hái méi láidejí chǔlǐ.

このことは、私たちはまだ解決するのが間に合っていません。

冬天快来了，超市打算处理掉这些短袖衬衫。
Dōngtiān kuài lái le, chāoshì dǎsuàn chǔlǐdiào zhèxiē duǎnxiù chènshān.

冬がもうすぐ来るので、スーパーはこれらの半袖シャツを売り切るつもりです。

0564		
	传播 chuánbō	動 伝播する、広く伝わる

0565		
	传染 chuánrǎn	動 伝染する

0566		
	闯 chuǎng	動 突き抜けていく

0567		
	创造 chuàngzào	動 創造する

0568		
	吹 chuī	動 吹く、大口をたたく

0569		
	辞职 cí//zhí	動 辞職する

消息传播得很快，很多人都知道了。
Xiāoxi chuánbōde hěn kuài, hěn duō rén dōu zhīdao le.

情報が広まるのがとても速く、多くの人が知っていました。

这件事如果传播出去，对大家都不好。
Zhè jiàn shì rúguǒ chuánbōchuqu, duì dàjiā dōu bù hǎo.

このことがもし広まってしまうとみんなにとってよくないです。

这种病传染得很快，要注意预防。
Zhè zhǒng bìng chuánrǎnde hěn kuài, yào zhùyì yùfáng.

この病気は伝染するのがとても速いので、予防に努めなければなりません。

我的病是被别人传染上的。
Wǒ de bìng shì bèi biérén chuánrǎnshàng de.

私の病気は他の人からうつったものです。

他闯进病房，显得十分着急。
Tā chuǎngjìn bìngfáng, xiǎnde shífēn zháojí.

彼は病室の中へ飛び込みました。明らかにかなり焦っているようです。

20 岁那年，一个小伙子闯进了她的心里。
Èrshí suì nà nián, yí ge xiǎohuǒzi chuǎngjìnle tā de xīnli.

20歳の年に、ある若者が彼女の心に飛び込んできました。

这些文字都是古代的人创造出来的。
Zhèxiē wénzì dōu shì gǔdài de rén chuàngzàochulai de.

これらの文字はすべて古代人が作り出したものです。

他创造的这个纪录还没有被人打破。
Tā chuàngzào de zhège jìlù hái méiyǒu bèi rén dǎpò.

彼が作ったこの記録はまだ他の人に破られていません。

风一吹，树上的叶子都落了下来。
Fēng yì chuī, shù shang de yèzi dōu luòlexiàlai.

風が一吹きすると、木の上の葉はすべて落ちてしまいました。

他经常吹自己有学问。
Tā jīngcháng chuī zìjǐ yǒu xuéwen.

彼は自分には学があると大口をたたきます。

我上个月辞职了，正在找新工作。
Wǒ shàng ge yuè cízhí le, zhèngzài zhǎo xīn gōngzuò.

私は先月仕事を辞めて、新しい仕事を探しているところです。

我已经辞职，不在那家公司干了。
Wǒ yǐjīng cízhí, bú zài nà jiā gōngsī gàn le.

私はすでに仕事を辞めており、あの会社で仕事をしていません。

0570 刺激 cìjī — 動 刺激する

0571 从事 cóngshì — 動 従事する

0572 促进 cùjìn — 動 促進する

0573 促使 cùshǐ — 動 (～するよう) 促す

0574 催 cuī — 動 (～するよう人を) せき立てる、催促する、(事物の発生・変化を) 促す

0575 存在 cúnzài — 動 存在する

指定語句
名詞
動詞
ほか
作文対策語句

这些话刺激了他，所以他才生气了。
Zhèxiē huà cìjile tā, suǒyǐ tā cái shēngqì le.

これらの話が彼を刺激したからこそ彼は怒ったのです。

病人再也不能承受任何刺激了。
Bìngrén zài yě bù néng chéngshòu rènhé cìjī le.

病人はこれ以上のどのような刺激にも耐えられません。

王老师从事教育工作已经 20 年了。
Wáng lǎoshī cóngshì jiàoyù gōngzuò yǐjīng èrshí nián le.

王先生は教育の仕事に従事してすでに20年になります。

我打算毕业以后从事汽车修理这个职业。
Wǒ dǎsuàn bìyè yǐhòu cóngshì qìchē xiūlǐ zhège zhíyè.

私は卒業したら自動車修理の仕事に就く予定です。

这次访问促进了两国关系的发展。
Zhè cì fǎngwèn cùjìnle liǎng guó guānxi de fāzhǎn.

今回の訪問は両国の関係の発展を促進しました。

坚持锻炼身体，可以促进身体健康。
Jiānchí duànliàn shēntǐ, kěyǐ cùjìn shēntǐ jiànkāng.

体を鍛え続けることは、身体の健康を促進します。

这件事促使我思考了很多问题。
Zhè jiàn shì cùshǐ wǒ sīkǎole hěn duō wèntí.

このことによって私は多くの問題について考えさせられました。

语言障碍促使我下决心要学好汉语。
Yǔyán zhàng'ài cùshǐ wǒ xià juéxīn yào xuéhǎo Hànyǔ.

言葉の壁によって、私は中国語をマスターしようと決心しました。

妈妈催孩子快点儿起床。
Māma cuī háizi kuài diǎnr qǐchuáng.

お母さんは早く起きるよう子どもをせきたてました。

经理催我们尽快把工作计划写出来。
Jīnglǐ cuī wǒmen jǐnkuài bǎ gōngzuò jìhuà xiěchulai.

マネージャーは私たちに仕事の計画を早く書くようせかしました。

这篇文章还存在一些问题，需要修改。
Zhè piān wénzhāng hái cúnzài yìxiē wèntí, xūyào xiūgǎi.

この文章にはまだいくつか問題があって、修正が必要です。

东方文化和西方文化之间存在着一些差异。
Dōngfāng wénhuà hé xīfāng wénhuà zhījiān cúnzàizhe yìxiē chāyì.

東洋文化と西洋文化の間にはいくつかの違いがあります。

0576	**答应** dāying	動 応答する、約束する、承知する
0577	**达到** dá//dào	動 到達する
0578	**打工** dǎ//gōng	動 アルバイトをする、パートで働く
0579	**打听** dǎting	動 尋ねる
0580	**代表** dàibiǎo	動 代表する　名 代表
0581	**代替** dàitì	動 ～に代わる、代替する

我叫了他三声，他都没答应。

Wǒ jiàole tā sān shēng, tā dōu méi dāying.

私は彼を3回呼びましたが、返事はありませんでした。

我已经答应去火车站接他了。

Wǒ yǐjīng dāying qù huǒchēzhàn jiē tā le.

私は彼を駅まで迎えに行くと約束してしまいました。

他的汉语达到了很高的水平。

Tā de Hànyǔ dádàole hěn gāo de shuǐpíng.

彼の中国語は高いレベルに達しています。

这次考试我没有达到及格的标准。

Zhè cì kǎoshì wǒ méiyǒu dádào jígé de biāozhǔn.

今回の試験では私は合格基準に達しませんでした。

他在一个商场打工，每天去三个小时。

Tā zài yí ge shāngchǎng dǎgōng, měitiān qù sān ge xiǎoshí.

彼はショッピングモールでアルバイトをしていて、毎日3時間行きます。

我们俩是打工的时候认识的。

Wǒmen liǎ shì dǎgōng de shíhou rènshi de.

私たちはアルバイトをしているときに知り合ったのです。

我去打听一下附近有没有超市。

Wǒ qù dǎtīng yíxià fùjìn yǒu méiyǒu chāoshì.

この近くにスーパーがあるか聞いてきます。

我打听了很久，才知道他已经出国了。

Wǒ dǎtīngle hěn jiǔ, cái zhīdao tā yǐjīng chūguó le.

私は長いこと問い合わせてようやく彼がすでに出国していたことを知りました。

他可以代表我们在会议上发言。

Tā kěyǐ dàibiǎo wǒmen zài huìyì shang fāyán.

彼は私たちを代表して、会議で発言することができます。

你们可以选出个代表，来谈这件事。

Nǐmen kěyǐ xuǎnchū ge dàibiǎo, lái tán zhè jiàn shì.

あなたたちはこのことについて討論する代表を1人選ぶことができます。

他代替我参加了那次会议。

Tā dàitì wǒ cānjiāle nà cì huìyì.

彼が私の代わりにその会議に出席した。

这个工作只有他能干，别人代替不了。

Zhège gōngzuò zhǐyǒu tā néng gàn, biérén dàitìbuliǎo.

この仕事は彼にしかできず、他の人に代わりは務まりません。

0582		
	贷款 dài//kuǎn	動 資金を貸し付ける、借り入れる 名 貸付金、ローン
0583		
	担任 dānrèn	動 (職務・仕事などを) 受け持つ、 担当する
0584		
	耽误 dānwu	動 (遅れたり時機を失して) 時間を むだにする、支障をきたす
0585		
	当心 dāngxīn	動 気を付ける、注意を払う
0586		
	挡 dǎng	動 (通行や雨、風、光などを) 阻む、 さえぎる
0587		
	导演 dǎoyǎn	動 (映画・ドラマなどを) 監督する 名 (映画・ドラマなどの) 監督

银行决定贷款给这家公司。
Yínháng juédìng dàikuǎngěi zhè jiā gōngsī.

銀行はこの会社に融資することにしました。

住房贷款给他们的生活带来了很大压力。
Zhùfáng dàikuǎn gěi tāmen de shēnghuó dàilaile hěn dà yālì.

住宅ローンは彼らの生活の大きなストレスとなっています。

他在这个公司担任过领导职务。
Tā zài zhège gōngsī dānrènguo lǐngdǎo zhíwù.

彼はこの会社でリーダーを務めたことがあります。

我的能力不够，恐怕担任不了这项工作。
Wǒ de nénglì búgòu, kǒngpà dānrènbuliǎo zhè xiàng gōngzuò.

私は能力が足りないので、この仕事を担いきれないかもしれません。

他因为生病耽误了学习。
Tā yīnwèi shēngbìng dānwule xuéxí.

彼は病気で勉強が遅れました。

你快点儿走吧，别耽误了火车。
Nǐ kuài diǎnr zǒu ba, bié dānwule huǒchē.

列車に乗り遅れないように、早く行ってください。

当心你的钱包，别让人偷了。
Dāngxīn nǐ de qiánbāo, bié ràng rén tōu le.

財布に気をつけて、盗まれないようにしてください。

把钥匙拿好，当心别丢了。
Bǎ yàoshi náhǎo, dāngxīn bié diū le.

鍵をしっかり持って、なくさないように注意してください。

前面的汽车挡住了路。
Qiánmiàn de qìchē dǎngzhùle lù.

前の車が道を塞いでいます。

这棵大树正好挡住了阳光。
Zhè kē dà shù zhènghǎo dǎngzhùle yángguāng.

この大木はちょうど太陽の光を遮ってくれます。

这部电影是他爸爸导演的。
Zhè bù diànyǐng shì tā bàba dǎoyǎn de.

この映画は彼のお父さんが監督したものです。

电视剧的导演正在挑选女主角。
Diànshìjù de dǎoyǎn zhèngzài tiāoxuǎn nǚzhǔjué.

テレビドラマの演出家はいまヒロインを選んでいるところです。

099

0588		
	导致 dǎozhì	動 (悪い結果を) もたらす、招く、引き起こす
0589		
	到达 dàodá	動 到達する、到着する
0590		
	登记 dēng//jì	動 登録する、登記する
0591		
	等待 děngdài	動 待ち望む、待ち構える
0592		
	等于 děngyú	動 ～に等しい、～と同等である
0593		
	地震 dìzhèn	動 地震が起こる、揺れる

这场地震导致很多人无家可归。
Zhè cháng dìzhèn dǎozhì hěn duō rén wú jiā kě guī.

この地震によって多くの人々が帰る家を失いました。

汽车故障导致我迟到了 20 分钟。
Qìchē gùzhàng dǎozhì wǒ chídàole èrshí fēnzhōng.

車が故障したせいで私は 20 分遅刻しました。

本次列车将于下午三点十分到达北京。
Běn cì lièchē jiāng yú xiàwǔ sān diǎn shí fēn dàodá Běijīng.

この列車は午後 3 時 10 分に北京に到着します。

代表们到达以后，会议就开始。
Dàibiǎomen dàodá yǐhòu, huìyì jiù kāishǐ.

代表者たちが到着次第、会議を始めます。

请客人到楼下登记名字和身份证号。
Qǐng kèrén dào lóu xià dēngjì míngzi hé shēnfènzhèng hào.

お客様は下の階でお名前と身分証番号を登録してください。

请你先到那边登个记，然后再办理别的手续。
Qǐng nǐ xiān dào nàbiān dēng ge jì, ránhòu zài bànlǐ bié de shǒuxù.

まずあそこで登録をしてから他の手続きをしてください。

请大家耐心等待比赛结果。
Qǐng dàjiā nàixīn děngdài bǐsài jiéguǒ.

皆さん、試合結果を辛抱強くお待ちください。

十年来，我一直等待着这一天。
Shí niánlái, wǒ yìzhí děngdàizhe zhè yì tiān.

10 年間ずっと私はこの日を待ちわびていました。

一公里等于一千米。
Yì gōnglǐ děngyú yìqiān mǐ.

1 キロメートルは 1000 メートルです。

你说了不做，等于没说。
Nǐ shuōle bú zuò, děngyú méi shuō.

言っておいてやらないのは、何も言わないのと一緒です。

昨天晚上地震了，不过不太厉害。
Zuótiān wǎnshang dìzhèn le, búguò bú tài lìhai.

昨夜地震がありましたが、それほど深刻ではありませんでした。

在那次地震中，很多人失去了生命。
Zài nà cì dìzhèn zhōng, hěn duō rén shīqùle shēngmìng.

あの地震で多くの人々が命を落としとしました。

0594	递 dì	動 (物を取って) 手渡す、送る
0595	钓 diào	動 釣る
0596	冻 dòng	動 凍る、凍らせる、凍える
0597	逗 dòu	動 ふざける、からかう、笑わせる
0598	独立 dúlì	動 独立する
0599	度过 dùguò	動 (日々を) 過ごす、(困難、危機などを) 乗り切る

我双手接过王先生递过来的名片。

Wǒ shuāngshǒu jiēguo Wáng xiānsheng dìguolai de míngpiàn.

私は王さんから手渡された名刺を両手で受け取りました。

请把这个纸条递给主持人。

Qǐng bǎ zhège zhǐtiáo dìgěi zhǔchírén.

このメモを司会者に渡してください。

他一上午能钓七八条鱼呢。

Tā yí shàngwǔ néng diào qī bā tiáo yú ne.

彼は午前中いっぱいで7、8匹の魚を釣ることができます。

我坐了两个小时，一条鱼也没钓到。

Wǒ zuòle liǎng ge xiǎoshí, yì tiáo yú yě méi diàodào.

私は2時間座り続けましたが、1匹の魚も釣ることができませんでした。

他把牛肉放到冰箱里冻上了。

Tā bǎ niúròu fàngdào bīngxiāng li dòngshàng le.

彼は牛肉を冷凍庫に入れて凍らせました。

冻死我了，没见过这么冷的天气。

Dòngsǐ wǒ le, méi jiànguo zhème lěng de tiānqì.

凍え死にそうです。こんな寒さは初めてです。

他的话逗得大家都笑了。

Tā de huà dòude dàjiā dōu xiào le.

彼の話は面白くてみんなが笑いました。

他老逗我，我就忍不住笑了起来。

Tā lǎo dòu wǒ, wǒ jiù rěnbuzhù xiàoleqǐlai.

彼はいつも私にちょっかいを出すので、思わず笑ってしまいました。

你要养成独立思考的习惯。

Nǐ yào yǎngchéng dúlì sīkǎo de xíguàn.

独立して考える習慣を身につけなさい。

第二次世界大战以后，很多国家都独立了。

Dì èr cì shìjiè dàzhàn yǐhòu, hěn duō guójiā dōu dúlì le.

第二次世界大戦後に多くの国が独立しました。

他在这里度过了一段幸福时光。

Tā zài zhèli dùguòle yí duàn xìngfú shíguāng.

彼はここで幸せな時間を過ごしました。

我们一定能够度过这段困难时期。

Wǒmen yídìng nénggòu dùguò zhè duàn kùnnan shíqī.

私たちはきっとこの困難な時期を乗り切ることができるでしょう。

215

0600

断
duàn

動 切れる、折れる

0601

堆
duī

動 (うずたかく) 積む、積み上げる
量 積み上げたものを数える

0602

対比
duìbǐ

動 比較する

0603

対待
duìdài

動 (ある種の態度・行動で人・事に)
応対する、対処する

0604

兌換
duìhuàn

動 両替する、交換する

0605

蹲
dūn

動 しゃがむ、うずくまる

我不小心把项链扯断了。
Wǒ bù xiǎoxīn bǎ xiàngliàn chěduàn le.

誤ってネックレスを引きちぎってしまいました。

自从毕业后我们就断了联系。
Zìcóng bìyè hòu wǒmen jiù duànle liánxì.

卒業してから私たちは連絡しなくなりました。

他的桌子上堆着很多书。
Tā de zhuōzi shang duīzhe hěn duō shū.

彼の机の上にはたくさんの本が積んであります。

马路上围着一堆人，不知道发生了什么事情。
Mǎlù shang wéizhe yì duī rén, bù zhīdào fāshēngle shénme shìqing.

道路に人の輪ができていますが、何が起こったのか分かりません。

我对比了半天，也分不清哪个是真的。
Wǒ duìbǐle bàntiān, yě fēnbuqīng nǎge shì zhēn de.

長い間比べてみましたが、どれが本物か見分けがつきません。

经过反复对比，我决定选择你们公司。
Jīngguò fǎnfù duìbǐ, wǒ juédìng xuǎnzé nǐmen gōngsī.

何度も比べて、貴社を選ぶことにしました。

老师对待这些学生很热情。
Lǎoshī duìdài zhèxiē xuéshēng hěn rèqíng.

先生はこれらの学生に対してとても熱意があります。

他能够正确对待和处理这些问题。
Tā nénggòu zhèngquè duìdài hé chǔlǐ zhèxiē wèntí.

彼はこれらの問題に正しく対応し、処理することができます。

现在一美元兑换多少人民币？
Xiànzài yì měiyuán duìhuàn duōshao rénmínbì?

現在1ドルは何元に両替できますか？

我下午得去银行兑换点儿外币。
Wǒ xiàwǔ děi qù yínháng duìhuàn diǎnr wàibì.

私は午後、銀行へ外貨の両替に行かなければなりません。

前面的人蹲着，后面的人站着。
Qiánmiàn de rén dūnzhe, hòumiàn de rén zhànzhe.

前の人はしゃがんで、後ろの人は立っています。

我蹲得腿都麻了。
Wǒ dūnde tuǐ dōu má le.

しゃがんでいて足がしびれました。

0606		
	多亏 duōkuī	動 ~のおかげである

0607		
	躲藏 duǒcáng	動 隠れる、身を隠す

0608		
	发表 fābiǎo	動 発表する

0609		
	发愁 fā//chóu	動 心配する、気をもむ

0610		
	发抖 fādǒu	動 ぶるぶる震える、身震いする

0611		
	发挥 fāhuī	動 (能力・性質・役割などを) 発揮する、十分に示す

指定語句

名詞

動詞

ほか

作文対策語句

多亏了大家的帮助，我才找到了她。
Duōkuīle dàjiā de bāngzhù, wǒ cái zhǎodàole tā.

皆さんのおかげで、やっと彼女を見つけました。

多亏了这位医生，否则我可能就死了。
Duōkuīle zhè wèi yīshēng, fǒuzé wǒ kěnéng jiù sǐ le.

このお医者さんのおかげです、さもなければ私は死んでいたかもしれません。

他躲藏在桌子底下，很快就被发现了。
Tā duǒcángzài zhuōzi dǐxia, hěn kuài jiù bèi fāxiàn le.

彼はテーブルの下に隠れていましたが、すぐに見つかりました。

他一直躲藏在那个山洞里。
Tā yìzhí duǒcángzài nàge shāndòng li.

彼はずっとその洞窟に隠れていました。

他在会议上发表了自己的看法。
Tā zài huìyì shang fābiǎole zìjǐ de kànfǎ.

彼は会議で自分の意見を発表しました。

关于旅游的事，请大家发表意见。
Guānyú lǚyóu de shì, qǐng dàjiā fābiǎo yìjiàn.

旅行のことについて、みなさんご意見をお願いします。

他经常为孩子的学习发愁。
Tā jīngcháng wèi háizi de xuéxí fāchóu.

彼はいつも子どもの勉強のことで気をもんでいます。

别发愁了，会有办法的。
Bié fāchóu le, huì yǒu bànfǎ de.

心配しないでください。きっと方法があります。

天气太冷了，他冻得全身发抖。
Tiānqì tài lěng le, tā dòngde quánshēn fādǒu.

あまりに寒すぎるので、彼は凍えて全身が震えています。

打雷的声音吓得她不停地发抖。
Dǎléi de shēngyīn xiàde tā bù tíng de fādǒu.

雷の音に驚いて、彼女は震えが止まりません。

在公司的发展中，他发挥了重要作用。
Zài gōngsī de fāzhǎn zhōng, tā fāhuīle zhòngyào zuòyòng.

会社の発展において、彼は重要な役割を果たしました。

我们要充分发挥这些青年人的才能。
Wǒmen yào chōngfèn fāhuī zhèxiē qīngnián rén de cáinéng.

私たちはこの青年たちの才能を十分に発揮させなければなりません。

0612	**发言** fā//yán	動 発言する　名 発言
0613	**罚款** fá//kuǎn	動 罰金を科す
0614	**翻** fān	動 ひっくり返す、(山・峰を) 越える、翻訳する
0615	**反应** fǎnyìng	動 反応する　名 反応
0616	**反映** fǎnyìng	動 反映する、伝える
0617	**妨碍** fáng'ài	動 妨げる

指定語句
名詞
動詞
ほか
作文対策語句

会上所有的代表都发了言。
Huì shang suǒyǒu de dàibiǎo dōu fāle yán.

会議ではすべての代表者が発言しました。

你今天在会上的发言很精彩。
Nǐ jīntiān zài huì shang de fāyán hěn jīngcǎi.

今日の会議でのあなたの発言は素晴らしかったです。

他因违反交通规则被罚款了。
Tā yīn wéifǎn jiāotōng guīzé bèi fákuǎn le.

彼は交通ルールに違反して罰金を科されました。

弄丢了图书馆的书是要罚款的。
Nòngdiūle túshūguǎn de shū shì yào fákuǎn de.

図書館の本をなくすと罰金が科されます。

汽车翻了，司机从里面爬出来了。
Qìchē fān le, sījī cóng lǐmiàn páchulai le.

車が転覆して、運転手が中からはい出してきました。

他每天上学要翻过这座山。
Tā měitiān shàngxué yào fānguò zhè zuò shān.

彼は毎日通学するのにこの山を越えなければなりません。

他反应得很快，没有被汽车撞到。
Tā fǎnyìngde hěn kuài, méiyǒu bèi qìchē zhuàngdào.

彼はすばやく反応したので、車にはねられませんでした。

新领导在群众中的反应不错。
Xīn lǐngdǎo zài qúnzhòng zhōng de fǎnyìng búcuò.

新しい指導者は大衆の中での反応がよいです。

我已经向经理反映了这个情况。
Wǒ yǐjīng xiàng jīnglǐ fǎnyìngle zhège qíngkuàng.

この状況をマネージャーにすでに報告しました。

这个电影反映了真实的农村生活。
Zhège diànyǐng fǎnyìngle zhēnshí de nóngcūn shēnghuó.

この映画は、実際の農村生活を反映しています。

你的车停在这里，妨碍了交通。
Nǐ de chē tíngzài zhèlǐ, fáng'àile jiāotōng.

あなたの車がここに停まっていると、交通の妨げになります。

我站在这里，不妨碍你工作吧?
Wǒ zhànzài zhèlǐ, bù fáng'ài nǐ gōngzuò ba?

私がここに立っていても、お仕事の邪魔になりませんよね？

0618		
	分别 fēnbié	動 分かれる、区別する

0619		
	分布 fēnbù	動 分布する

0620		
	分配 fēnpèi	動 分配する、割り当てる

0621		
	分手 fēn//shǒu	動 別れる、離別する

0622		
	分析 fēnxī	動 分析する ↔ "**综合 zōnghé**" 総合する、まとめる

0623		
	奋斗 fèndòu	動 奮闘する、努力をする

指定語句
名詞
動詞
ほか
作文対策語句

自从上次分别后，我们就再也没有见过面。
Zìcóng shàng cì fēnbié hòu, wǒmen jiù zài yě méiyǒu jiànguo miàn.

前回別れた後、私たちは二度と会うことはありませんでした。

我分别不出谁是姐姐，谁是妹妹。
Wǒ fēnbiébuchū shéi shì jiějie, shéi shì mèimei.

私にはどちらが姉で、どちらが妹か区別がつきません。

中国西南部分布着很多民族。
Zhōngguó xīnánbù fēnbùzhe hěn duō mínzú.

中国西南部には多くの民族が分布しています。

中国的石油资源分布在各个地方。
Zhōngguó de shíyóu zīyuán fēnbùzài gègè dìfāng.

中国の石油資源は各地方に分布しています。

公司给每个人分配了一台电脑。
Gōngsī gěi měi ge rén fēnpèile yì tái diànnǎo.

会社は一人一人にパソコンを1台割り当てました。

这些人谁做什么，你来分配一下吧。
Zhèxiē rén shéi zuò shénme, nǐ lái fēnpèi yíxià ba.

これらの人の誰が何をするか、割り当ててみてください。

毕业分手后，我们俩就再也没见过。
Bìyè fēnshǒu hòu, wǒmen liǎ jiù zài yě méi jiànguo.

卒業して別れた後、私たち2人は二度と会うことはありませんでした。

马上就要分手了，大家都很难过。
Mǎshàng jiù yào fēnshǒu le, dàjiā dōu hěn nánguò.

もうじきお別れで、みなとても悲しんでいます。

你分析一下，出现这个问题的原因是什么。
Nǐ fēnxī yíxià, chūxiàn zhège wèntí de yuányīn shì shénme.

この問題が起きた原因が何か分析してみて下さい。

他把这些问题分析得很清楚。
Tā bǎ zhèxiē wèntí fēnxīde hěn qīngchu.

彼はこれらの問題をはっきりと分析しています。

他不断奋斗，终于获得了成功。
Tā búduàn fèndòu, zhōngyú huòdéle chénggōng.

彼は絶えず努力して、ついに成功しました。

几十年的奋斗，终于换来了人们的肯定和赞扬。
Jǐ shí nián de fèndòu, zhōngyú huànlaile rénmen de kěndìng hé zànyáng.

数十年努力をして、ついに人々に認められ、賞賛を得るようになりました。

223

Track 105

0624		
	讽刺 fěngcì	動 風刺する

0625		
	否定 fǒudìng	動 否定する

0626		
	否认 fǒurèn	動 否認する

0627		
	扶 fú	動 支える

0628		
	辅导 fǔdǎo	動 指導する、補習する

0629		
	复制 fùzhì	動 複製する

指定語句

名詞

動詞

ほか

作文対策語句

这幅漫画讽刺了那些自私的人。

Zhè fú mànhuà fěngcìle nàxiē zìsī de rén.

この漫画はああいう自分勝手な人々を風刺しています。

这篇文章具有很强的讽刺性。

Zhè piān wénzhāng jùyǒu hěn qiáng de fěngcìxìng.

この文章にはとても強い風刺性があります。

会议经过讨论，否定了这个计划。

Huìyì jīngguò tǎolùn, fǒudìngle zhège jìhuà.

会議で討論をし、この計画を否決しました。

这是事实，谁也无法否定。

Zhè shì shìshí, shéi yě wúfǎ fǒudìng.

これは事実で、誰も否定のしようがありません。

他否认了昨天说过的话。

Tā fǒurènle zuótiān shuōguo de huà.

彼は昨日言った話を否認しました。

我从来不否认我有很多缺点。

Wǒ cónglái bù fǒurèn wǒ yǒu hěn duō quēdiǎn.

私はこれまで自分に多くの欠点をあるのを否定したことはありません。

上楼的时候，你扶着他点儿。

Shàng lóu de shíhou, nǐ fúzhe tā diǎnr.

上の階に登るとき、あなたは少し彼を支えてください。

别让他躺在地上，快扶他起来。

Bié ràng tā tǎngzài dìshang, kuài fú tā qǐlai.

彼を地面に寝かせておかず、早く助け起こしてください。

我请了个老师，辅导孩子数学。

Wǒ qǐngle ge lǎoshī, fǔdǎo háizi shùxué.

私は子どもの数学の指導をしてもらう先生を招きました。

经过老师的辅导，他提高得很快。

Jīngguò lǎoshī de fǔdǎo, tā tígāode hěn kuài.

先生の指導によって、彼はあっという間にレベルアップしました。

这些展览品都不是真的，是复制的。

Zhèxiē zhǎnlǎnpǐn dōu bú shì zhēn de, shì fùzhì de.

この展示品はすべて本物ではなく、レプリカです。

这幅画儿是古代的作品，很难复制。

Zhè fú huàr shì gǔdài de zuòpǐn, hěn nán fùzhì.

この絵は古代の作品で、複製するのは難しいです。

0630		
	改革 gǎigé	動 改革する

0631		
	改进 gǎijìn	動 改善する

0632		
	改善 gǎishàn	動 改善する

0633		
	改正 gǎizhèng	動 直す

0634		
	盖 gài	動 覆う、建てる

0635		
	概括 gàikuò	動 まとめる　形 要点をまとめて

指定語句
名詞
動詞
ほか
作文対策語句

公司最近改革了原来的一些制度。

Gōngsī zuìjìn gǎigéle yuánlái de yìxiē zhìdù.

会社は最近元からあったいくつかの制度を改革しました。

这种体制改革起来会有一定的阻力。

Zhè zhǒng tǐzhì gǎigéqilai huì yǒu yídìng de zǔlì.

この種の体制は改革し始めると、一定の抵抗があるでしょう。

老师们不断改进教学方法，提高教学效果。

Lǎoshīmen búduàn gǎijìn jiāoxué fāngfǎ, tígāo jiāoxué xiàoguǒ.

先生たちは絶えず教授法を改善し、授業の効果を高めます。

我们正在改进原来的设备，提高生产效率。

Wǒmen zhèngzài gǎijìn yuánlái de shèbèi, tígāo shēngchǎn xiàolǜ.

私たちはまさに元々の設備を改良し、生産効率を高めています。

最近两国改善了关系，加强了来往。

Zuìjìn liǎng guó gǎishànle guānxi, jiāqiángle láiwǎng.

最近両国は関係を改善し、往来が密になりました。

我们要不断发展经济，改善人民的生活水平。

Wǒmen yào búduàn fāzhǎn jīngjì, gǎishàn rénmín de shēnghuó shuǐpíng.

私たちは絶えず経済を発展させ、人民の生活レベルを改善しなければなりません。

弟弟改正了缺点以后，进步很快。

Dìdi gǎizhèngle quēdiǎn yǐhòu, jìnbù hěn kuài.

弟は欠点を直した後、進歩が速くなりました。

这个数字写错了，请你改正过来。

Zhège shùzì xiěcuò le, qǐng nǐ gǎizhèngguolai.

この数字は書き間違っています。正しく直してください。

晚上不冷，我盖那条薄被子吧。

Wǎnshang bù lěng, wǒ gài nà tiáo báo bèizi ba.

夜は寒くないので、私はこの薄い掛け布団で寝ます。

我们学校要盖一座新图书馆。

Wǒmen xuéxiào yào gài yí zuò xīn túshūguǎn.

私たちの学校には新しい図書館が建ちます。

他说了很多，不过概括起来就一个意思。

Tā shuōle hěn duō, búguò gàikuòqilai jiù yí ge yìsi.

彼は多くのことを話しましたが、まとめてみると1つの意味になります。

他概括地讲了事情的经过。

Tā gàikuòde jiǎngle shìqing de jīngguò.

彼は大まかに事の経緯を話しました。

0636	**感激** gǎnjī	動 感謝する
0637	**感受** gǎnshòu	動 感じる 名 感じたもの
0638	**干活儿** gàn//huór	動 仕事をする 解説 多く肉体労働や手仕事を指す
0639	**搞** gǎo	動 する、手に入れる
0640	**告别** gào//bié	動 別れを告げる
0641	**公布** gōngbù	動 公布する

第5周 / 第2天

指定語句　名詞　動詞　ほか　作文対策語句

我非常感激那些帮助过我的人。

Wǒ fēicháng gǎnjī nàxiē bāngzhùguo wǒ de rén.

私は私を助けてくれたあの方々に非常に感謝しています。

他感激得不知道说什么才好。

Tā gǎnjīde bù zhīdào shuō shénme cái hǎo.

彼は何を言ったらいいのか分からないほど感激していました。

结婚以后，他才感受到了家的幸福。

Jiéhūn yǐhòu, tā cái gǎnshòudàole jiā de xìngfú.

結婚してから彼は初めて家庭の幸せを感じました。

每个读者对这本书的感受是不完全一样的。

Měi ge dúzhě duì zhè běn shū de gǎnshòu shì bù wánquán yíyàng de.

この本に対する一人一人の読者の感じ方は完全に同じではありません。

下班回家以后，他就不干活儿了。

Xiàbān huí jiā yǐhòu, tā jiù bú gànhuór le.

退勤し家に帰った後、彼は仕事をしません。

我干不了这活儿，没那么大力气。

Wǒ gànbuliǎo zhè huór, méi nàme dà lìqi.

私にはこの仕事はできません、そんな力はありません。

他搞了很多年的技术，有很多发明。

Tā gǎole hěn duō nián de jìshù, yǒu hěn duō fāmíng.

彼は長年の技術を身につけ、多くの発明があります。

你能帮我搞两张去广州的火车票吗？

Nǐ néng bāng wǒ gǎo liǎng zhāng qù Guǎngzhōu de huǒchē piào ma?

私の代わりに広州行きの列車のチケットを2枚手に入れてくれませんか？

他说完再见，我们就告别了。

Tā shuōwán zàijiàn, wǒmen jiù gàobié le.

彼がさようならと言って、私たちは別れました。

告别了父母，他一个人来到北京。

Gàobiéle fùmǔ, tā yí ge rén láidào Běijīng.

両親に別れを告げて、彼は1人で北京に来ました。

国家公布了一部保护个人财产方面的法律。

Guójiā gōngbùle yí bù bǎohù gèrén cáichǎn fāngmiàn de fǎlǜ.

国は個人財産保護分野の法律を公布しました。

网上已经公布了这次招考的具体情况。

Wǎngshang yǐjīng gōngbùle zhè cì zhāokǎo de jùtǐ qíngkuàng.

ネットではすでに今回の公募の具体的状況について公表しました。

0642		
	公开 gōngkāi	🔴 公開する　🔷 公開の ↔ "秘密 mìmì" 秘密である

0643		
	恭喜 gōngxǐ	🔴 祝いを述べる、祝う ⊐⊐ "恭喜你!" おめでとう!

0644		
	沟通 gōutōng	🔴 意思疎通をはかる

0645		
	构成 gòuchéng	🔴 構成する、作り上げる

0646		
	鼓舞 gǔwǔ	🔴 鼓舞する

0647		
	鼓掌 gǔ//zhǎng	🔴 拍手をする

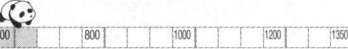

指定語句

名詞

動詞

ほか

作文対策語句

我公开向大家道歉。
Wǒ gōngkāi xiàng dàjiā dàoqiàn.

私は公に皆さんに対し謝罪します。

他们向外界公开了结婚日期。
Tāmen xiàng wàijiè gōngkāile jiéhūn rìqī.

彼らは世間に結婚の期日を公開しました。

恭喜你通过了 HSK 六级考试。
Gōngxǐ nǐ tōngguòle HSK liù jí kǎoshì.

HSK6級試験の合格、おめでとうございます。

听说你考上了理想的学校，恭喜你!
Tīngshuō nǐ kǎoshàngle lǐxiǎng de xuéxiào, gōngxǐ nǐ!

理想の学校に合格したと聞きました、おめでとうございます！

老师要学会多与学生沟通、交流。
Lǎoshī yào xuéhuì duō yǔ xuésheng gōutōng, jiāoliú.

教師はよく学生と意思疎通し、交流することを身につけなければなりません。

他们沟通过很多次，但仍然不能互相理解。
Tāmen gōutōngguo hěn duō cì, dàn réngrán bù néng hùxiāng lǐjiě.

彼らは何度もコミュニケーションを図りましたが、依然としてお互いを理解することはできませんでした。

环境污染对人的健康构成了威胁。
Huánjìng wūrǎn duì rén de jiànkāng gòuchéngle wēixié.

環境汚染は人の健康に対し脅威となります。

吃饭、看书、上网构成了我生活的全部。
Chī fàn, kàn shū, shàngwǎng gòuchéngle wǒ shēnghuó de quánbù.

食事をする、本を読む、ネットを見ることが私の生活のすべてを構成しています。

他不怕困难的精神鼓舞了很多青年人。
Tā bú pà kùnnan de jīngshén gǔwǔle hěn duō qīngnián rén.

彼の困難を恐れない精神は多くの若者を奮い立たせました。

每次听到这个歌曲，我都会受到鼓舞。
Měi cì tīngdào zhège gēqǔ, wǒ dōu huì shòudào gǔwǔ.

毎回この曲を聴くと、私はいつも奮い立ちます。

节目演完以后，观众热烈鼓掌。
Jiémù yǎnwán yǐhòu, guānzhòng rèliè gǔzhǎng.

出し物が終わったあと、観客は熱烈な拍手を送りました。

演出结束后，观众鼓了很长时间的掌。
Yǎnchū jiéshù hòu, guānzhòng gǔle hěn cháng shíjiān de zhǎng.

公演が終了したあと、観客は長い間拍手を送り続けました。

Track 109

0648	固定 gùdìng	動 固定する、固定させる ⟺ "**流动 liúdòng**" 移動する、巡回する
0649	挂号 guà//hào	動 番号をつける、書留にする
0650	拐弯 guǎi//wān	動 曲がる
0651	关闭 guānbì	動 閉める、倒産する
0652	观察 guānchá	動 観察する
0653	光临 guānglín	動 ご来訪を賜る

他现在还没有固定职业。
Tā xiànzài hái méiyǒu gùdìng zhíyè.

彼は今まだ決まった仕事についていません。

他把台灯固定在桌子上了。
Tā bǎ táidēng gùdìngzài zhuōzi shang le.

彼は電気スタンドを机の上に固定しました。

他一大早就到医院挂号去了。
Tā yí dà zǎo jiù dào yīyuàn guàhào qù le.

彼は朝早く病院に受付けをしに行きました。

我收到了一封挂号信。
Wǒ shōudàole yì fēng guàhàoxìn.

私は書留を受け取りました。

一直往前走，不要拐弯。
Yìzhí wǎng qián zǒu, búyào guǎiwān.

前にまっすぐ進んでください。曲がってはいけません。

请在红绿灯那儿往左拐弯。
Qǐng zài hónglǜdēng nàr wǎng zuǒ guǎiwān.

信号のところを左に曲がってください。

我们赶到时，大门已经关闭了。
Wǒmen gǎndào shí, dàmén yǐjīng guānbì le.

私たちが駆け付けたときには、正門はすでにしまっていました。

这家公司已经关闭了。
Zhè jiā gōngsī yǐjīng guānbì le.

この会社はすでに倒産しました。

我们先观察一下这里的情况，然后再做决定。
Wǒmen xiān guānchá yíxià zhèli de qíngkuàng, ránhòu zài zuò juédìng.

私たちはまずここの状況を観察して、それから決めます。

你要仔细观察，才能发现它们的区别。
Nǐ yào zǐxì guānchá, cái néng fāxiàn tāmen de qūbié.

細かく観察しなければ、それらの違いに気づけません。

市长光临了我们的晚会。
Shìzhǎng guānglínle wǒmen de wǎnhuì.

市長が私たちのパーティにご来訪されました。

我代表公司，向大家的光临表示感谢。
Wǒ dàibiǎo gōngsī, xiàng dàjiā de guānglín biǎoshì gǎnxiè.

私は会社を代表して、皆様のご来訪に感謝の意を表します。

指定語句

名詞

動詞

ほか

作文対策語句

233

0654		
	归纳 guīnà	動 まとめる、帰納する

0655		
	滚 gǔn	動 転がす

0656		
	过敏 guòmǐn	動 アレルギーが出る　形 敏感な

0657		
	过期 guò//qī	動 期限が過ぎる

0658		
	喊 hǎn	動 叫ぶ、呼ぶ

0659		
	合影 hé//yǐng	動 (2人以上で) 写真をとる　名 (2人 以上で写った) 写真

指定語句

名詞

動詞

ほか

作文対策語句

大家的意见可以归纳成三点。
Dàjiā de yìjiàn kěyǐ guīnàchéng sān diǎn.

みなさんの意見は3点にまとめ
ることができます。

这篇文章的意思你自己归纳一下。
Zhè piān wénzhāng de yìsi nǐ zìjǐ guīnà yíxià.

この文章の意味は、あなたが自
分でまとめてください。

下雪了，我们去滚雪球吧。
Xià xuě le, wǒmen qù gǔn xuěqiú ba.

雪が降ったので、私たちは雪玉
転がしに行きましょう。

他不小心从楼梯上滚下去了。
Tā bù xiǎoxīn cóng lóutī shang gǔnxiaqu le.

彼は不注意で階段から転げ落ち
ました。

我喝酒过敏，一点儿也不能喝。
Wǒ hē jiǔ guòmǐn, yìdiǎnr yě bù néng hē.

私はお酒を飲むとアレルギーが
出るので、少しも飲めません。

我们最好不要谈双方太过敏的问题。
Wǒmen zuìhǎo búyào tán shuāngfāng tài guòmǐn
de wèntí.

私たちは双方にとってあまりに
敏感な問題を話さない方がいい
です。

这张票过期就自动作废了。
Zhè zhāng piào guòqī jiù zìdòng zuòfèi le.

このチケットは期限が過ぎると
自動的に無効になります。

你最好在过期以前把这个面包吃了。
Nǐ zuìhǎo zài guòqī yǐqián bǎ zhège miànbāo chī
le.

できるだけ賞味期限前にこのパ
ンを食べた方がいいです。

因为太远，他们只能大声喊。
Yīnwèi tài yuǎn, tāmen zhǐ néng dàshēng hǎn.

あまりに遠いので、彼らはただ
大声を出すことしかできません
でした。

老师喊你过去一下。
Lǎoshī hǎn nǐ guòqu yíxià.

先生があなたを呼んでいます。

毕业前，全班同学合了一张影。
Bìyè qián, quán bān tóngxué héle yì zhāng yǐng.

卒業前、同級生みんなで写真を
撮りました。

我还保留着中学时候的全班合影。
Wǒ hái bǎoliúzhe zhōngxué shíhou de quánbān
héyǐng.

私はまだ中学時代のクラス写真
を持っています。

235

Track 111

| 0660 | 合作 | 動 協力する、提携する |
| | hézuò | |

| 0661 | 恨 | 動 恨む、憎む、悔やむ |
| | hèn | |

| 0662 | 呼吸 | 動 呼吸する |
| | hūxī | |

| 0663 | 忽视 | 動 軽視する |
| | hūshì | |

| 0664 | 胡说 | 動 でたらめを言う |
| | húshuō | |

| 0665 | 划 | 動 (船を) こぐ、切って傷つける |
| | huá | |

第 5 周 / 第 3 天

指定語句 | 名詞 | 動詞 | ほか | 作文対策語句

我们经常合作，彼此很了解。
Wǒmen jīngcháng hézuò, bǐcǐ hěn liǎojiě.

私たちはいつも協力しているので、お互いを理解しています。

希望通过这次合作，实现大家的共赢。
Xīwàng tōngguò zhè cì hézuò, shíxiàn dàjiā de gòngyíng.

今回の提携を通じて、皆さんがウィンウィンになることを願います。

大家都恨那个偷东西的人。
Dàjiā dōu hèn nàge tōu dōngxi de rén.

みんなはものを盗んだあの人を恨んでいます。

我恨自己太笨，什么也不会。
Wǒ hèn zìjǐ tài bèn, shénme yě bú huì.

私は自分があまりに不器用で、何もできないのが残念です。

空气很新鲜，他尽情地呼吸着。
Kōngqì hěn xīnxiān, tā jìnqíngde hūxīzhe.

空気がとても新鮮で、彼は思う存分呼吸をしています。

他发病了，呼吸变得很困难。
Tā fābìng le, hūxī biànde hěn kùnnan.

彼は病気で呼吸が困難になりました。

任何时候，都不能忽视安全问题。
Rènhé shíhou, dōu bù néng hūshì ānquán wèntí.

どんなときも安全の問題を軽視してはいけません。

他忽视了病情，才导致生命出现了危险。
Tā hūshìle bìngqíng, cái dǎozhì shēngmìng chūxiànle wēixiǎn.

彼は病状を軽視していたからこそ、生命の危険に見舞われることになりました。

你胡说什么呀，事情不是那样的。
Nǐ húshuō shénme ya, shìqing bú shì nàyàng de.

あなたは何をでたらめを言っているのですか。いきさつはそうではありません。

你再胡说，我就不理你了。
Nǐ zài húshuō, wǒ jiù bù lǐ nǐ le.

今度またでたらめを言ったら、私はあなたを相手にしません。

周末我们一块儿去公园划船吧。
Zhōumò wǒmen yíkuàir qù gōngyuán huá chuán ba.

週末は一緒に公園に行ってボートをこぎましょう。

不知道什么时候手上划了一道口子。
Bù zhīdào shénme shíhou shǒu shang huále yí dào kǒuzi.

いつの間にか手に切り傷ができていました。

237

0666	**滑** huá	動 滑る
0667	**怀念** huáiniàn	動 懐かしく思う、恋しく思う
0668	**怀孕** huáiyùn	動 妊娠する
0669	**缓解** huǎnjiě	動 和らげる、緩和する
0670	**幻想** huànxiǎng	動 空想する　名 幻想
0671	**挥** huī	動 振る

他生在北海道，滑雪滑得很好。
Tā shēng zài Běihǎidào, huáxuě huáde hěn hǎo.

彼は北海道生まれで、スキーがとても上手です。

雨天路滑，回家路上小心点儿。
Yǔtiān lù huá, huí jiā lùshang xiǎoxīn diǎnr.

雨の日は滑りやすいので、帰りは気をつけてくださいね。

我很怀念在中国时的那段生活。
Wǒ hěn huáiniàn zài Zhōngguó shí de nà duàn shēnghuó.

中国にいた頃の生活が懐かしいです。

爷爷去世了，我永远怀念他。
Yéye qùshì le, wǒ yǒngyuǎn huáiniàn tā.

祖父が亡くなりましたが、私はいつまでも彼のことを想っています。

姐姐已经怀孕四个月了。
Jiějie yǐjīng huáiyùn sì ge yuè le.

姉は妊娠4カ月になりました。

妻子怀孕后，家务活儿丈夫全包了。
Qīzi huáiyùn hòu, jiāwù huór zhàngfu quán bāo le.

妻が妊娠した後、夫はすべての家事を引き受けました。

他们的矛盾已经缓解了。
Tāmen de máodùn yǐjīng huǎnjiě le.

彼らの対立は既に緩和されました。

他紧张的心情得到了缓解。
Tā jǐnzhāng de xīnqíng dédàole huǎnjiě.

彼の緊張は和らぎました。

他幻想娶到一位公主做妻子。
Tā huànxiǎng qǔdào yí wèi gōngzhǔ zuò qīzi.

彼は王女をめとって自分の妻にすることを夢見ています。

长出一双翅膀是他一直以来的幻想。
Zhǎngchū yì shuāng chìbǎng shì tā yìzhí yǐlái de huànxiǎng.

翼を生やすことは、彼がずっと持ち続けている幻想です。

车快开了，他不停地向我挥手。
Chē kuài kāi le, tā bù tíng de xiàng wǒ huī shǒu.

もうすぐ発車します。彼は私にしきりに手を振っています。

他挥了两下手，意思是别说话。
Tā huīle liǎng xià shǒu, yìsi shì bié shuōhuà.

彼が2、3回手を振ったのは、しゃべるなという意味です。

0672		
	恢复 huīfù	動 回復する
0673		
	及格 jígé	動 合格する
0674		
	集合 jíhé	動 集まる、集合する
0675		
	集中 jízhōng	動 集中する　形 (人・物が) 集中している
0676		
	计算 jìsuàn	動 計算する
0677		
	记录 jìlù	動 書き留める、記録する　名 記録

指定語句

名詞

動詞

ほか

作文対策語句

经过一个月的治疗，他已经恢复了健康。
Jīngguò yí ge yuè de zhìliáo, tā yǐjīng huīfùle jiànkāng.

1ヶ月の治療を経て、彼はすでに健康を取り戻しました。

地震两个月以后，他们就恢复了生产。
Dìzhèn liǎng ge yuè yǐhòu, tāmen jiù huīfùle shēngchǎn.

地震の2ヶ月後、彼らは生産を再開しました。

这次考试大家都及格了。
Zhè cì kǎoshì dàjiā dōu jígé le.

今回の試験はみんな合格しました。

60分以上算及格，低于60分算不及格。
Liùshí fēn yǐshàng suàn jígé, dīyú liùshí fēn suàn bù jígé.

60点以上は合格、60点未満は不合格とします。

我们四点在门口集合。
Wǒmen sì diǎn zài ménkǒu jíhé.

4時、入口に集合しましょう。

他们集合得很快，不到十分钟就都到了。
Tāmen jíhéde hěn kuài, bú dào shí fēnzhōng jiù dōu dào le.

彼らはすばやく集合し、10分足らずで全員到着しました。

我们集中了全部力量，用来解决这些困难。
Wǒmen jízhōngle quánbù lìliàng, yònglái jiějué zhèxiē kùnnan.

これらの困難を解決するために、私たちは全力を注ぎました。

他最近上课时精力很集中，进步得很快。
Tā zuìjìn shàngkè shí jīnglì hěn jízhōng, jìnbùde hěn kuài.

彼は最近授業中とても集中していて、上達が速いです。

我计算过了，这些东西一共500块。
Wǒ jìsuànguo le, zhèxiē dōngxi yígòng wǔbǎi kuài.

計算しましたが、これら全部で500元です。

他每次计算的结果都不一样。
Tā měi cì jìsuàn de jiéguǒ dōu bù yíyàng.

彼は毎回計算の結果が違っています。

他记录了每一位代表的发言。
Tā jìlùle měi yí wèi dàibiǎo de fāyán.

彼は代表一人一人の発言を記録しました。

这份材料是当时的会议记录。
Zhè fèn cáiliào shì dāngshí de huìyì jìlù.

この資料は当時の議事録です。

0678	**纪念** jìniàn	動 記念する　名 記念品
0679	**假设** jiǎshè	動 仮定する　名 仮説、仮定
0680	**假装** jiǎzhuāng	動 装う、ふりをする
0681	**驾驶** jiàshǐ	動 運転する、操縦する
0682	**嫁** jià	動 嫁ぐ ⇔ **"娶 qǔ"** (嫁を) もらう
0683	**兼职** jiān//zhí	動 兼職する　名 兼職

指定語句　名詞　動詞　ほか　作文対策語句

学生们集体唱国歌，纪念国庆 60 周年。
Xuéshengmen jítǐ chàng guógē, jìniàn guóqìng liùshí zhōunián.

学生たちはみんなで国歌を歌って、建国60周年を記念しました。

这张照片是他留给我的纪念。
Zhè zhāng zhàopiàn shì tā liúgěi wǒ de jìniàn.

この写真は彼が私に残してくれた記念です。

假设你是我，你会怎么办？
Jiǎshè nǐ shì wǒ, nǐ huì zěnme bàn?

あなたが私だとしたら、どうしますか？

这只是科学上的一个假设。
Zhè zhǐ shì kēxué shang de yí ge jiǎshè.

これは単なる科学上の1つの仮説です。

他走过去的时候，假装没看见我。
Tā zǒuguoqu de shíhou, jiǎzhuāng méi kànjiàn wǒ.

彼は通り過ぎていくとき、私が見えていないふりをしました。

我知道他是假装高兴，来安慰我。
Wǒ zhīdao tā shì jiǎzhuāng gāoxìng, lái ānwèi wǒ.

私は彼が嬉しそうなふりをして、私を慰めてくれたのだと知っています。

他驾驶轮船很有经验。
Tā jiàshǐ lúnchuán hěn yǒu jīngyàn.

彼は汽船の操舵にたいへん経験があります。

路上车不多，你就放心驾驶吧。
Lùshang chē bù duō, nǐ jiù fàngxīn jiàshǐ ba.

道には車が多くないので、安心して運転してください。

她嫁给了一个有钱人。
Tā jiàgěile yí ge yǒu qián rén.

彼女は金持ちと結婚しました。

我嫁给他的时候，他什么都没有。
Wǒ jiàgěi tā de shíhou, tā shénme dōu méiyǒu.

私が彼と結婚したとき、彼には何もありませんでした。

他除了当老师，还兼职做家教。
Tā chúle dāng lǎoshī, hái jiānzhí zuò jiājiào.

彼は教師の仕事だけではなく、家庭教師も兼ねています。

这份兼职工资并不是很高。
Zhè fèn jiānzhí gōngzī bìng bú shì hěn gāo.

この兼職の給与はあまり高くありません。

0684		
	捡 jiǎn	動 拾う
0685		
	建立 jiànlì	動 設立する、築く、打ち立てる
0686		
	建设 jiànshè	動 建設する
0687		
	健身 jiànshēn	動 体力づくりをする、健康な体を作る
0688		
	讲究 jiǎngjiu	動 気を付ける、重視する　形 こだわる
0689		
	交换 jiāohuàn	動 交換する

他捡起了地上那本书。
Tā jiǎnqǐle dìshang nà běn shū.

彼は地面からあの本を拾い上げました。

这把雨伞是我在汽车站捡到的。
Zhè bǎ yǔsǎn shì wǒ zài qìchēzhàn jiǎndào de.

この傘は私がバス停で拾ったものです。

新中国是 1949 年建立的。
Xīn Zhōngguó shì yījiǔsìjiǔ nián jiànlì de.

新中国は1949年に建国されました。

经过一年的共同学习，我们建立了深厚的友谊。
Jīngguò yì nián de gòngtóng xuéxí, wǒmen jiànlìle shēnhòu de yǒuyì.

1年間の共同学習を経て、私たちは深い友情を築いた。

他们要在这儿建设一座工厂。
Tāmen yào zài zhèr jiànshè yí zuò gōngchǎng.

彼らはここに工場を建設しようとしています。

这个城市建设得很漂亮。
Zhège chéngshì jiànshède hěn piàoliang.

この都市はとても綺麗に建設されています。

他下班以后就会去那家健身房健身。
Tā xiàbān yǐhòu jiù huì qù nà jiā jiànshēnfáng jiànshēn.

彼は仕事の後あのジムに体を動かしに行くはずです。

我经常到健身房锻炼身体。
Wǒ jīngcháng dào jiànshēnfáng duànliàn shēntǐ.

私はよくジムに行って体を鍛えています。

他很讲究卫生，屋子里很干净。
Tā hěn jiǎngjiu wèishēng, wūzi li hěn gānjìng.

彼はとても衛生に気をつけており、部屋の中はとても清潔です。

他对穿衣打扮很讲究。
Tā duì chuān yī dǎbàn hěn jiǎngjiu.

彼は服やおしゃれにとてもこだわっています。

他们俩互相交换了礼物。
Tāmen liǎ hùxiāng jiāohuànle lǐwù.

彼らはお互いにプレゼントを交換しました。

大家坐在一起，交换了意见。
Dàjiā zuòzài yìqǐ, jiāohuànle yìjiàn.

みんな一緒に座って意見を交換しました。

指定語句
名詞
動詞
ほか
作文対策語句

245

0690	**交际** jiāojì	動 交際する
0691	**交往** jiāowǎng	動 付き合いをする、交流する
0692	**浇** jiāo	動 注ぐ
0693	**教训** jiàoxùn	動 しかる　名 教訓
0694	**接触** jiēchù	動 触れる、会う
0695	**接待** jiēdài	動 もてなす

指定語句
名詞
動詞
ほか
作文対策語句

他很善于交际，朋友很多。
Tā hěn shànyú jiāojì, péngyou hěn duō.

彼は人づきあいが上手なので、友達がとても多いです。

语言是人类最重要的交际工具。
Yǔyán shì rénlèi zuì zhòngyào de jiāojì gōngjù.

言語は人類にとって最も重要なコミュニケーションツールです。

他交往圈子非常广泛，各行各业的人都有。
Tā jiāowǎng quānzi fēicháng guǎngfàn, gè háng gè yè de rén dōu yǒu.

彼は交友関係が非常に広く、いろんな業種の人がいます。

最近两国的交往很密切。
Zuìjìn liǎng guó de jiāowǎng hěn mìqiè.

両国間の最近の交流は非常に密接です。

这盆花儿该浇水了。
Zhè pén huār gāi jiāo shuǐ le.

この植木鉢の花に水をあげなければ。

水不要浇得太多，适当就可以。
Shuǐ búyào jiāode tài duō, shìdàng jiù kěyǐ.

水をやりすぎてはいけません。適当でよいのです。

父亲教训了说谎的儿子。
Fùqīn jiàoxùnle shuōhuǎng de érzi.

父親は嘘をついた息子を叱りました。

他们总结了失败的教训，提高了自己。
Tāmen zǒngjiéle shībài de jiàoxùn, tígāole zìjǐ.

彼らは失敗からの教訓を総括して、自分自身を高めました。

我爷爷没有接触过电脑，什么都不懂。
Wǒ yéye méiyǒu jiēchùguo diànnǎo, shénme dōu bù dǒng.

祖父はコンピュータを触ったことがないので、何もわかりません。

我跟他接触过两回，觉得他很热情。
Wǒ gēn tā jiēchùguo liǎng huí, juéde tā hěn rèqíng.

私は彼と2回会ったことがありますが、とても親切だと思いました。

我们到达后，他热情地接待了我们。
Wǒmen dàodá hòu, tā rèqíngde jiēdàile wǒmen.

私たちが到着すると、彼は熱烈にもてなしてくれました。

来参观的人很多，我们接待不过来。
Lái cānguān de rén hěn duō, wǒmen jiēdàibuguòlái.

見学に来る人が多く、私たちは受け入れきれません。

0696

接近
jiējìn

動 近づく 形 近い

0697

节省
jiéshěng

動 節約する

0698

结合
jiéhé

動 結びつける、〜に合わせる

0699

结账
jié//zhàng

動 会計をする

0700

戒
jiè

動 (悪習慣などを) 断つ、戒める

0701

尽力
jìn//lì

動 力を尽くす

接近毕业了，大家都不愿离开。
Jiējìn bìyè le, dàjiā dōu bú yuàn líkāi.

もうすぐ卒業ですが、みんな離れたくありません。

两位作家的语言风格很接近。
Liǎng wèi zuòjiā de yǔyán fēnggé hěn jiējìn.

2人の作家の言語スタイルはとても近いです。

他不抽烟了，一个月节省了 200 多块。
Tā bù chōu yān le, yí ge yuè jiéshěngle èrbǎi duō kuài.

彼はタバコを吸わなくなり、1ヶ月で200元余り節約しました。

这儿的水很宝贵，要注意节省。
Zhèr de shuǐ hěn bǎoguì, yào zhùyì jiéshěng.

ここの水はとても貴重なので、節水に注意してください。

理论只有结合实际，才能解决问题。
Lǐlùn zhǐyǒu jiéhé shíjì, cái néng jiějué wèntí.

理論を実際と結びつけることで、初めて問題を解決することができます。

老师要结合学生的水平进行教学。
Lǎoshī yào jiéhé xuésheng de shuǐpíng jìnxíng jiāoxué.

先生は学生のレベルに合わせて教えなければなりません。

我们吃完了，现在结账吧。
Wǒmen chīwán le, xiànzài jiézhàng ba.

私たちは食べ終わったので、これから会計をしましょう。

我的房租三个月结一次账。
Wǒ de fángzū sān ge yuè jié yí cì zhàng.

私の部屋の家賃は3ヶ月に1回の支払いです。

我戒过好几次烟，都没戒掉。
Wǒ jièguo hǎojǐ cì yān, dōu méi jièdiào.

私は何度も禁煙しましたが、やめられませんでした。

大夫跟我说，病好了以后一定要把烟酒戒掉。
Dàifu gēn wǒ shuō, bìng hǎo le yǐhòu yídìng yào bǎ yān jiǔ jièdiào.

医者は病気が治ったら、酒とたばこを絶対にやめるようにと言いました。

只要你尽力做了，也就没有遗憾了。
Zhǐyào nǐ jìnlì zuò le, yě jiù méiyǒu yíhàn le.

あなたが力を尽くしさえすれば心残りはなくなるでしょう。

他为大家尽了力，我们应该感谢他。
Tā wèi dàjiā jìnle lì, wǒmen yīnggāi gǎnxiè tā.

彼は皆さんに力を尽くしてくれました。私たちは彼に感謝するべきです。

指定語句

名詞

動詞

ほか

作文対策語句

0702	**进步** jìnbù	動 進歩する

| 0703 | **进口** jìn//kǒu | 動 輸入する |
| | | ⇔ "出口 chūkǒu" 輸出する |

| 0704 | **经商** jīng//shāng | 動 商売をする |

| 0705 | **经营** jīngyíng | 動 取り扱う   名 経営 |

| 0706 | **救** jiù | 動 救う |

| 0707 | **具备** jùbèi | 動 備わっている |

来中国两个月，他的汉语进步了。
Lái Zhōngguó liǎng ge yuè, tā de Hànyǔ jìnbù le.

中国に来て2ヶ月になり、彼の中国語は上達しました。

他天天练习，技术进步了不少。
Tā tiāntiān liànxí, jìshù jìnbùle bù shǎo.

彼は毎日練習し、技術がかなり進歩しました。

这个国家需要进口很多粮食。
Zhège guójiā xūyào jìnkǒu hěn duō liángshi.

この国は多くの食糧を輸入する必要があります。

公司打算进口一套大型设备。
Gōngsī dǎsuàn jìnkǒu yí tào dàxíng shèbèi.

会社は大型設備を輸入するつもりです。

他大学毕业后就去经商了。
Tā dàxué bìyè hòu jiù qù jīngshāng le.

彼は大学を卒業したあとすぐに商売を始めました。

他经商多年，积累了很多经验。
Tā jīngshāng duō nián, jīlěile hěn duō jīngyàn.

彼は長年商売をしていて、多くの経験を積んでいます。

这家公司主要经营电子产品。
Zhè jiā gōngsī zhǔyào jīngyíng diànzǐ chǎnpǐn.

この会社は主に電子機器を取り扱っています。

我们想扩大经营范围，扩大公司规模。
Wǒmen xiǎng kuòdà jīngyíng fànwéi, kuòdà gōngsī guīmó.

私たちは経営範囲を拡大し、会社の規模を拡大したいと思っています。

我的病很严重，医生救了我。
Wǒ de bìng hěn yánzhòng, yīshēng jiùle wǒ.

私の病はとても重かったのですが、お医者さんが救ってくれました。

他掉在水里，大声喊"救命"。
Tā diàozài shuǐ li, dàshēng hǎn "jiùmìng".

彼は水に落ちて、大きな声で「助けて！」と叫びました。

他已经具备了得冠军的实力。
Tā yǐjīng jùbèile dé guànjūn de shílì.

彼はすでに優勝できる実力が備わっています。

他还不到 18 岁，不具备开车的资格。
Tā hái bú dào shíbā suì, bú jùbèi kāichē de zīgé.

彼はまだ18歳になっていないので、運転の資格はありません。

指定語句　名詞　動詞　ほか　作文対策語句

251

0708	**据说** jùshuō	動 (聞くところによると) ～だそうだ
0709	**捐** juān	動 寄付する
0710	**开发** kāifā	動 開拓する、開発する
0711	**开放** kāifàng	動 (花が) 咲く、開放する
0712	**砍** kǎn	動 (斧などで) 叩き切る
0713	**看不起** kànbuqǐ	動 見下す、馬鹿にする

第5周 / 第5天

据说，他以前是个运动员。
Jùshuō, tā yǐqián shì ge yùndòngyuán.

聞くところによると、彼は以前はスポーツ選手だったそうです。

这里据说要修一座大桥。
Zhèli jùshuō yào xiū yí zuò dàqiáo.

ここには大きな橋が一つ建設されると聞きました。

他经常为贫困地区捐钱。
Tā jīngcháng wèi pínkùn dìqū juān qián.

彼はよく貧困地域に寄付をします。

大家都主动向灾区捐款。
Dàjiā dōu zhǔdòng xiàng zāiqū juānkuǎn.

みんな自発的に被災地に寄付をします。

他们正在开发这片土地，准备建设工厂。
Tāmen zhèngzài kāifā zhè piàn tǔdì, zhǔnbèi jiànshè gōngchǎng.

彼らはこの土地を開発していて、工場を建設する準備をしています。

公司正在开发一项新技术。
Gōngsī zhèngzài kāifā yí xiàng xīn jìshù.

会社は新技術を開発している最中です。

春天正是花儿开放的季节。
Chūntiān zhèng shì huār kāifàng de jìjié.

春はまさに花が咲く季節です。

这个博物馆已经向人们开放了。
Zhège bówùguǎn yǐjīng xiàng rénmen kāifàng le.

この博物館はすでに人々に開放されました。

他把这棵树砍倒了。
Tā bǎ zhè kē shù kǎndǎo le.

彼はこの木を切り倒しました。

小心，别砍到自己的脚。
Xiǎoxīn, bié kǎndào zìjǐ de jiǎo.

気を付けて。自分の足を切らないように。

他家里很穷，很多人看不起他。
Tā jiā li hěn qióng, hěn duō rén kànbuqǐ tā.

彼の家は貧しいので、多くの人が彼を見下します。

他看不起这种工作，不愿意干。
Tā kànbuqǐ zhè zhǒng gōngzuò, bú yuànyì gàn.

彼はこのような仕事を馬鹿にしているので、やりたがりません。

指定語句

名詞

動詞

ほか

作文対策語句

0714		
	看望 kànwàng	動 お見舞いに行く、会いに行く

0715		
	靠 kào	動 頼る、寄りかかる

0716		
	克服 kèfú	動 克服する

0717		
	控制 kòngzhì	動 抑える

0718		
	夸 kuā	動 褒める

0719		
	夸张 kuāzhāng	動 誇張する、大げさに言う

指定語句

名詞　動詞　ほか

作文対策語句

我下午要去看望一位老朋友。
Wǒ xiàwǔ yào qù kànwàng yí wèi lǎo péngyou.

私は午後、旧友のお見舞いに行く予定です。

听说他生病了，我们去看望看望吧。
Tīngshuō tā shēngbìng le, wǒmen qù kànwàngkanwang ba.

彼が病気だと聞きました、私たちでお見舞いに行きましょう。

一台电脑的利润并不高，我们必须靠大量出售。
Yì tái diànnǎo de lìrùn bìng bù gāo, wǒmen bìxū kào dàliàng chūshòu.

コンピュータの利益は高くなく、私たちはそれを大量に販売しなければなりません。

这个地区的人们靠养蛇致富了。
Zhège dìqū de rénmen kào yǎng shé zhìfù le.

この地域の人々はヘビを飼うことで金持ちになりました。

他经过努力，终于克服了困难。
Tā jīngguò nǔlì, zhōngyú kèfúle kùnnan.

彼は努力によって、ついに困難を克服しました。

只要努力去做，就没有克服不了的困难。
Zhǐyào nǔlì qù zuò, jiù méiyǒu kèfúbuliǎo de kùnnan.

努力してものごとを行えば、克服できない困難はありません。

他喝酒的时候，常常控制不住自己。
Tā hē jiǔ de shíhou, chángcháng kòngzhìbuzhù zìjǐ.

彼はお酒を飲むとき、しばしば自分を制御できなくなります。

你不要总想控制别人，管好你自己就可以了。
Nǐ búyào zǒng xiǎng kòngzhì biérén, guǎnhǎo nǐ zìjǐ jiù kěyǐ le.

あなたは人をコントロールすることばかり考えてはいけません。自分のことをきちんとできればそれでいいのです。

大家都夸这孩子聪明。
Dàjiā dōu kuā zhè háizi cōngmíng.

みんなはこの子を賢いと褒めます。

听到别人夸他，他更努力了。
Tīngdào biérén kuā tā, tā gèng nǔlì le.

他の人が彼を誉めるのを聞いて、彼はさらに努力しました。

他介绍得很客观，没有夸张。
Tā jièshàode hěn kèguān, méiyǒu kuāzhāng.

彼の説明の仕方は客観的で、誇張はありません。

这部小说用了很多夸张的表现手法。
Zhè bù xiǎoshuō yòngle hěn duō kuāzhāng de biǎoxiàn shǒufǎ.

この小説では誇張の表現技法がたくさん使われています。

0720	扩大 kuòdà	動 拡大する
0721	拦 lán	動 さえぎる
0722	朗读 lǎngdú	動 朗読する
0723	劳动 láodòng	動 働く
0724	劳驾 láo//jià	動 すみません [解説] 何か頼み事があり声をかけるときに用いる
0725	离婚 lí//hūn	動 離婚する

指定語句

名詞 動詞

ほか

作文対策語句

现在这个市场比以前扩大了好几倍。
Xiànzài zhège shìchǎng bǐ yǐqián kuòdàle hǎojǐ bèi.

現在、この市場は以前の何倍にも拡大しました。

我们扩大了调查范围，得出了更可靠的数据。
Wǒmen kuòdàle diàochá fànwéi, déchūle gèng kěkào de shùjù.

私たちは調査範囲を拡大して、より信頼性の高いデータを得られました。

他拦了一辆车，把病人送到了医院。
Tā lánle yí liàng chē, bǎ bìngrén sòngdàole yīyuàn.

彼は1台の車を遮り、病人を病院へ送りました。

他拦住我，要查看我的证件。
Tā lánzhù wǒ, yào chákàn wǒ de zhèngjiàn.

彼は私を遮って、証明書を調べようとしています。

他每天早上都要到楼下朗读英语。
Tā měitiān zǎoshang dōu yào dào lóu xià lǎngdú Yīngyǔ.

彼は毎朝建物の下に降りて英語を朗読しています。

他朗读得很专心，连电话响都没听见。
Tā lǎngdúde hěn zhuānxīn, lián diànhuà xiǎng dōu méi tīngjiàn.

彼は朗読に専念していたので、電話が鳴る音さえも耳に入りませんでした。

80 年代的时候，我在农村劳动过。
Bāshí niándài de shíhou, wǒ zài nóngcūn láodòngguo.

80年代、私は農村で働いていたことがあります。

劳动可以锻炼人的意志和品质。
Láodòng kěyǐ duànliàn rén de yìzhì hé pǐnzhì.

労働は人間の意志と資質を鍛錬できます。

劳驾，请让一下。
Láojià, qǐng ràng yíxià.

すみません、ちょっとよけてください。

劳驾，您能帮我一个忙吗?
Láojià, nín néng bāng wǒ yí ge máng ma?

すみません、ちょっと手伝っていただけますか？

他刚结婚一年多，就离婚了。
Tā gāng jiéhūn yì nián duō, jiù líhūn le.

彼は結婚して1年あまりで、すぐに離婚しました。

丈夫提出离婚，妻子不同意。
Zhàngfu tíchū líhūn, qīzi bù tóngyì.

夫は離婚を提案しましたが、妻は同意しませんでした。

0726

利用
lìyòng

動 利用する

0727

连续
liánxù

動 続けて～する、連続する

0728

联合
liánhé

動 連合する

0729

恋爱
liàn'ài

動 恋愛する　名 恋愛

0730

领导
lǐngdǎo

動 率いる、指導する　名 リーダー

0731

浏览
liúlǎn

動 ざっと目を通す

他利用暑假的时间去了一趟英国。
Tā lìyòng shǔjià de shíjiān qùle yí tàng Yīngguó.

彼は夏休みの時間を利用してイギリスに行きました。

这些学生利用旧塑料瓶子，制作了很多艺术品。
Zhèxiē xuésheng lìyòng jiù sùliào píngzi, zhìzuòle hěn duō yìshùpǐn.

この学生たちは古いペットボトルを利用して、多くの芸術作品を制作しました。

他已经连续学习 20 个小时了。
Tā yǐjīng liánxù xuéxí èrshí ge xiǎoshí le.

彼はすでに 20 時間続けて勉強しています。

我妈妈每晚都看电视连续剧。
Wǒ māma měiwǎn dōu kàn diànshì liánxùjù.

母は毎晩、連続テレビドラマを観ています。

这几个小公司联合成了一个大公司。
Zhè jǐ ge xiǎo gōngsī liánhé chéngle yí ge dà gōngsī.

このいくつかの小さな会社が連合して1つの大会社になりました。

我们联合在一起，力量就强大了。
Wǒmen liánhézài yìqǐ, lìliàng jiù qiángdà le.

私たちが団結すれば、力は強大になります。

大家都没想到，他俩现在恋爱了。
Dàjiā dōu méi xiǎngdào, tā liǎ xiànzài liàn'ài le.

みんな思いもしませんでしたが、彼ら2人は現在恋愛しています。

这部电影是关于恋爱方面的故事。
Zhè bù diànyǐng shì guānyú liàn'ài fāngmiàn de gùshi.

この映画は恋愛に関する物語です。

他领导着一个大公司，每天都很忙。
Tā lǐngdǎozhe yí ge dà gōngsī, měitiān dōu hěn máng.

彼は大会社を率いていて、毎日とても忙しいです。

这次会议很重要，所有的领导都参加了。
Zhè cì huìyì hěn zhòngyào, suǒyǒu de lǐngdǎo dōu cānjiā le.

この会議はとても重要で、すべての指導者が参加しました。

我浏览过这本书，但没来得及仔细读。
Wǒ liúlǎnguo zhè běn shū, dàn méi láidejí zǐxì dú.

私はこの本をざっと見たことがありますが、細かく読む時間はありませんでした。

这本书我浏览了一遍，觉得没什么意思。
Zhè běn shū wǒ liúlǎnle yí biàn, juéde méi shénme yìsi.

この本に私は1回ざっと目を通しましたが、何の意味も感じませんでした。

123

0732 **流传** liúchuán	動 伝わる
0733 **流泪** liú lèi	動 涙を流す
0734 **漏** lòu	動 漏れる、抜け落ちる
0735 **录取** lùqǔ	動 採用する
0736 **录音** lù//yīn	動 録音する　名 録音した音声
0737 **轮流** lúnliú	動 順番に～する

指定語句 名詞 動詞 ほか 作文対策語句

这里流传着一个动人的爱情故事。
Zhèli liúchuánzhe yí ge dòngrén de àiqíng gùshi.

ここには感動的な愛の物語が伝わっています。

这是个广泛流传的消息，不知道是真是假。
Zhè shì ge guǎngfàn liúchuán de xiāoxi, bù zhīdào shì zhēn shì jiǎ.

これは広く伝わっている情報で、本当か嘘かはわかりません。

跟男朋友分手以后，她天天都在流泪。
Gēn nánpéngyou fēnshǒu yǐhòu, tā tiāntiān dōu zài liú lèi.

彼氏と別れたあと、彼女は毎日涙を流しています。

听到这个消息，他激动得流泪了。
Tīngdào zhège xiāoxi, tā jīdòngde liú lèi le.

その知らせを聞き、彼は感動して涙を流しました。

雨下得很大，我的房间漏水了。
Yǔ xiàde hěn dà, wǒ de fángjiān lòu shuǐ le.

雨が強くて、私の部屋は雨漏りしてしまいました。

你写的电话号码漏了一个数字。
Nǐ xiě de diànhuà hàomǎ lòule yí ge shùzì.

あなたが書いた電話番号は1つ数字が抜けていました。

这所学校今年录取了 2000 名学生。
Zhè suǒ xuéxiào jīnnián lùqǔle liǎngqiān míng xuésheng.

この学校は今年2000人の学生を採りました。

大学已经都录取完了，我还没接到录取通知。
Dàxué yǐjīng dōu lùqǔwán le, wǒ hái méi jiēdào lùqǔ tōngzhī.

大学はすでに採用を終了しましたが、私はまだ採用（合格）通知を受け取っていません。

您讲课我可以录音吗?
Nín jiǎngkè wǒ kěyǐ lùyīn ma?

あなたの授業を録音してもよろしいでしょうか？

这些课文都有录音，你可以跟着读。
Zhèxiē kèwén dōu yǒu lùyīn, nǐ kěyǐ gēnzhe dú.

この教科書の本文には録音したものがあり、後について読むことができます。

我们三个人轮流打扫房间。
Wǒmen sān ge rén lúnliú dǎsǎo fángjiān.

私たち3人で順番に部屋を掃除します。

我们轮流请客，下次该我了。
Wǒmen lúnliú qǐngkè, xià cì gāi wǒ le.

私たちは順番におごりあっていて、今度は私の番です。

0738	骂 mà	動 罵る、叱る
0739	满足 mǎnzú	動 満たす、満足する
0740	冒险 mào//xiǎn	動 冒険する
0741	面对 miànduì	動 面する、直面する
0742	面临 miànlín	動 直面する
0743	描写 miáoxiě	動 描写する

指定語句 / 名詞 / 動詞 / ほか / 作文対策語句

无论如何，骂人是不对的。
Wúlùn rúhé, mà rén shì búduì de.

どうあっても、人を罵るのは正しくありません。

工作出错了，经理把我骂了一顿。
Gōngzuò chūcuò le, jīnglǐ bǎ wǒ màle yí dùn.

仕事で失敗して、支配人は私を叱りました。

我们的产品还不能满足市场的需要。
Wǒmen de chǎnpǐn hái bù néng mǎnzú shìchǎng de xūyào.

私たちの製品はまだ市場の需要を満たせていません。

对这种结果，他感到很满足。
Duì zhè zhǒng jiéguǒ, tā gǎndào hěn mǎnzú.

この結果に、彼はとても満足しています。

有时候要敢于冒险，才能成功。
Yǒu shíhou yào gǎnyú màoxiǎn, cái néng chénggōng.

ときにはあえて冒険しなければ、成功できません。

我觉得冒这么大的险做这件事不值得。
Wǒ juéde mào zhème dà de xiǎn zuò zhè jiàn shì bù zhíde.

私はこんな大きな冒険をしてこのことをする価値はないと思います。

我住的房子面对大海，景色很美。
Wǒ zhù de fángzi miànduì dàhǎi, jǐngsè hěn měi.

私が住んでいる家は海に面していて、景色が美しいです。

他从来没有面对过这么多的困难。
Tā cónglái méiyǒu miànduìguo zhème duō de kùnnan.

彼はこれまでこんなに多くの困難に直面したことはありませんでした。

世界各国普遍面临着环境污染的问题。
Shìjiè gè guó pǔbiàn miànlínzhe huánjìng wūrǎn de wèntí.

世界各国はみな環境汚染問題に直面しています。

他面临生命危险，却显得非常镇定。
Tā miànlín shēngmìng wēixiǎn, què xiǎnde fēicháng zhèndìng.

彼は生命の危機に直面しているにもかかわらず、非常に落ち着いているように見えます。

作品细致地描写了英雄的成长过程。
Zuòpǐn xìzhìde miáoxiěle yīngxióng de chéngzhǎng guòchéng.

作品は英雄の成長過程を細かく描写しています。

剧本对人物的心理描写得非常细致。
Jùběn duì rénwù de xīnlǐ miáoxiěde fēicháng xìzhì.

脚本は人物の心理を非常に細かく描写しています。

263

0744	明确 míngquè	動 はっきりさせる、明確にする 形 明確である
0745	摸 mō	動 触る、手探りする
0746	模仿 mófǎng	動 真似をする、模倣する
0747	念 niàn	動 声に出して読む、勉強する
0748	拍 pāi	動 たたく、はらう、撮影する
0749	派 pài	動 割り振る、派遣する　量 派閥・流派などを数える

指定語句 名詞 動詞 ほか 作文対策語句

我们明确了什么是有效的学习方法。
Wǒmen míngquèle shénme shì yǒuxiào de xuéxí
fāngfǎ.

何が有効な勉強方法なのか、我々ははっきりとわかっています。

他的目的很明确，就是要考上大学。
Tā de mùdì hěn míngquè, jiùshì yào kǎoshàng
dàxué.

彼の目的は明確で、それは大学に受かることです。

他摸了一下奖牌，心中美滋滋的。
Tā mōle yíxià jiǎngpái, xīnzhōng měizīzī de.

彼はメダルを少し触りました、内心うれしくてたまらないようです。

他放学后常常到河里摸鱼。
Tā fàngxué hòu chángcháng dào hé li mō yú.

彼は放課後よく川へ魚をとりに行きます。

猴子故意模仿人的动作。
Hóuzi gùyì mófǎng rén de dòngzuò.

サルはわざと人間の動作を真似します。

演员都善于模仿，学什么像什么。
Yǎnyuán dōu shànyú mófǎng, xué shénme xiàng
shénme.

役者はみな真似が得意で、覚えたものをそっくりそのまま表現できます。

大家跟我一起念这段课文。
Dàjiā gēn wǒ yìqǐ niàn zhè duàn kèwén.

みなさん、私と一緒にテキストのこの段落を読んでください。

他正在念本科，准备考研究生。
Tā zhèngzài niàn běnkē, zhǔnbèi kǎo yánjiūshēng.

彼は今学部生です、大学院を受ける準備をしています。

他走到她跟前，轻轻地拍了她一下。
Tā zǒudào tā gēnqián, qīngqīngde pāile tā yíxià.

彼は彼女のそばに来て、軽くポンとたたきました。

我刚一进屋，妈妈就帮我拍掉了身上的雪。
Wǒ gāng yí jìn wū, māma jiù bāng wǒ pāidiàole
shēnshang de xuě.

家に入ると、母は体に付いていた雪を払ってくれました。

公司这次没给他派什么任务。
Gōngsī zhè cì méi gěi tā pài shénme rènwu.

会社は今回彼に任務を与えませんでした。

对这一问题的看法，两派争论得很激烈。
Duì zhè yí wèntí de kànfǎ, liǎng pài zhēnglùnde
hěn jīliè.

この問題の見解について、両派は激しい論争を繰り広げています。

0750		
	盼望 pànwàng	動 待ち望む
0751		
	培训 péixùn	動 養成する、育成する
0752		
	培养 péiyǎng	動 育てる、訓練する
0753		
	赔偿 péicháng	動 弁償する、賠償する
0754		
	佩服 pèifu	動 感心する、敬服する
0755		
	配合 pèihé	動 協力する、連携する

指定語句 | 名詞 | 動詞 | ほか | 作文対策語句

父母急切地盼望着你们回家呢。
Fùmǔ jíqiè de pànwàngzhe nǐmen huí jiā ne.

両親は彼らの帰宅を待ち遠しく思っています。

离春节还有一个月呢，孩子们早就开始盼望了。
Lí chūnjié hái yǒu yí ge yuè ne, háizimen zǎo jiù kāishǐ pànwàngle.

春節まであと1か月ありますが、子どもたちは（春節が来るのを）早くも待ち望んでいます。

我们对这些上岗人员又进行了临时培训。
Wǒmen duì zhèxiē shànggǎng rényuán yòu jìnxíngle línshí péixùn.

私たちは現場スタッフを対象に、再度臨時研修を実施しました。

我想参加这次技术培训，提高我的修理水平。
Wǒ xiǎng cānjiā zhè cì jìshù péixùn, tígāo wǒ de xiūlǐ shuǐpíng.

この技術研修に参加して、私の修理レベルを向上させたいです。

这些树苗经过他们精心的培养，长得很快。
Zhèxiē shùmiáo jīngguò tāmen jīngxīn de péiyǎng, zhǎngde hěn kuài.

これらの苗木は彼らが丁寧に育てたあと、急速に成長しています。

我们要把这些青年培养成对社会有用的人才。
Wǒmen yào bǎ zhèxiē qīngnián péiyǎngchéng duì shèhuì yǒuyòng de réncái.

私たちはこの若者たちを社会の役に立つ人材に育てないといけません。

他撞伤了人，得赔偿人家医药费。
Tā zhuàngshāngle rén, děi péicháng rénjia yīyàofèi.

彼は人にぶつかって怪我をさせたため、医療費の賠償をしなければなりません。

事故造成的损失全部由他负责赔偿。
Shìgù zàochéng de sǔnshī quánbù yóu tā fùzé péicháng.

事故による損失はすべて彼が弁償します。

听了报告以后，他从心底里佩服这位教授。
Tīngle bàogào yǐhòu, tā cóng xīndǐ li pèifu zhè wèi jiàoshòu.

報告を聞いてから、彼は心からこの教授を尊敬しています。

对他的品格和学问，所有的人都佩服极了。
Duì tā de pǐngé hé xuéwèn, suǒyǒu de rén dōu pèifují le.

彼の人格と学識に、あらゆる人が敬服しました。

我们几个小组互相配合，顺利完成了生产任务。
Wǒmen jǐ gè xiǎozǔ hùxiāng pèihé, shùnlì wánchéngle shēngchǎn rènwù.

私たちいくつかのグループは協力しあって、生産ノルマを順調に達成しました。

学生们紧密配合，顺利完成了这个调查。
xuéshengmen jǐnmì pèihé, shùnlì wánchéngle zhège diàochá.

学生たちは密に協力しあい、順調にこの調査をやり遂げた。

0756		
	碰 pèng	動 たまたま出会う、ぶつかる

0757		
	批准 pī//zhǔn	動 承認する、批准する

0758		
	披 pī	動 羽織る、まとう

0759		
	飘 piāo	動 ひらひらと舞う

0760		
	平衡 pínghéng	動 バランスをとる 形 釣り合っている

0761		
	评价 píngjià	動 評価する　名 評価

第6周/第1天

他故意碰了我一下。
Tā gùyì pèngle wǒ yíxià.

彼はわざと私にぶつかりました。

今天我在街上碰见了一个老朋友。
Jīntiān wǒ zài jiē shang pèngjiànle yí ge lǎopéngyou.

今日、私は通りで旧友にばったり会いました。

领导批准了他的休假请求。
Lǐngdǎo pīzhǔnle tā de xiūjià qǐngqiú.

上司は彼の休暇を認めました。

我知道你这个方案很难被批准。
Wǒ zhīdao nǐ zhège fāng'àn hěn nán bèi pīzhǔn.

あなたのこの仕事の計画は承認されにくいことを知っています。

他匆匆披了件雨衣就跑出去了。
Tā cōngcōng pīle jiàn yǔyī jiù pǎochuqu le.

彼は急いでレインコートを着て、外に走っていきました。

她披的那件毛衣是妈妈织的。
Tā pī de nà jiàn máoyī shì māma zhī de.

彼女が羽織っているあのセーターは彼女の母が編んだものです。

冬天来了，天上飘起了雪花。
Dōngtiān lái le, tiānshang piāoqǐle xuěhuā.

冬がやってきて、空に雪がひらひらと舞い始めました。

片片云朵在空中飘着。
Piànpiàn yúnduǒ zài kōngzhōng piāozhe.

いくつかの雲が空に漂っています。

滑冰时首先要平衡自己的身体。
Huábīng shí shǒuxiān yào pínghéng zìjǐ de shēntǐ.

スケートするときはまず体のバランスを取る必要があります。

今年进口和出口的总量出现了平衡的状态。
Jīnnián jìnkǒu hé chūkǒu de zǒng liàng chūxiànle pínghéng de zhuàngtài.

今年は輸入と輸出の総量が釣り合っている状態となりました。

会上，大家客观地评价了他的功和过。
Huì shang, dàjiā kèguānde píngjiàle tā de gōng hé guò.

会議で、みなさんは客観的に彼の功績と過ちを評価しました。

他对历史人物的评价比较客观。
Tā duì lìshǐ rénwù de píngjià bǐjiào kèguān.

歴史上の人物への彼の評価は、わりと客観的です。

指定語句

名詞

動詞

ほか

作文対策語句

269

Track 128

0762		
	破产 pò//chǎn	動 倒産する、破産する
0763		
	破坏 pòhuài	動 破壊する、壊す
0764		
	期待 qīdài	動 期待する、待ち望む
0765		
	启发 qǐfā	動 (ヒントを与えて) 教え導く、啓発する
0766		
	签 qiān	動 サインする、署名する
0767		
	欠 qiàn	動 借金をしている、足りない

由于经营不善，那家公司破产了。 Yóuyú jīngyíng búshàn, nà jiā gōngsī pòchǎn le.	経営不振により、あの会社は倒産しました。
这家企业在经济危机中破产了。 Zhè jiā qǐyè zài jīngjìwēijī zhōng pòchǎn le.	この企業は経済危機によって破産しました。
这些都是文物，你怎么能故意破坏呢? Zhèxiē dōu shì wénwù, nǐ zěnme néng gùyì pòhuài ne?	これらはすべて文化遺産です、どうして故意に破壊できるでしょうか。
她不守信用，破坏了我们之间的协议。 Tā bù shǒu xìnyòng, pòhuàile wǒmen zhījiān de xiéyì.	彼女は約束を守らず、私たちとの間の協約を破りました。
妈妈一直期待着我能考上重点大学。 Māma yìzhí qīdàizhe wǒ néng kǎoshàng zhòngdiǎn dàxué.	母は私が難関大学に受かるのをずっと期待しています。
我期待多年的愿望终于实现了。 Wǒ qīdài duō nián de yuànwàng zhōngyú shíxiàn le.	長年待望した願いはついに叶いました。
上课的时候，老师用各种方法启发我们。 Shàngkè de shíhou, lǎoshī yòng gè zhǒng fāngfǎ qǐfā wǒmen.	授業の時、先生は様々な方法で私たちを教え導いてくれています。
这件事情启发我们思考很多问题。 Zhè jiàn shìqing qǐfā wǒmen sīkǎo hěn duō wèntí.	この事は私たちにたくさんの問題を考えさせました。
这个合同定得太不平等了，我不能签。 Zhège hétong dìngde tài bù píngděng le, wǒ bù néng qiān.	この契約はあまりに不平等に設定されています、私は署名できません。
这份合同签字以后就生效了。 Zhè fèn hétong qiānzì yǐhòu jiù shēngxiàole.	この契約はサインがされてから発効しました。
那笔钱我已经欠了他两年了。 Nà bǐ qián wǒ yǐjīng qiànle tā liǎng nián le.	あのお金はもう2年間彼に返していません。
他处理问题欠考虑，直接就做了决定。 Tā chǔlǐ wèntí qiàn kǎolǜ, zhíjiē jiù zuòle juédìng.	彼は問題を処理するとき考えもせず、すぐに決断を下しました。

0768		
	强调 qiángdiào	動 強調する、強く主張する
0769		
	抢 qiǎng	動 奪い取る、ひったくる
0770		
	瞧 qiáo	動 見る、読む
0771		
	切 qiè	動 切る
0772		
	轻视 qīngshì	動 軽視する、軽んじる
0773		
	请求 qǐngqiú	動 要望する、求める 名 お願い、要望

老师反复强调，大家要遵守时间。 Lǎoshī fǎnfù qiángdiào, dàjiā yào zūnshǒu shíjiān.	先生はみなが時間をきちんと守るよう、繰り返し強調していました。
这次旅游，我们还是要强调安全问题。 Zhè cì lǚyóu, wǒmen háishi yào qiángdiào ānquán wèntí.	今回の旅行はやはり安全問題を強調しなければなりません。
快来人啊，有人抢东西！ Kuài lái rén a, yǒu rén qiǎng dōngxi!	誰か早く来てください！泥棒がいます！
这名队员很积极，从对方手中抢过来两次球了。 Zhè míng duìyuán hěn jījí, cóng duìfāng shǒu zhōng qiǎngguolai liǎng cì qiú le.	この選手は非常に積極的で、相手の手からボールを2回奪い取りました。
瞧着他可笑的样子，大家都乐了。 Qiáozhe tā kěxiào de yàngzi, dàjiā dōu lè le.	彼のおかしな様子を見て、みな笑いました。
他瞧了我一眼就过去了。 Tā qiáole wǒ yì yǎn jiù guòqu le.	彼は私をチラッと見て、通り過ぎました。
你来切菜，我来炒菜。 Nǐ lái qiē cài, wǒ lái chǎo cài.	あなたは野菜を切って、私は野菜を炒めます。
你慢慢切，小心手。 Nǐ mànmàn qiē, xiǎoxīn shǒu.	ゆっくり切って、手に気を付けて。
你们轻视了对方，所以输了比赛。 Nǐmen qīngshìle duìfāng, suǒyǐ shūle bǐsài.	あなたたちは相手を軽視したから、試合に負けたのです。
他从来不轻视我们，反而非常尊重我们。 Tā cónglái bù qīngshì wǒmen, fǎn'ér fēicháng zūnzhòng wǒmen.	彼は私たちを軽蔑するどころか、むしろ私たちを尊敬してくれています
我请求您答应这个要求吧。 Wǒ qǐngqiú nín dāying zhège yāoqiú ba.	この要望に応えていただくようお願いいたします。
你的请求已经得到批准了。 Nǐ de qǐngqiú yǐjīng dédào pīzhǔn le.	あなたの申請はすでに許可されました。

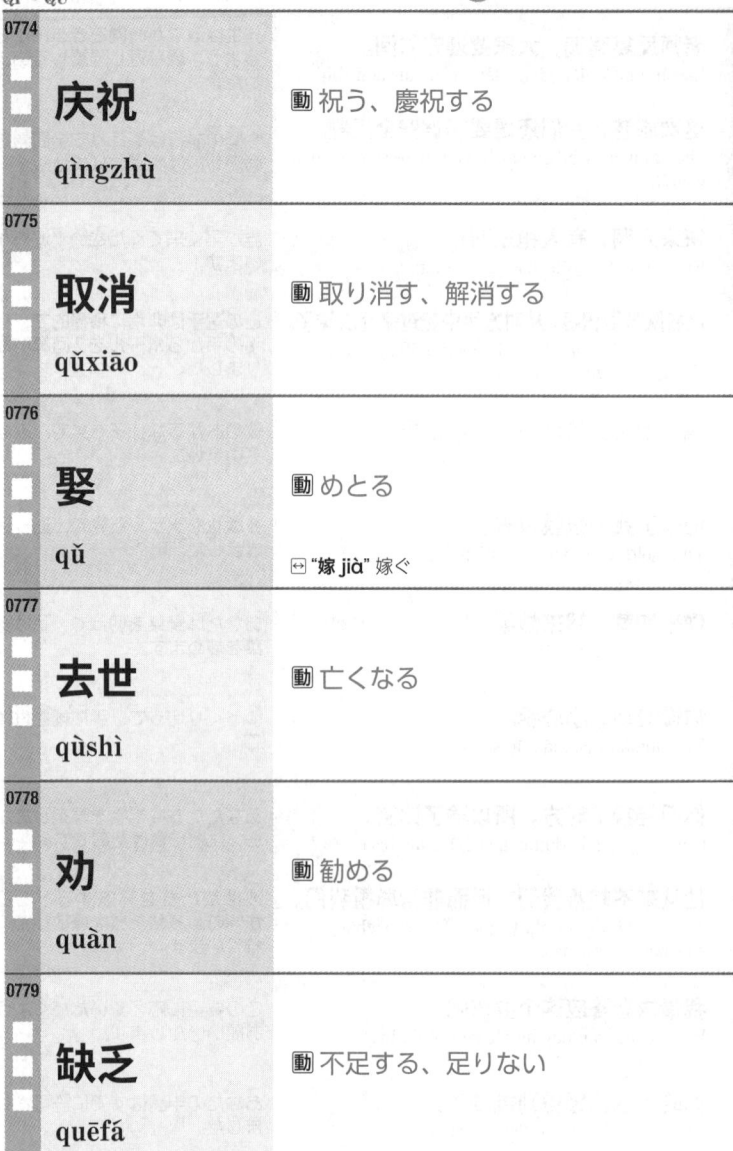

0774

庆祝

qìngzhù

動 祝う、慶祝する

0775

取消

qǔxiāo

動 取り消す、解消する

0776

娶

qǔ

動 めとる

↔ "嫁 jià" 嫁ぐ

0777

去世

qùshì

動 亡くなる

0778

劝

quàn

動 勧める

0779

缺乏

quēfá

動 不足する、足りない

他们在研究怎么庆祝这个节日。
Tāmen zài yánjiū zěnme qìngzhù zhège jiérì.

彼らはどうこの祝日を祝賀するかを検討しています。

这所大学明天有一个大规模的庆祝活动。
Zhè suǒ dàxué míngtiān yǒu yí ge dà guīmó de qìngzhù huódòng.

この大学では明日、大規模な祝賀行事があります。

他们取消了去美国的计划。
Tāmen qǔxiāole qù Měiguó de jìhuà.

彼らはアメリカに行く計画を取り消しました。

那些规定早就取消了，你可以报名。
Nàxiē guīdìng zǎo jiù qǔxiāo le, nǐ kěyǐ bàomíng.

あの規定はとっくに取り消されています。あなたは申込できますよ。

姑娘想知道男朋友什么时候娶她。
Gūniang xiǎng zhīdao nánpéngyou shénme shíhou qǔ tā.

女の子は彼氏がいつ自分と結婚してくれるかを知りたいと思っています。

那时候他没钱，娶不起老婆。
Nà shíhou tā méi qián, qǔbuqǐ lǎopo.

あの頃、彼には金がなくて、嫁をもらう余裕がありませんでした。

她父母去世得早，是哥哥把她养大的。
Tā fùmǔ qùshìde zǎo, shì gēge bǎ tā yǎngdà de.

彼女は両親を早くに亡くし、お兄さんに育てられました。

我们听到他去世的消息，都不信是真的。
Wǒmen tīngdào tā qùshì de xiāoxi, dōu bú xìn shì zhēn de.

彼が亡くなった知らせを聞いて、私たちは誰も信じませんでした。

你太累了，我劝你最好休息一会儿。
Nǐ tài lèi le, wǒ quàn nǐ zuìhǎo xiūxi yíhuìr.

あなたは疲れすぎているので、少し休憩をとることをお勧めします。

我劝了她半天，可她还是哭个不停。
Wǒ quànle tā bàntiān, kě tā háishi kū ge bù tíng.

私は長いこと彼女を説得しましたが、彼女はそれでも泣き続けました。

我刚刚学会开车，还缺乏经验。
Wǒ gānggāng xuéhuì kāichē, hái quēfá jīngyàn.

私は免許を取ったばかりで、まだ経験が不足しています。

你的口语不好，主要还是缺乏练习。
Nǐ de kǒuyǔ bù hǎo, zhǔyào háishì quēfá liànxí.

あなたの会話はあまり上手ではありません。主な原因は練習が不足していることです。

指定語句
名詞
動詞
ほか
作文対策語句

0780		
	确定 quèdìng	動 確定する、はっきり決まる 形 確定した

0781		
	确认 quèrèn	動 確認する

0782		
	燃烧 ránshāo	動 燃える

0783		
	绕 rào	動 巻きつく、回る

0784		
	热爱 rè'ài	動 深く愛する

0785		
	洒 sǎ	動 撒く、こぼす

指定語句

名詞　動詞　ほか

作文対策語句

比赛的日期已经确定，在 4 月 30 号。
Bǐsài de rìqī yǐjīng quèdìng, zài sì yuè sānshí hào.

試合の日程がもう決まりました、4月30日です。

我们什么时候出发还没确定。
Wǒmen shénme shíhou chūfā hái méi quèdìng.

いつ出発するか私たちはまだはっきり決めていません。

经过确认，这辆车确实是老王的。
Jīngguò quèrèn, zhè liàng chē quèshí shì lǎo Wáng de.

確認したところ、この車は確かに王さんのものです。

我们正在确认参加奥运会比赛的运动员名单。
Wǒmen zhèngzài quèrèn cānjiā Àoyùnhuì bǐsài de yùndòngyuán míngdān.

私たちは今、オリンピックに出場する選手の名簿を確認しています。

大火燃烧了三天才被扑灭。
Dàhuǒ ránshāole sān tiān cái bèi pūmiè.

大火事は3日間燃え続けた後、ようやく消し止められました。

汽油很容易燃烧，在加油站加油时要非常小心。
Qìyóu hěn róngyì ránshāo, zài jiāyóuzhàn jiāyóu shí yào fēicháng xiǎoxīn.

ガソリンは燃えやすいので、ガソリンスタンドで給油するときは特に気をつけてください。

他们把绳子绕在树上了。
Tāmen bǎ shéngzi ràozài shù shang le.

彼らはロープを樹木の上に巻き付けました。

他绕着操场跑了两圈。
Tā ràozhe cāochǎng pǎole liǎng quān.

彼は運動場を2周走りました。

他热爱家乡，热爱祖国。
Tā rè'ài jiāxiāng, rè'ài zǔguó.

彼は故郷を愛し、国を愛しています。

他教育孩子从小热爱科学，热爱劳动。
Tā jiàoyù háizi cóngxiǎo rè'ài kēxué, rè'ài láodòng.

子どもが小さい時から科学を愛し、労働を愛するよう、彼は教育しています。

太干了，在地上洒点儿水吧。
Tài gān le, zài dìshang sǎ diǎnr shuǐ ba.

乾燥しすぎています、地面に水を撒きましょう。

弟弟把杯子里的牛奶弄洒了。
Dìdi bǎ bēizi li de niúnǎi nòngsǎ le.

弟はコップの中の牛乳をこぼしました。

277

Track 132

0786	杀 shā	動 殺す、退治する
0787	晒 shài	動 (太陽が) 照りつける、日に干す
0788	删除 shānchú	動 削除する
0789	善于 shànyú	動 得意である、長けている
0790	伤害 shānghài	動 傷つける、害する
0791	上当 shàng//dàng	動 騙される、損をする

指定語句
名詞
動詞
ほか
作文対策語句

这些虫子怎么也杀不光。
Zhèxiē chóngzi zěnme yě shābuguāng.

これらの虫はどのようにしても殺しきれない。

这个杀人犯已经受到了法律的惩罚。
Zhège shārénfàn yǐjīng shòudàole fǎlǜ de chéngfá.

この殺人犯はすでに法律の懲罰を受けました。

那时候我每天都到海边晒太阳。
Nà shíhou wǒ měitiān dōu dào hǎibiān shài tàiyáng.

あの頃、私は毎日海辺へ行って日光浴をしました。

衣服有点儿潮了，明天晒晒吧。
Yīfu yǒudiǎnr cháole, míngtiān shàishai ba.

洋服は少し湿っているので、明日干しましょう。

这句话不太合适，删除了吧。
Zhè jù huà bú tài héshì, shānchú le ba.

この文はあまり適切ではないので、削除しましょう。

糟糕，刚整理好的文件被我不小心删除了。
Zāogāo, gāng zhěnglǐhǎo de wénjiàn bèi wǒ bù xiǎoxīn shānchú le.

しまった！今整理し終えたばかりのファイルを不注意で削除してしまいました。

他善于思考，发现和解决了很多问题。
Tā shànyú sīkǎo, fāxiàn hé jiějuéle hěn duō wèntí.

彼は考えるのが得意で、多くの問題を発見し、解決しました。

他特别善于与人交往，有很多朋友。
Tā tèbié shànyú yǔ rén jiāowǎng, yǒu hěn duō péngyou.

彼は人との交流が得意で、友人はたくさんいます。

他害怕受到伤害，只好无奈离开。
Tā hàipà shòudào shānghài, zhǐhǎo wúnài líkāi.

彼は怪我をするのを恐れて、去るほかありませんでした。

他的做法严重伤害了我们的感情。
Tā de zuòfǎ yánzhòng shānghàile wǒmen de gǎnqíng.

彼のやり方は私たちの感情をひどく傷つけました。

她这么单纯，很容易上当。
Tā zhème dānchún, hěn róngyì shàngdàng.

彼女はこんなに単純なので、騙されやすいです。

你们多了解一些，就不会轻易上当了。
Nǐmen duō liǎojiě yìxiē, jiù bú huì qīngyì shàngdàng le.

あなたたちはもう少し物事を理解しましょう。そうすれば簡単に騙されなくなります。

Track 133

0792		
	舍不得 shěbude	動 (～するのが) もったいない、～したがらない

0793		
	设计 shèjì	動 設計する、デザインする

0794		
	射击 shèjī	動 発砲する、射撃する

0795		
	摄影 shèyǐng	動 撮影する

0796		
	伸 shēn	動 伸ばす、出す

0797		
	升 shēng	動 昇る、昇進する　量 リットル ⇔ "降 jiàng" 落ちる、下がる

指定語句

名詞

動詞

ほか

作文対策語句

这么贵的衣服，她舍不得穿。
Zhème guì de yīfu, tā shěbude chuān.

彼女はこんなに高い服を着てしまうのが惜しいと感じています。

他生活很节俭，舍不得穿舍不得吃。
Tā shēnghuó hěn jiéjiǎn, shěbude chuān shěbude chī.

彼は質素な生活をしていて、衣食にお金をかけたがらないです。

这座大桥是北京大学的教授设计的。
Zhè zuò dàqiáo shì Běijīng dàxué de jiàoshòu shèjì de.

この大きな橋は北京大学の教授が設計したものです。

这项设计主要由年轻人来完成。
Zhè xiàng shèjì zhǔyào yóu niánqīng rén lái wánchéng.

このデザインは主に若い人が完成させたものです。

他朝着目标射击了两枪。
Tā cháozhe mùbiāo shèjīle liǎng qiāng.

彼は目標に向かって、2発発砲しました。

他参加的是射击比赛。
Tā cānjiā de shì shèjī bǐsài.

彼が参加したのは射撃の競技です。

我年轻的时候很喜欢摄影。
Wǒ niánqīng de shíhou hěn xǐhuan shèyǐng.

私は若い頃には撮影することがとても好きでした。

他是搞摄影的，让他给我们照几张相吧。
Tā shì gǎo shèyǐng de, ràng tā gěi wǒmen zhào jǐ zhāng xiàng ba.

彼は撮影専門なので、写真を何枚か撮ってもらいましょう。

她不好意思地伸了伸舌头。
Tā bù hǎoyìsi de shēnle shēn shétou.

彼女は決まり悪そうに舌を出しました。

在飞机上，我的腿伸不开。
Zài fēijī shang, wǒ de tuǐ shēnbukāi.

飛行機で足を延ばすことができません。

早晨六点，太阳升起来了。
Zǎochen liù diǎn, tàiyáng shēngqilai le.

朝6時に、太陽が昇りました。

他工作努力，最近升了经理。
Tā gōngzuò nǔlì, zuìjìn shēngle jīnglǐ.

彼は仕事を頑張っていて、最近マネージャーに昇進しました。

134

0798		
生产 shēngchǎn	動 生産する

0799	
生长 shēngzhǎng	動 生長する

0800	
省略 shěnglüè	動 省略する

0801	
胜利 shènglì	動 勝利する、成功する
	↔ "**失败 shībài**" 負ける、失敗する

0802	
失眠 shī//mián	動 不眠になる、眠れない

0803	
失去 shīqù	動 失う、逃す

指定語句

名詞

動詞

ほか

作文対策語句

这种自行车我们已经停止生产了。
Zhè zhǒng zìxíngchē wǒmen yǐjīng tíngzhǐ shēngchǎn le.

私たちはこの種類の自転車を生産することをすでにやめました。

我们今年的生产任务还没有完成。
Wǒmen jīnnián de shēngchǎn rènwu hái méiyǒu wánchéng.

私たちは今年の生産ノルマをまだ達成できていません。

南方气候湿润，适合很多植物生长。
Nánfāng qìhòu shīrùn, shìhé hěn duō zhíwù shēngzhǎng.

南部の気候は湿度が高く、多くの植物が生長するのに適しています。

植物生长离不开阳光、空气和水。
Zhíwù shēngzhǎng líbukāi yángguāng, kōngqì hé shuǐ.

植物は日光、空気、水なしでは生長しません。

这段话就不要说了，完全可以省略。
Zhè duàn huà jiù búyào shuō le, wánquán kěyǐ shěnglüè.

このセリフは言わなくてもいいです。すべて省略できます。

我们省略了一道手续，所以办起来快多了。
Wǒmen shěnglüèle yí dào shǒuxù, suǒyǐ bànqilai kuàiduō le.

手続きを1つ省略しましたので、処理がだいぶ早くなりました。

比赛虽然很艰苦，但我们最终胜利了。
Bǐsài suīrán hěn jiānkǔ, dàn wǒmen zuìzhōng shènglì le.

試合はつらいですが、私たちはやっと勝利を収めました。

预祝大家汉语水平考试取得胜利。
Yùzhù dàjiā Hànyǔ shuǐpíng kǎoshì qǔdé shènglì.

みなさんがHSKに合格できるよう祈ります。

他一连失眠了好几个晚上。
Tā yìlián shīmiánle hǎojǐ ge wǎnshang.

彼は何日も眠れない日が続きました。

刚看过精彩的比赛，她兴奋得失眠了。
Gāng kànguo jīngcǎi de bǐsài, tā xīngfènde shīmián le.

素晴らしい試合を見たばかりで、彼女は興奮して眠れなくなってしまいました。

你不要失去信心，继续努力吧。
Nǐ búyào shīqù xìnxīn, jìxù nǔlì ba.

自信を失わないで、続けて頑張りましょう。

你失去了一次非常好的机会。
Nǐ shīqùle yí cì fēicháng hǎo de jīhuì.

あなたはとてもいいチャンスを失いました。

283

0804		
	失业 shī//yè	動 失業する
0805		
	实践 shíjiàn	動 実践する、(約束を) 果たす
0806		
	实习 shíxí	動 実習をする、インターンをする
0807		
	实现 shíxiàn	動 実現する、叶える
0808		
	使劲儿 shǐ//jìnr	動 力いっぱいやる、精一杯やる
0809		
	收获 shōuhuò	動 収穫する、得る　名 収穫、成果

指定語句 名詞 動詞 ほか 作文対策語句

他去年失业了，现在还没找到工作。
Tā qùnián shīyè le, xiànzài hái méi zhǎodào gōngzuò.

彼は去年失業して、今も仕事が見つかっていません。

公司的效益不好，我很担心会失业。
Gōngsī de xiàoyì bù hǎo, wǒ hěn dānxīn huì shīyè.

会社は利益が上がらないので、私が失業するのではないかと心配しています。

你要去实践你的诺言。
Nǐ yào qù shíjiàn nǐ de nuòyán.

あなたは自分の承諾した約束を果たすべきです。

实践证明，这个方法不可靠。
Shíjiàn zhèngmíng, zhège fāngfǎ bù kěkào.

実践がこの方法は信頼できないことを証明しています。

我在这个医院实习过两个月。
Wǒ zài zhège yīyuàn shíxíguo liǎng ge yuè.

この病院で2ヶ月実習をしたことがあります。

我们要经过一年的实习，才能毕业。
Wǒmen yào jīngguò yì nián de shíxí, cái néng bìyè.

私たちは1年間の実習を経て、ようやく卒業することができます。

他实现了当医生的理想。
Tā shíxiànle dāng yīshēng de lǐxiǎng.

彼は医者になるという理想を実現しました。

你的目标太高，恐怕很难实现。
Nǐ de mùbiāo tài gāo, kǒngpà hěn nán shíxiàn.

あなたが定めた目標は高すぎて、おそらく実現は困難でしょう。

我们一起使劲儿，就能推动这辆汽车。
Wǒmen yìqǐ shǐjìnr, jiù néng tuīdòng zhè liàng qìchē.

私たちが力を合わせれば、この車を押し動かせます。

我怕他听不见，使劲儿喊了两声。
Wǒ pà tā tīngbujiàn, shǐjìnr hǎnle liǎng shēng.

彼が聞こえないと思って、2度力いっぱい叫びました。

这片小麦马上就可以收获了。
Zhè piàn xiǎomài mǎshàng jiù kěyǐ shōuhuò le.

ここの小麦はすぐに収穫できるようになります。

在中国生活的两年，我的收获很多。
Zài Zhōngguó shēnghuó de liǎng nián, wǒ de shōuhuò hěn duō.

中国で2年間生活して、得たものが多いです。

0810

受伤

shòu//shāng

動 けがをする

0811

输入

shūrù

動 入力する、打ち込む

⟷ "**输出 shūchū**" 輸出する

0812

属于

shǔyú

動 属している

0813

数

shǔ

動 数える、入る

解説 名詞の場合は "**数shù**"

0814

摔倒

shuāidǎo

動 転倒する

0815

甩

shuǎi

動 振り回す、振り捨てる

指定語句 | 名詞 | 動詞 | ほか | 作文対策語句

他的腿受伤了，至少两个月不能走路。
Tā de tuǐ shòushāng le, zhìshǎo liǎng ge yuè bù néng zǒulù.

彼は脚を怪我したので、少なくとも2ヶ月歩くことができません。

你身体受伤没有？到医院做个检查吧。
Nǐ shēntǐ shòushāng méiyǒu? Dào yīyuàn zuò ge jiǎnchá ba.

お怪我はありませんか。病院で検査をしましょう。

我要把这些资料输入进电脑。
Wǒ yào bǎ zhèxiē zīliào shūrùjìn diànnǎo.

これらの情報をパソコンに入力します。

你的密码输入得不正确。
Nǐ de mìmǎ shūrùde bú zhèngquè.

あなたのパスワードは正しく入力されませんでした。

这座房子属于我父亲。
Zhè zuò fángzi shǔyú wǒ fùqin.

この家は父のものです。

他们属于同一个公司，但在不同的部门。
Tāmen shǔyú tóng yí ge gōngsī, dàn zài bù tóng de bùmén.

彼らは同じ会社に属してはいますが、異なる部署にいます。

他拿过的奖很多，数都数不清。
Tā náguo de jiǎng hěn duō, shǔ dōu shǔbuqīng.

彼は獲得した賞が多くあり、数えても数えきれません。

这家饭店数得上是附近最好吃的了。
Zhè jiā fàndiàn shǔdeshàng shì fùjìn zuì hǎochī de le.

このレストランは近所で最高のレストランの1つに数えられます。

孩子摔倒了，要让他自己学着站起来。
Háizi shuāidǎo le, yào ràng tā zìjǐ xuézhe zhànqilai.

子どもが転んでも、自分の力で立ち上がるようにさせなければなりません。

由于失去了重心，她摔倒了。
Yóuyú shīqùle zhòngxīn, tā shuāidǎo le.

彼女は重心のバランスを失って、転倒しました。

这匹马在不停地甩尾巴。
Zhè pǐ mǎ zài bù tíng de shuǎi wěiba.

この馬は絶えず尻尾を振り回しています。

女朋友把他甩了，他很痛苦。
Nǚpéngyou bǎ tā shuǎi le, tā hěn tòngkǔ.

彼女は彼を振りました。彼はきっと辛いでしょうね。

287

0816		
	说服 shuō//fú	動 説得する

0817		
	思考 sīkǎo	動 深く考える

0818		
	撕 sī	動 裂く、引きちぎる

0819		
	搜索 sōusuǒ	動 捜す、捜索する

0820		
	损失 sǔnshī	動 失う 名 損害、損失

0821		
	缩短 suōduǎn	動 縮める、短縮する

妈妈终于被我说服了。
Māma zhōngyú bèi wǒ shuōfú le.

母はやっと私に説得されました。

双方谁也不能说服谁。
Shuāngfāng shéi yě bù néng shuōfú shéi.

お互いに相手を説得することができません。

我已经反复思考过这些问题了。
Wǒ yǐjīng fǎnfù sīkǎoguo zhèxiē wèntí le.

私はこれらの問題を繰り返し深く考えました。

他很善于思考，经常提出各种问题。
Tā hěn shànyú sīkǎo, jīngcháng tíchū gè zhǒng wèntí.

彼は思考に長じているので、さまざまな問題をよく提示しています。

他马上撕开信封读了起来。
Tā mǎshàng sīkāi xìnfēng dúleqǐlai.

彼はすぐに手紙を開いて、読み始めました。

我从本子上撕下一张纸给了他。
Wǒ cóng běnzishang sī xià yì zhāng zhǐ gěile tā.

ノートから紙を1枚はがして、彼にあげました。

我搜索了每个房间，没有发现什么可疑的东西。
Wǒ sōusuǒle měi ge fángjiān, méiyǒu fāxiàn shénme kěyí de dōngxi.

すべての部屋を捜索しましたが、疑わしいものは何も見つかりませんでした。

他搜索到了很多重要信息。
Tā sōusuǒdàole hěn duō zhòngyào xìnxī.

彼は多くの重要な情報を探し出しました。

我们保存得很好，什么也没有损失。
Wǒmen bǎocúnde hěn hǎo, shénme yě méiyǒu sǔnshī.

よく保存していたので、何も損害は出ていません。

我们不会让大家受到任何损失。
Wǒmen bú huì ràng dàjiā shòudào rènhé sǔnshī.

私たちは皆さんにいかなる損失も被らせません。

学校缩短了假期的时间。
Xuéxiào suōduǎnle jiàqī de shíjiān.

学校は休暇期間を縮めました。

展览的期限缩短到本月 20 号结束。
Zhǎnlǎn de qīxiàn suōduǎndào běn yuè èrshí hào jiéshù.

展覧の期限は今月20日まで短くしました。

🔊 **138**

0822	**谈判** tánpàn	動 交渉する、折衝する
0823	**逃** táo	動 逃げる
0824	**逃避** táobì	動 逃避する
0825	**疼爱** téng'ài	動 かわいがる
0826	**提倡** tíchàng	動 提唱する、奨励する
0827	**提问** tíwèn	動 質問する [解説]先生が生徒・学生に質問する場合が多い。

指定語句 名詞 動詞 ほか 作文対策語句

两国政府已经谈判一年多了。
Liǎng guó zhèngfǔ yǐjīng tánpàn yì nián duō le.

両国の政府はすでに1年あまり交渉を続けています。

经过谈判，各方取得了一致的意见。
Jīngguò tánpàn, gè fāng qǔdéle yízhì de yìjiàn.

協議を経て、各方面で一致した意見を得ました。

老鼠看见猫就想逃。
Lǎoshǔ kànjiàn māo jiù xiǎng táo.

ネズミは猫を見ると、逃げ出したいようです。

他这次肯定逃不掉了。
Tā zhè cì kěndìng táobudiào le.

今回彼は絶対逃げられません。

你越想逃避困难，困难就越来找你。
Nǐ yuè xiǎng táobì kùnnan, kùnnan jiù yuè lái zhǎo nǐ.

避けようとすればするほど、困難はさらにあなたに向かってきます。

这些都是现实问题，我不打算逃避。
Zhèxiē dōu shì xiànshí wèntí, wǒ bù dǎsuàn táobì.

これらは現実に起こっている問題で、目をそらす気はありません。

父亲是一位充满爱心的人，对我们十分疼爱。
Fùqin shì yí wèi chōngmǎn àixīn de rén, duì wǒmen shífēn téng'ài.

父は思いやりにあふれた人で、私たちをたくさん可愛がってくれます。

连一向疼爱他的奶奶也批评了他。
Lián yíxiàng téng'ài tā de nǎinai yě pīpíngle tā.

ずっと彼をかわいがっているおばあさんでさえも彼のことを叱りました。

我们一贯提倡节约，反对浪费。
Wǒmen yíguàn tíchàng jiéyuē, fǎnduì làngfèi.

私たちは一貫して節約を奨励し、浪費に反対しています。

我们提倡文明、健康、科学的生活方式。
Wǒmen tíchàng wénmíng、jiànkāng、kēxué de shēnghuó fāngshì.

私たちは文明、健康、科学的な生活スタイルを提唱します。

老师提问了几次，大家都回答不上来。
Lǎoshī tíwènle jǐ cì, dàjiā dōu huídábushànglai.

先生は学生に何回も質問を出しましたが、みな答えられません。

您提问的问题太难了，我们都不会。
Nín tíwèn de wèntí tài nán le, wǒmen dōu bú huì.

あなたが提示されたご質問は難しすぎて、私たちは誰も答えられません。

0828		
	体会 tǐhuì	動 体得する、身に染みてわかる 名 体得
0829		
	体贴 tǐtiē	動 思いやる、気にかける
0830		
	体现 tǐxiàn	動 体現する
0831		
	体验 tǐyàn	動 体験する
0832		
	调整 tiáozhěng	動 調整する
0833		
	挑战 tiǎo//zhàn	動 挑戦する、挑む

他对这篇文章的意义体会得很深刻。

Tā duì zhè piān wénzhāng de yìyì tǐhuìde hěn shēnkè.

彼はこの文章の意義を深く理解し、体得しました。

在学习汉语方面，他有深刻的体会。

Zài xuéxí Hànyǔ fāngmiàn, tā yǒu shēnkè de tǐhuì.

中国語を勉強することにおいて、彼は本質的なものを体得しています。

老师们十分体贴和爱护学生。

Lǎoshīmen shífēn tǐtiē hé àihù xuésheng.

先生たちは学生を非常に思いやり、いたわっています。

领导总是在生活上体贴我们。

Lǐngdǎo zǒngshì zài shēnghuó shang tǐtiē wǒmen.

リーダーはいつも生活面で私たちをいたわってくれています。

这部电影体现了时代特征。

Zhè bù diànyǐng tǐxiànle shídài tèzhēng.

この映画は時代の特徴を具現化しています。

这些学生体现了当代年轻人积极向上的精神。

Zhèxiē xuésheng tǐxiànle dāngdài niánqīng rén jījí xiàngshàng de jīngshén.

この学生たちは現代若者の旺盛な向上心を体現しています。

我在农村体验了三个月的生活。

Wǒ zài nóngcūn tǐyànle sān ge yuè de shēnghuó.

私は3ヶ月農村の生活を体験しました。

我很想体验一下当老师的滋味。

Wǒ hěn xiǎng tǐyàn yíxià dāng lǎoshī de zīwèi.

先生になるということを体験してみたいです。

我们公司调整了下班时间。

Wǒmen gōngsī tiáozhěngle xiàbān shíjiān.

私たちの会社は退勤時間を調整しました。

最近商店调整了部分商品的价格。

Zuìjìn shāngdiàn tiáozhěngle bùfen shāngpǐn de jiàgé.

最近店は一部商品の価格を調整しました。

对方在向我们挑战，我们应该参加这次比赛。

Duìfāng zài xiàng wǒmen tiǎozhàn, wǒmen yīnggāi cānjiā zhè cì bǐsài.

相手は私たちに戦いを挑んでいます。今回の試合に出るべきです。

他想挑战世界纪录，不知道能不能成功。

Tā xiǎng tiǎozhàn shìjiè jìlù, bù zhīdào néng bù néng chénggōng.

彼は世界記録にチャレンジしようと思っています。成功できるかどうかはわかりません。

0834

偷

tōu

動 盗む

0835

投入

tóurù

動 投入する、参加する 形 没入する

0836

投资

tóu//zī

動 投資する 名 投資

0837

吐

tù

動 吐く、嘔吐する

解説 口の中から吐き出す場合には "tǔ" と発音する

0838

推辞

tuīcí

動 辞退する、断る

0839

推广

tuīguǎng

動 推し広める、普及させる

指定語句
名詞
動詞
ほか
作文対策語句

小偷偷东西的时候，恰巧被警察撞上了。
Xiǎotōu tōu dōngxi de shíhou, qiàqiǎo bèi jǐngchá zhuàngshàng le.

泥棒がものを盗んだとき、ちょうど警察に出くわしました。

妈妈曾经偷看过我的日记。
Māma céngjīng tōu kànguo wǒ de rìjì.

私の母はかつて私の日記を盗み見たことがあります。

我在这个项目上投入了不少时间和精力。
Wǒ zài zhège xiàngmù shang tóurùle bù shǎo shíjiān hé jīnglì.

私はこのプロジェクトに多くの時間とエネルギーを使いました。

演员们都很投入地拍这场戏。
Yǎnyuánmen dōu hěn tóurùde pāi zhè chǎng xì.

役者たちはこの場面の撮影に没入しました。

在这个项目上，我们投了 100 万元的资。
Zài zhège xiàngmù shàng, wǒmen tóule 100 wàn yuán de zī.

このプロジェクトに私たちは100万元も投資しました。

我们用银行的投资购买了新设备。
Wǒmen yòng yínháng de tóuzī gòumǎile xīn shèbèi.

私たちは銀行の投資を使って新しい設備を購入しました。

他有点儿不舒服，吃的东西都吐了。
Tā yǒudiǎnr bù shūfu, chī de dōngxi dōu tù le.

彼は少し気分が悪いようで、食べたものをすべて吐き出しました。

他病得厉害，刚才都吐血了。
Tā bìngde lìhai, gāngcái dōu tù xiě le.

彼はひどい病気にかかって、さっき血を吐きました。

那个学校想请他当校长，他推辞了。
Nàge xuéxiào xiǎng qǐng tā dāng xiàozhǎng, tā tuīcí le.

あの学校は彼を校長先生に推しましたが、彼は辞退しました。

他推辞了几次都推辞不掉，就只好答应了他们。
Tā tuīcíle jǐ cì dōu tuīcíbudiào, jiù zhǐhǎo dāyingle tāmen.

彼は何回も断りましたが、断ることができないので、仕方なく承諾しました。

各地正在推广他们的先进经验。
Gèdì zhèngzài tuīguǎng tāmen de xiānjìn jīngyàn.

各地で、彼らの先進的な経験を広めています。

这种技术推广一年多了，收到了良好的效果。
Zhè zhǒng jìshù tuīguǎng yì nián duō le, shōudàole liánghǎo de xiàoguǒ.

この種類の技術は一年あまり押し広めたので、いい効果を収めました。

0840

推荐

tuījiàn

🔲 推薦する

0841

退

tuì

🔲 後ろにひく、返す

↔ "**进 jìn**" 前へ進む

0842

退步

tuì//bù

🔲 悪くなる、退歩する

0843

退休

tuì//xiū

🔲 定年退職する

0844

往返

wǎngfǎn

🔲 行き来する、往復する

0845

危害

wēihài

🔲 危害を及ぼす、おびやかす

指定語句　名詞　動詞　ほか　作文対策語句

老师向我们推荐了几本历史方面的书。
Lǎoshī xiàng wǒmen tuījiànle jǐ běn lìshǐ fāngmiàn de shū.

先生は私たちに歴史関係の本を何冊か推薦してくれました。

如果有计算机方面的毕业生，可以向我推荐。
Rúguǒ yǒu jìsuànjī fāngmiàn de bìyèshēng, kěyǐ xiàng wǒ tuījiàn.

コンピュータ関連の卒業生がいたら、ぜひ推薦してください。

看见那条狗，他往后退了几步。
Kànjiàn nà tiáo gǒu, tā wǎng hòu tuìle jǐ bù.

あの犬を見たら、彼は後ろに何歩か退きました。

这件衣服不合适，你帮我退了吧。
Zhè jiàn yīfu bù héshì, nǐ bāng wǒ tuì le ba.

この服は合わないので、返品させてください。

最近他总玩儿电脑，学习成绩退步了。
Zuìjìn tā zǒng wánr diànnǎo, xuéxí chéngjì tuìbù le.

最近彼はパソコンでいつも遊んでいたので、学業成績は悪くなりました。

我们的技术只能进步，绝不能退步。
Wǒmen de jìshù zhǐ néng jìnbù, jué bù néng tuìbù.

私たちの技術は進歩するほかなく、退化は絶対に許されません。

他退休以后，每天去公园唱歌。
Tā tuìxiū yǐhòu, měitiān qù gōngyuán chànggē.

彼は定年退職をした後、毎日公園で歌を歌っています。

我们国家男职工一般是 60 岁退休。
Wǒmen guójiā nán zhígōng yìbān shì liùshí suì tuìxiū.

我が国の男性職員は、一般的に60歳で定年退職します。

他经常往返于中国和美国之间。
Tā jīngcháng wǎngfǎnyú Zhōngguó hé Měiguó zhījiān.

彼はよく中国とアメリカの間を行き来しています。

这两个城市我在三天内往返了多次。
Zhè liǎng ge chéngshì wǒ zài sān tiān nèi wǎngfǎnle duō cì.

この2つの都市の間を3日間で何度も往復しました。

空气污染危害着人类的生存。
Kōngqì wūrǎn wēihàizhe rénlèi de shēngcún.

大気汚染は人類の生存をおびやかしています。

酒后开车危害自己和他人的生命安全。
Jiǔ hòu kāichē wēihài zìjǐ hé tārén de shēngmìng ānquán.

飲酒運転は自分と他人の生命の安全をおびやかします。

Track 142

0846		
□ □ □	**威胁** wēixié	動 脅す

0847		
□ □ □	**违反** wéifǎn	動 違反する

0848		
□ □ □	**围绕** wéirào	動 回る、めぐる

0849		
□ □ □	**维修** wéixiū	動 メンテナンスをする、維持する

0850		
□ □ □	**位于** wèiyú	動 位置する

0851		
□ □ □	**闻** wén	動 (においを) かぐ

指定語句

名詞

動詞

ほか

作文対策語句

歹徒威胁他说出银行卡密码。
Dǎitú wēixié tā shuōchū yínhángkǎ mìmǎ.

悪党は彼に銀行カードのパスワードを言えと脅しています。

我们有理，不怕威胁。
Wǒmen yǒulǐ, bú pà wēixié.

私たちは正しいことをしているので、脅しを恐れません。

你违反了交通规则，应当受到惩罚。
Nǐ wéifǎnle jiāotōng guīzé, yīngdāng shòudào chéngfá.

あなたは交通規則に違反しました。罰を受けるべきです。

那些违反公司制度的人已经受到了批评。
Nàxiē wéifǎn gōngsī zhìdù de rén yǐjīng shòudàole pīpíng.

会社制度に違反したあの人たちは叱責をすでに受けました。

地球围绕太阳转，月亮围绕地球转。
Dìqiú wéirào tàiyáng zhuàn, yuèliang wéirào dìqiú zhuàn.

地球は太陽の周りを回り、月は地球の周りを回っています。

同学们围绕改革问题进行了讨论。
Tóngxuémen wéirào gǎigé wèntí jìnxíngle tǎolùn.

同級生たちは改革問題を巡って、討論を行いました。

这台机器用了三年，该维修了。
Zhè tái jīqì yòngle sān nián, gāi wéixiū le.

この機器は3年間使っているので、メンテナンスに出すべきです。

这辆汽车每年的维修费用很高。
Zhè liàng qìchē měinián de wéixiū fèiyòng hěn gāo.

この車の年間維持費は高いです。

我们学校位于市中心。
Wǒmen xuéxiào wèiyú shì zhōngxīn.

当校は市内中心部にあります。

我的家乡位于中国西南。
Wǒ de jiāxiāng wèiyú Zhōngguó xīnán.

私のふるさとは中国南西部に位置しています。

他一闻就知道这是什么酒。
Tā yì wén jiù zhīdao zhè shì shénme jiǔ.

彼はにおいをかぐと、これが何のお酒なのかすぐ分かります。

我实在闻不出来这是什么味道。
Wǒ shízài wénbuchūlái zhè shì shénme wèidào.

これは何のにおいなのかいくら嗅いでも分かりません。

0852

吻

wěn

動 キスをする

0853

稳定

wěndìng

動 安定させる　形 安定した

0854

问候

wènhòu

動 ご機嫌を伺う、あいさつをする

0855

握手

wò//shǒu

動 握手をする

0856

无奈

wúnài

動 せざるをえない

0857

无所谓

wúsuǒwèi

動 どうでもよい、気にしない

指定語句

名詞 動詞 ほか

作文対策語句

妈妈吻了一下孩子的脸。
Māma wěnle yíxià háizi de liǎn.

お母さんは子どもの顔にキスしました。

他在我额头吻了一下，然后就走了。
Tā zài wǒ étóu wěnle yíxià, ránhòu jiù zǒu le.

彼は私の額にキスしてから、去っていきました。

他的收入不太稳定，有时候多有时候少。
Tā de shōurù bú tài wěndìng, yǒu shíhou duō yǒu shíhou shǎo.

彼は収入が不安定で、多いときも少ないときもあります。

政府正在采取措施，稳定物价。
Zhèngfǔ zhèngzài cǎiqǔ cuòshī, wěndìng wùjià.

政府は今まさに措置を講じて、物価を安定させています。

请替我问候你父母，祝他们身体健康。
Qǐng tì wǒ wènhòu nǐ fùmǔ, zhù tāmen shēntǐ jiànkāng.

ご両親によろしく伝えてください。お身体が健康でありますようにお祈りします。

爸爸妈妈每月都去奶奶那儿问候几次。
Bàba māma měiyuè dōu qù nǎinai nàr wènhòu jǐ cì.

父と母は毎月何回かお祖母さんのところへあいさつに行きます。

他们一见面，就热情地握手。
Tāmen yí jiànmiàn, jiù rèqíngde wòshǒu.

彼らは会うとすぐにしっかりと握手を交わしました。

他俩握了很长时间的手才松开。
Tā liǎ wòle hěn cháng shíjiān de shǒu cái sōngkāi.

彼らは長いこと握手をして、ようやく離しました。

他没主意了，无奈才来求你的。
Tā méi zhǔyi le, wúnài cái lái qiú nǐ de.

彼はいい考えが浮かばず、しかたなくあなたに頼んできたのです。

他无奈地说："好吧，我跟你一起去。"
Tā wúnàide shuō: "Hǎo ba, wǒ gēn nǐ yìqǐ qù."

彼は仕方なさそうに「いいでしょう。あなたと一緒に行きます」と言いました。

他看起来对什么事情都无所谓的样子。
Tā kànqilai duì shénme shìqing dōu wúsuǒwèi de yàngzi.

彼はどんなことに対してもどうでもいいといった様子です。

我很不喜欢他这种无所谓的态度。
Wǒ hěn bù xǐhuan tā zhè zhǒng wúsuǒwèi de tàidù.

私は彼の投げやりな態度が好きではありません。

0858

吸取

xīqǔ

動 吸収する、学び取る

0859

吸收

xīshōu

動 受け入れる、吸収する

0860

瞎

xiā

動 失明する　副 でたらめに、むやみに

0861

下载

xiàzài

動 ダウンロードする

0862

吓

xià

動 びっくりさせる、怖がらせる

0863

显得

xiǎnde

動 ～にみえる

树木从土壤中吸取水分和营养。
Shùmù cóng tǔrǎng zhōng xīqǔ shuǐfèn hé yíngyǎng.

树木は土壌から水分と栄養を吸収します。

他们吸取了上次失败的教训。
Tāmen xīqǔle shàng cì shībài de jiàoxùn.

彼らは前回の失敗の教訓を学び取りました。

校篮球队已经吸收我为队员了。
Xiào lánqiúduì yǐjīng xīshōu wǒ wéi duìyuán le.

学校のバスケットチームは私を隊員として受け入れました。

这个组织正在吸收新成员，你可以报名参加。
Zhège zǔzhī zhèngzài xīshōu xīn chéngyuán, nǐ kěyǐ bàomíng cānjiā.

この組織は今新しいメンバーを受け入れています。申し込んで参加できます。

她很小的时候眼睛就瞎了。
Tā hěn xiǎo de shíhou yǎnjing jiù xiā le.

彼女は小さいときから、目が見えなくなりました。

你不了解情况，不要瞎说。
Nǐ bù liǎojiě qíngkuàng, búyào xiā shuō.

あなたは状況を理解していません、でたらめを言わないでください。

不知道为什么，我下载不了这个文件。
Bù zhīdào wèi shénme, wǒ xiàzàibuliǎo zhège wénjiàn.

どういうわけかわかりませんが、このファイルがダウンロードできません。

不付费，这首歌曲不能下载。
Bú fù fèi, zhè shǒu gēqǔ bù néng xiàzài.

料金を払わないと、この曲をダウンロードすることはできません。

我不敢看这个电影，太吓人了。
Wǒ bù gǎn kàn zhège diànyǐng, tài xiàrén le.

私はこの映画を見る勇気がありません、怖すぎます。

看见大狗跑过来，孩子吓哭了。
Kànjiàn dà gǒu pǎoguolai, háizi xiàkū le.

大型犬が走ってきたのを見て、子どもはびっくりして泣き出しました。

你穿这件衣服显得特别年轻。
Nǐ chuān zhè jiàn yīfu xiǎnde tèbié niánqīng.

あなたがこの服を着たら、特に若く見えます。

也许是窗户太小，屋子显得有点儿暗。
Yěxǔ shì chuānghu tài xiǎo, wūzi xiǎnde yǒudiǎnr àn.

窓が小さすぎるかもしれません、部屋が少し暗く見えます。

0864

显示

xiǎnshì

動 示す、表す

0865

限制

xiànzhì

動 制限する　名 制限

0866

相处

xiāngchǔ

動 付き合う、やっていく

0867

相关

xiāngguān

動 関わる、関係している

0868

享受

xiǎngshòu

動 楽しむ、享受する

0869

想念

xiǎngniàn

動 さびしく思う、懐かしく思う

这些成果充分显示了他在科学方面的才能。
Zhèxiē chéngguǒ chōngfèn xiǎnshìle tā zài kēxué fāngmiàn de cáinéng.

これらの成果は十分に科学分野における彼の才能を示しています。

电子屏幕上显示的时间是 9 点 20 分。
Diànzǐ píngmù shang xiǎnshì de shíjiān shì jiǔ diǎn èrshí fēn.

デジタルスクリーンに表示された時間は9時20分です。

每个班的人数限制在 20 个人左右。
Měi ge bān de rénshù xiànzhì zài èrshí ge rén zuǒyòu.

すべてのクラスの学生数は、約20人に制限されています。

由于条件的限制，我们还买不起大型设备。
Yóuyú tiáojiàn de xiànzhì, wǒmen hái mǎibuqǐ dàxíng shèbèi.

条件の制限があり、私たちはまだ大型設備を購入する余裕がありません。

大家在一起相处，要相互照顾和体谅。
Dàjiā zài yìqǐ xiāngchǔ, yào xiānghù zhàogù hé tǐliàng.

みなさんが一緒に付き合っていくには、お互いに面倒を見たり、思いやったりすることが必要です。

我们相处了四年，没发生过任何矛盾。
Wǒmen xiāngchǔle sì nián, méi fāshēngguo rènhé máodùn.

私たちは4年間の付き合いになりますが、一度も喧嘩したことはありません。

这件事与很多人相关，我们要调查清楚。
Zhè jiàn shì yǔ hěn duō rén xiāngguān, wǒmen yào diàocháqīngchu.

このことはたくさんの人と関わるので、私たちは調査してはっきりさせなければなりません。

健康和生命是密切相关的，不能忽视。
Jiànkāng hé shēngmìng shì mìqiè xiāngguān de, bù néng hūshì.

健康と命は密接に関係しているので、無視できません。

我很享受现在的生活。
Wǒ hěn xiǎngshòu xiànzài de shēnghuó.

私は今の生活を楽しんでいます。

这些钱够他们享受一辈子了。
Zhèxiē qián gòu tāmen xiǎngshòu yíbèizi le.

このお金は彼らが一生遊んで暮らすのに十分です。

在外地多年，我很想念父母。
Zài wàidì duō nián, wǒ hěn xiǎngniàn fùmǔ.

よその土地に長年いるので、両親が懐かしいです。

我非常想念在国外的那些朋友们。
Wǒ fēicháng xiǎngniàn zài guówài de nàxiē péngyoumen.

海外にいる友達をとても懐かしく思っています。

指定語句 名詞 動詞 ほか 作文対策語句

305

0870

想象
xiǎngxiàng

動 想像する

0871

象征
xiàngzhēng

動 象徴する　名 象徴

0872

消费
xiāofèi

動 消費する

0873

消化
xiāohuà

動 消化する

0874

消失
xiāoshī

動 失う、消える

0875

销售
xiāoshòu

動 販売する、売る

我能想象，他回到家乡是多么高兴。
Wǒ néng xiǎngxiàng, tā huídào jiāxiāng shì duōme gāoxìng.

故郷へ帰るのが彼にとってどんなにうれしいか、想像がつきます。

这是他想象出来的故事，不是真的。
Zhè shì tā xiǎngxiàngchulai de gùshi, bú shì zhēn de.

これは彼が想像した物語で、本当のことではありません。

人们用鸽子象征和平和美好。
Rénmen yòng gēzi xiàngzhēng hépíng hé měihǎo.

人々は鳩を使って平和や美しさを象徴しています。

长城可以说是中华民族的象征。
Chángchéng kěyǐ shuō shì Zhōnghuá mínzú de xiàngzhēng.

万里の長城は中華民族の象徴と言えます。

经济好转了，市民也愿意消费了。
Jīngjì hǎozhuǎn le, shìmín yě yuànyì xiāofèi le.

経済は好転しました。市民も消費意欲が高まってきました。

随着经济的发展，人们的消费水平也在提高。
Suízhe jīngjì de fāzhǎn, rénmen de xiāofèi shuǐpíng yě zài tígāo.

経済の発展につれて、人々の消費水準も高まっています。

面条很容易消化，吃多了也没关系。
Miàntiáo hěn róngyì xiāohuà, chīduōle yě méi guānxi.

麺類は消化しやすいので、たくさん食べても問題ありません。

食物吃进去以后，会慢慢消化。
Shíwù chījinqu yǐhòu, huì mànmàn xiāohuà.

食べ物は飲み込まれたあと、ゆっくりと消化されます。

她对这项运动的热情正在慢慢消失。
Tā duì zhè xiàng yùndòng de rèqíng zhèngzài mànmàn xiāoshī.

彼女はこのスポーツに対する情熱を少しずつ失いつつあります。

父亲转身离去，一会儿就消失在人群中了。
Fùqin zhuǎnshēn líqu, yíhuìr jiù xiāoshīzài rénqún zhōng le.

父は向きを変えてその場を離れ、瞬く間に人混みの中へ消えました。

今年公司销售了一万多辆汽车。
Jīnnián gōngsī xiāoshòule yí wàn duō liàng qìchē.

今年会社は1万台余りの車を販売しました。

我们对销售的产品负责到底。
Wǒmen duì xiāoshòu de chǎnpǐn fùzé dàodǐ.

我々は販売した商品にどこまでも責任を負います。

0876 **孝顺** xiàoshun	動 親孝行をする
0877 **歇** xiē	動 休憩する
0878 **写作** xiězuò	動 文章を書く、作品を書く
0879 **欣赏** xīnshǎng	動 楽しむ、評価する
0880 **信任** xìnrèn	動 信頼する、信じる
0881 **行动** xíngdòng	動 行動する　名 行動

他很听话，是个孝顺的孩子。
Tā hěn tīnghuà, shì ge xiàoshun de háizi.

彼は親の言うことをよく聞く、親孝行な子です。

经常去看望父母，就是最大的孝顺了。
Jīngcháng qù kànwàng fùmǔ, jiù shì zuìdà de xiàoshun le.

ちょくちょく親を訪ねることは、何よりの親孝行です。

你太累了，歇一会儿吧。
Nǐ tài lèi le, xiē yíhuìr ba.

だいぶ疲れたでしょう。ちょっと休憩しましょう。

干了这么长时间了，快歇歇吧。
Gànle zhème cháng shíjiān le, kuài xiēxie ba.

こんなに長時間やっていたのだから、早く一休みしてください。

他爱好写作，发表了很多文学作品。
Tā àihào xiězuò, fābiǎole hěn duō wénxué zuòpǐn.

彼は執筆が好きで、多くの文学作品を発表しています。

这篇小说她整整写作了十年。
Zhè piān xiǎoshuō tā zhěngzhěng xiězuòle shí nián.

彼女はこの小説をちょうど10年間書き続けました。

他正在客厅里欣赏那幅名画。
Tā zhèngzài kètīng li xīnshǎng nà fú mínghuà.

彼は今あの名画をリビングで観て楽しんでいるところです。

领导对他很欣赏，很多重要的事情都交给他。
Lǐngdǎo duì tā hěn xīnshǎng, hěn duō zhòngyào de shìqing dōu jiāogěi tā.

リーダーは彼が気に入っていて、多くの重要なことはすべて彼に任せています。

领导很信任他，很多重要的事情都交给他办。
Lǐngdǎo hěn xìnrèn tā, hěn duō zhòngyào de shìqing dōu jiāogěi tā bàn.

リーダーは彼を信頼しており、多くの重要なことを彼に任せています。

首先你要信任别人，别人才会信任你。
Shǒuxiān nǐ yào xìnrèn biéren, biéren cái huì xìnrèn nǐ.

まず先にあなたが他人を信頼しなければ、他人もあなたを信頼しませんよ。

我们这次行动是秘密的，不能被人知道。
Wǒmen zhè cì xíngdòng shì mìmì de, bù néng bèi rén zhīdao.

私たちの今回の行動は内密なもので、人に知られるわけにはいきません。

我们先想想怎么做，然后再行动。
Wǒmen xiān xiǎngxiang zěnme zuò, ránhòu zài xíngdòng.

私たちはどうやってやるのかを先に考えて、そのあと行動します。

148

0882		
形成 xíngchéng	動 形成する、作り上げる

0883		
形容 xíngróng	動 表す、形容する

0884		
休闲 xiūxián	動 ぶらぶらする

0885		
修改 xiūgǎi	動 修正する、直す

0886		
叙述 xùshù	動（事の経過を）記す、述べる

0887		
宣布 xuānbù	動 発表する、宣言する

来这里做买卖的人多了，后来就形成了个市场。
Lái zhèlǐ zuò mǎimài de rén duō le, hòulái jiù xíngchéngle ge shìchǎng.

ここで商売する人が増えて、その後市場になりました。

这种习惯的形成不是一天两天的事情。
Zhè zhǒng xíguàn de xíngchéng bú shì yì tiān liǎng tiān de shìqing.

このような習慣は1日や2日でできるものではありません。

我现在无法形容我的心情。
Wǒ xiànzài wúfǎ xíngróng wǒ de xīnqíng.

今は自分の気持ちを表しようがありません。

人们常用"人间天堂"来形容这里美丽的风景。
Rénmen chángyòng "rénjiān tiāntáng" lái xíngróng zhèlǐ měilì de fēngjǐng.

人々はよく「この世の天国」という言葉を使ってここの美しい風景を形容します。

这个地方有山有水，很适合人们休闲。
Zhège dìfang yǒu shān yǒu shuǐ, hěn shìhé rénmen xiūxián.

この場所は自然豊かなので、人が休養するには適しています。

来这个沙滩度假、休闲的人很多。
Lái zhège shātān dùjià, xiūxián de rén hěn duō.

ここのビーチで休暇を過ごしたり、ぶらぶらする人はたくさんいます。

这篇文章我已经修改过两遍了。
Zhè piān wénzhāng wǒ yǐjīng xiūgǎiguo liǎng biàn le.

この文章を私はもう2回も直しました。

这些天我得修改论文，没时间出去。
Zhèxiē tiān wǒ děi xiūgǎi lùnwén, méi shíjiān chūqu.

このごろ論文を手直ししなければいけなくて、出かける時間がありません。

这篇文章叙述了一个动人的爱情故事。
Zhè piān wénzhāng xùshùle yí ge dòngrén de àiqíng gùshi.

この文章には感動的な愛情物語が記されていました。

大家静静地听他叙述，没有一个人说话。
Dàjiā jìngjìngde tīng tā xùshù, méiyǒu yí ge rén shuōhuà.

みなは静かに彼の話を聞いていて、おしゃべりしている人は誰一人いません。

在大会上，总经理宣布公司正式成立。
Zài dàhuì shang, zǒngjīnglǐ xuānbù gōngsī zhèngshì chénglì.

大会では、社長は会社が正式に設立されると発表しました。

我宣布：我市第22届运动会正式开幕！
Wǒ xuānbù: Wǒ shì dì èrshi'èr jiè yùndònghuì zhèngshì kāimù!

我が市の第22回運動会が正式に開幕することを宣言します。

0888

宣传
xuānchuán

動 宣伝する

0889

寻找
xúnzhǎo

動 捜す、見つけ出す

0890

询问
xúnwèn

動 (状況などを) 尋ねる

0891

训练
xùnliàn

動 訓練する、トレーニングする

0892

延长
yáncháng

動 延長する、伸ばす

0893

演讲
yǎnjiǎng

動 講演する、演説する

関 "演讲比赛" スピーチコンテスト

指定語句 | 名詞 | 動詞 | ほか | 作文対策語句

他们利用各种方式宣传交通法规。
Tāmen lìyòng gè zhǒng fāngshì xuānchuán jiāotōng fǎguī.

彼らはさまざまな方式で交通ルールを宣伝します。

我们要加强产品宣传，让更多的人了解和使用。
Wǒmen yào jiāqiáng chǎnpǐn xuānchuán, ràng gèng duō de rén liǎojiě hé shǐyòng.

私たちはさらに商品宣伝に力を入れて、さらに多くの人に理解し、使用してもらう必要があります。

孩子不见了，家长到处寻找。
Háizi bújiàn le, jiāzhǎng dàochù xúnzhǎo.

子どもがいなくなって、保護者はあちらこちらを探しています。

我一直在寻找这方面的资料。
Wǒ yìzhí zài xúnzhǎo zhè fāngmiàn de zīliào.

私はずっとこの方面の資料を探しています。

很多学生来办公室询问考试的事情。
Hěn duō xuésheng lái bàngōngshì xúnwèn kǎoshì de shìqing.

たくさんの学生がオフィスに来て試験のことを聞いてきました。

警察向司机询问了事故发生时的情况。
Jǐngchá xiàng sījī xúnwènle shìgù fāshēng shí de qíngkuàng.

警察は運転手に事故が起こったときの状況を聞きました。

快要比赛了，运动员们正在抓紧训练。
Kuàiyào bǐsài le, yùndòngyuánmen zhèngzài zhuājǐn xùnliàn.

もうすぐ試合なので、選手たちは今まさにトレーニングに励んでいます。

学生们开学的时候，要进行两周军事训练。
Xuéshengmen kāixué de shíhou, yào jìnxíng liǎng zhōu jūnshì xùnliàn.

学校が始まると、学生たちは2週間の軍事訓練を行わなくてはいけません。

会议结束不了，可能要延长半个小时。
Huìyì jiéshùbùliǎo, kěnéng yào yáncháng bàn ge xiǎoshí.

会議が終わらないので、30分延長するかもしれません。

这条公路又向南延长了 20 公里。
Zhè tiáo gōnglù yòu xiàng nán yánchángle èrshí gōnglǐ.

この道路は南に20キロ伸びました。

他演讲起来好像忘记了周围的一切。
Tā yǎnjiǎngqilai hǎoxiàng wàngjìle zhōuwéi de yíqiè.

彼の話し始めると、周りのすべてのことを忘れてしまったようです。

过几天，我们会举行一场演讲比赛。
Guò jǐ tiān, wǒmen huì jǔxíng yì chǎng yǎnjiǎng bǐsài.

数日後に、私たちはスピーチコンテストを開催します。

Track 150

0894

揺

yáo

動 振る、揺れる

0895

咬

yǎo

動 噛む、かじる

0896

移动

yídòng

動 移す、移動する

0897

移民

yí//mín

動 移住する 名 移民

0898

议论

yìlùn

動 議論する

0899

印刷

yìnshuā

動 印刷する

指定語句

名詞｜動詞｜ほか

作文対策語句

小狗摇着尾巴，表示友好。
Xiǎo gǒu yáozhe wěiba, biǎoshì yǒuhǎo.

子犬はしっぽを振って、好意を表しています。

他们摇着旗子大声叫喊着。
Tāmen yáozhe qízi dàshēng jiàohǎnzhe.

彼らは旗を振りながら、大声で叫んでいます。

他咬了一口就不吃了。
Tā yǎole yì kǒu jiù bù chī le.

彼は一口かじると、もう食べなくなりました。

老人咬不动硬东西了。
Lǎorén yǎobudòng yìng dōngxi le.

お年寄りは硬いものを噛み切ることができません。

我想把桌子移动到窗户前。
Wǒ xiǎng bǎ zhuōzi yídòngdào chuānghu qián.

テーブルを窓の前に移したいです。

冷空气已经向南移动，明天可能降温。
Lěng kōngqì yǐjīng xiàng nán yídòng, míngtiān kěnéng jiàngwēn.

冷気がすでに南へ移動したので、明日は温度が下がるかもしれません。

他已经移民了，具体去了哪儿不清楚。
Tā yǐjīng yímín le, jùtǐ qùle nǎr bù qīngchu.

彼はもう移住しました。実際にどこへ行ったのかは分かりません。

他们是来自世界各地的移民。
Tāmen shì láizì shìjiè gèdì de yímín.

彼らは世界各地からやって来た移民です。

有人小声议论："没想到结果会是这样。"
Yǒu rén xiǎoshēng yìlùn: "Méi xiǎngdào jiéguǒ huì shì zhèyàng."

「こんな結果になるとは思わなかった」と小声であれこれ言っている人がいます。

关于这件事，我听到了不少议论。
Guānyú zhè jiàn shì, wǒ tīngdàole bù shǎo yìlùn.

この件について、多くの意見を耳にしました。

这本杂志印刷得很好，图片非常清楚。
Zhè běn zázhì yìnshuāde hěn hǎo, túpiàn fēicháng qīngchu.

この雑誌は印刷がよくて、写真が非常にくっきりとしています。

中国古代发明了印刷术。
Zhōngguó gǔdài fāmíngle yìnshuāshù.

印刷は古代中国に発明されました。

0900		
	迎接 yíngjiē	動 迎える
0901		
	营业 yíngyè	動 営業する
0902		
	应付 yìngfu	動 対処する
0903		
	应用 yìngyòng	動 応用する
0904		
	拥抱 yōngbào	動 抱く、抱きしめる
0905		
	拥挤 yōngjǐ	動 押し合う 形 混雑している

他们热情迎接了代表团的到来。
Tāmen rèqíng yíngjiēle dàibiǎotuán de dàolái.

彼らは代表団の到着を温かく迎えました。

各地摆满了鲜花，迎接国庆节的到来。
Gèdì bǎimǎnle xiānhuā, yíngjiē Guóqìng Jié de dàolái.

あちこちに生花が並べられて、国慶節の到来を迎えています。

这个商店早上八点开始营业。
Zhège shāngdiàn zǎoshang bā diǎn kāishǐ yíngyè.

この店は朝8時から営業します。

这家饭馆 24 小时都营业，随时可以去吃饭。
Zhè jiā fànguǎn èrshísì xiǎoshí dōu yíngyè, suíshí kěyǐ qù chī fàn.

このレストランは24時間営業で、いつでも食事ができます。

无论多么困难的情况他都能应付。
Wúlùn duōme kùnnan de qíngkuàng tā dōu néng yìngfu.

どんなに難しい状況でも彼は対処することができます。

这件事要认真对待，不能随随便便地应付。
Zhè jiàn shì yào rènzhēn duìdài, bù néng suísuíbiànbiànde yìngfu.

この件は真面目に対処するべきで、いい加減に扱ってはいけません。

他们大胆应用新技术，取得了一系列成果。
Tāmen dàdǎn yìngyòng xīn jìshù, qǔdéle yíxìliè chéngguǒ.

彼らは大胆に新しい技術を応用して、一連の成果を得ました。

他的理论被后人重新发现并普遍应用。
Tā de lǐlùn bèi hòurén chóngxīn fāxiàn bìng pǔbiàn yìngyòng.

彼の理論は後代の者によって再発見され、広く実用化されました。

他们俩紧紧拥抱着，不愿意分开。
Tāmen liǎ jǐnjǐn yōngbàozhe, bú yuànyì fēnkāi.

彼ら2人はかたく抱き合って、離れようとしません。

获胜以后，队员们彼此拥抱了很长时间。
Huòshèng yǐhòu, duìyuánmen bǐcǐ yōngbàole hěn cháng shíjiān.

優勝したあと、選手たちは長いこと抱き合いました。

请大家不要拥挤，排着队往前走。
Qǐng dàjiā búyào yōngjǐ, páizhe duì wǎng qián zǒu.

皆さま押し合わずに、並んでお進みください。

每到上下班的时候，地铁里十分拥挤。
Měi dào shàngxiàbān de shíhou, dìtiě li shífēn yōngjǐ.

通退勤時、地下鉄はとても混雑します。

指定語句

名詞

動詞

ほか

作文対策語句

0906		
	油炸 yóuzhá	動 揚げる
0907		
	游览 yóulǎn	動 見て回る、見物する
0908		
	娱乐 yúlè	動 楽しむ、気晴らしをする　名 娯楽
0909		
	预报 yùbào	動 予報する、事前に伝える
0910		
	预订 yùdìng	動 予約する
0911		
	预防 yùfáng	動 予防する

指定語句

名詞

動詞

ほか

作文対策語句

这块肉油炸一下就更香了。
Zhè kuài ròu yóuzhá yíxià jiù gèng xiāng le.

この肉はちょっと油で揚げるとさらに香ばしくなる。

你不要吃太多油炸食品。
Nǐ búyào chī tài duō yóuzhá shípǐn.

揚げ物を食べすぎてはいけません。

如果有机会，我想去世界各地游览。
Rúguǒ yǒu jīhuì, wǒ xiǎng qù shìjiè gèdì yóulǎn.

機会があれば、世界各地を巡りたいです。

晚上七点钟，我们结束了游览回到饭店。
Wǎnshang qī diǎn zhōng, wǒmen jiéshùle yóulǎn huídào fàndiàn.

夜7時に私たちは観光を終えてホテルに戻りました。

这些人经常去酒吧娱乐。
Zhèxiē rén jīngcháng qù jiǔbā yúlè.

この人たちはよくバーに行って、楽しんでいる。

他把工作当作一种娱乐。
Tā bǎ gōngzuò dàngzuò yì zhǒng yúlè.

彼は仕事をある種の娯楽と見なしています。

电视台已经预报了本周的节目。
Diànshìtái yǐjīng yùbàole běnzhōu de jiémù.

テレビ局は今週の番組を予告しました。

我们要根据预报，做好工作安排。
Wǒmen yào gēnjù yùbào, zuòhǎo gōngzuò ānpái.

私たちは予報に基づいて、きちんと仕事を手配する必要があります。

那个饭店的座位要提前预订。
Nàge fàndiàn de zuòwèi yào tíqián yùdìng.

そのレストランの席は事前に予約する必要があります。

请问，先生有没有预订？
Qǐngwèn, xiānsheng yǒu méiyǒu yùdìng?

すみませんが、ご予約はございますか？

对各种灾害加以预防，就可以减少损失。
Duì gè zhǒng zāihài jiāyǐ yùfáng, jiù kěyǐ jiǎnshǎo sǔnshī.

あらゆる災害への予防を行うことで、損失を減らすことができます。

我们对这次传染病预防得很及时。
Wǒmen duì zhè cì chuánrǎnbìng yùfángde hěn jíshí.

私たちは感染症をタイミングよく予防しました。

0912		
	晕 yūn	動 めまいがする

0913		
	运输 yùnshū	動 運送する、運ぶ

0914		
	运用 yùnyòng	動 運用する、活用する

0915		
	在乎 zàihu	動 気にする、意に介する 解説 否定文・反語文に多く用いる

0916		
	在于 zàiyú	動 (本質・内容などが) ～にある

0917		
	赞成 zànchéng	動 賛成する ⇔ "反对 fǎnduì" 反対する

指定語句

名詞　動詞　ほか

作文対策語句

我不能喝酒，一喝就晕。
Wǒ bù néng hē jiǔ, yì hē jiù yūn.

彼は酒を飲めません。飲むとすぐ意識がなくなります。

他晕过去了，赶快送医院吧。
Tā yūnguoqu le, gǎnkuài sòng yīyuàn ba.

彼が失神しました、早く病院に運びましょう。

这些水果要尽快运输到北方。
Zhèxiē shuǐguǒ yào jǐnkuài yùnshūdào běifāng.

これらの果物はできる限り早く北方に運送しなさい。

我们有多种运输方式，可以满足顾客的需要。
Wǒmen yǒu duō zhǒng yùnshū fāngshì, kěyǐ mǎnzú gùkè de xūyào.

私たちの運送方法は多様で、お客様のニーズを満たすことができます。

人类具有运用语言的能力。
Rénlèi jùyǒu yùnyòng yǔyán de nénglì.

人類は言語を用いる能力を持っています。

他运用先进技术，解决了这个问题。
Tā yùnyòng xiānjìn jìshù, jiějuéle zhège wèntí.

彼は最先端の技術を使って、この問題を解決しました。

他很在乎别人的看法，所以处处小心谨慎。
Tā hěn zàihu biérén de kànfǎ, suǒyǐ chùchù xiǎoxīn jǐnshèn.

彼は他人の見方を気にしているので、あらゆる点で慎重です。

在工作方面，我不太在乎给钱多少。
Zài gōngzuò fāngmiàn, wǒ bú tài zàihu gěi qián duōshao.

仕事に関しては、お金をいくら使うか私はあまり気にしません。

艺术的魅力在于它能给人带来美的享受。
Yìshù de mèilì zàiyú tā néng gěi rén dàilai měi de xiǎngshòu.

アートの魅力は、人々に美の楽しみをもたらすという点にあります。

我突然领悟到：人生的快乐在于奋斗。
Wǒ tūrán lǐngwùdào: Rénshēng de kuàilè zàiyú fèndòu.

私は突然悟りました。人生の喜びは目標に向かって努力することにあることを。

我完全赞成大卫当我们的班长，他很负责任。
Wǒ wánquán zànchéng Dàwèi dāng wǒmen de bānzhǎng, tā hěn fù zérèn.

デビッドがクラス委員になることに、全面的に賛成です。彼には責任感があります。

对这个处理意见，赞成的还是占多数。
Duì zhège chǔlǐ yìjiàn, zànchéng de háishi zhàn duōshù.

この措置の意見に対しては、やはり賛成が多数を占めました。

0918		

赞美

zànměi

働 賛美する、称賛する

0919		

造成

zàochéng

働 作り上げる、引き起こす

0920		

责备

zébèi

働 責める

0921		

摘

zhāi

働 摘む

0922		

粘贴

zhāntiē

働 貼る、貼り付ける

0923		

展开

zhǎn//kāi

働 広げる、展開する

作家们常常用一些美好的事物赞美春天。

Zuòjiāmen chángcháng yòng yìxiē měihǎo de shìwù zànměi chūntiān.

作家たちはよく美しい事物を用いて、春を賛美します。

他一听到赞美的话就非常高兴。

Tā yì tīngdào zànměi de huà jiù fēicháng gāoxìng.

彼は褒め言葉を聞くとすぐ機嫌が良くなります。

我们要在半年之内，造成这座大桥。

Wǒmen yào zài bànnián zhīnèi, zàochéng zhè zuò dàqiáo.

私たちは半年以内に、この橋を完成させなければいけません。

由于你的工作失误，给公司造成了严重损失。

Yóuyú nǐ de gōngzuò shīwù, gěi gōngsī zàochéngle yánzhòng sǔnshī.

あなたの仕事のミスが、会社に重大な損失をもたらしました。

每当出现了矛盾，他总是责备别人。

Měi dāng chūxiànle máodùn, tā zǒngshì zébèi biérén.

何かトラブルが起こると、彼はいつも誰かを責めます。

这本来是你的错，怎么责备起我来了？

Zhè běnlái shì nǐ de cuò, zěnme zébèiqǐ wǒ lai le?

これはそもそもあなたのミスです、なぜ私を責めるのですか？

公园里的花儿不能随便摘。

Gōngyuán li de huār bù néng suíbiàn zhāi.

公園の花を勝手に摘んではいけません。

一进家门，她就摘下了帽子。

Yí jìn jiāmén, tā jiù zhāixiàle màozi.

玄関を入ると、彼女はすぐ帽子を取りました。

过年时，人们要把对联粘贴到门的两边。

Guònián shí, rénmen yào bǎ duìlián zhāntiēdào mén de liǎngbiān.

春節の時、人々は対聯（ついれん）を戸口の両側に貼ります。

你要粘贴得结实一点儿，别过两天就掉下来了。

Nǐ yào zhāntiēde jiēshi yìdiǎnr, bié guò liǎng tiān jiù diàoxiàlai le.

しっかりと貼りつけてください、2日経ってすぐ剥がれ落ちるなんてことのないように。

爷爷坐下后，展开报纸看了起来。

Yéye zuòxià hòu, zhǎnkāi bàozhǐ kànleqǐlai.

お祖父さんは腰を下ろしたあと、新聞を広げて読み始めました。

同学们对这个问题展开了辩论。

Tóngxuémen duì zhège wèntí zhǎnkāile biànlùn.

クラスメートたちはこの問題について討論を繰り広げました。

0924		
	展览 zhǎnlǎn	動 展示する　名 展示会
0925		
	占 zhàn	動 占める
0926		
	涨 zhǎng	動 (水位や物価が) 高くなる、上がる
0927		
	掌握 zhǎngwò	動 身につける、握る
0928		
	招待 zhāodài	動 もてなす
0929		
	着火 zháo//huǒ	動 火が付く　名 火事

指定語句
名詞
動詞
ほか
作文対策語句

博物馆成功地展览了最近出土的文物。
Bówùguǎn chénggōngde zhǎnlǎnle zuìjìn chūtǔ de wénwù.

博物館は最近出土した文物をうまく展示しました。

学校准备办一个学生书法作品展览。
Xuéxiào zhǔnbèi bàn yí ge xuéshēng shūfǎ zuòpǐn zhǎnlǎn.

学校が学生書道展示会の開催を準備しています。

大学生占全国人口的百分之多少?
Dàxuéshēng zhàn quánguó rénkǒu de bǎi fēn zhī duōshao?

大学生は全国の人口の何パーセントを占めていますか?

陆地面积占地球面积的三分之一左右。
Lùdì miànjī zhàn dìqiú miànjī de sān fēn zhī yī zuǒyòu.

陸地は地球の面積の約3分の1を占めています。

水库的水位涨高了不少。
Shuǐkù de shuǐwèi zhǎnggāole bù shǎo.

ダムの水位がかなり高くなりました。

最近全世界的粮食都在涨价。
Zuìjìn quán shìjiè de liángshi dōu zài zhǎngjià.

最近世界中の食糧は値上がりしています。

我们掌握了生产电脑的最新技术。
Wǒmen zhǎngwòle shēngchǎn diànnǎo de zuìxīn jìshù.

私たちはパソコンを生産する最新の技術を身につけました。

命运掌握在每个人自己手中。
Mìngyùn zhǎngwòzài měi ge rén zìjǐ shǒu zhōng.

運命はそれぞれの人の手に握られています。

他非常好客,总是很热情地招待朋友。
Tā fēicháng hàokè, zǒngshì hěn rèqíngde zhāodài péngyou.

彼はとても客好きで、友人をいつも親切にもてなします。

代表团我们负责招待,保证热情周到。
Dàibiǎotuán wǒmen fùzé zhāodài, bǎozhèng rèqíng zhōudào.

代表団のおもてなしは私たちが担当いたします、真心をこめた接客をお約束します。

这次着火,他家的损失很大。
Zhè cì zháohuǒ, tā jiā de sǔnshī hěn dà.

今回の火事で、彼の家は大きな痛手を被りました。

别把东西放在炉灶上,小心着火。
Bié bǎ dōngxi fàngzài lúzào shang, xiǎoxīn zháohuǒ.

ストーブの上に物を置かないでください。火事に用心して。

0930		
	着凉 zháo//liáng	動 風邪をひく
0931		
	召开 zhàokāi	動 開催する
0932		
	针对 zhēnduì	動 焦点を合わせる、目安とする
0933		
	珍惜 zhēnxī	動 大事にする
0934		
	诊断 zhěnduàn	動 診断する
0935		
	振动 zhèndòng	動 振動する

指定語句

名詞 動詞 ほか

作文対策語句

昨天晚上风大，我出去的时候着凉了。

Zuótiān wǎnshang fēng dà, wǒ chūqu de shíhou zháoliáng le.

昨晩は風が強く、出かけたときに風邪をひいてしまいました。

这种天气特别容易着凉，你注意点儿。

Zhè zhǒng tiānqì tèbié róngyì zháoliáng, nǐ zhùyì diǎnr.

このような天気では特に風邪を引きやすいです。気をつけてくださいね！

我们学校每年都要召开学生运动会。

Wǒmen xuéxiào měinián dōu yào zhàokāi xuésheng yùndònghuì.

私たちの学校では毎年、学生運動会を開催します。

2008 年的奥运会是在北京召开的。

Èrlínglíngbā nián de Àoyùnhuì shì zài Běijīng zhàokāi de.

2008年のオリンピックは北京で開催されました。

他针对这些问题，做了深入分析。

Tā zhēnduì zhèxiē wèntí, zuòle shēnrù fēnxī.

彼はこの問題に焦点を合わせて、緻密な分析を行いました。

针对目前发生的情况，我们应当采取一些措施。

Zhēnduì mùqián fāshēng de qíngkuàng, wǒmen yīngdāng cǎiqǔ yìxiē cuòshī.

目の前で起こっていることの状況に合わせて、私たちは措置を取るべきです。

老王非常珍惜时间，一分钟也不浪费。

Lǎo Wáng fēicháng zhēnxī shíjiān, yì fēnzhōng yě bú làngfèi.

王さんは時間をとても大事にして、1分も無駄にしません。

你一定要好好儿珍惜这么难得的学习机会。

Nǐ yídìng yào hǎohāor zhēnxī zhème nándé de xuéxí jīhuì.

あなたはこの貴重な学習機会を絶対に大事にしなければいけません。

大夫诊断得很准确，所以药到病除。

Dàifu zhěnduànde hěn zhǔnquè, suǒyǐ yào dào bìng chú.

医者の診断は正しかったので、薬を飲んで治りました。

他拿着医生的诊断证明去请假。

Tā názhe yīshēng de zhěnduàn zhèngmíng qù qǐngjià.

彼は医者の診断書を持って休暇を取りに行きます。

这个玩具装上电池以后就会振动。

Zhège wánjù zhuāngshàng diànchí yǐhòu jiù huì zhèndòng.

この玩具は電池を入れると振動します。

我把手机调成振动模式了。

Wǒ bǎ shǒujī tiáochéng zhèndòng móshì le.

携帯をマナーモードに設定しました。

157

0936		
	争论 zhēnglùn	動 言い争う、議論する

0937		
	争取 zhēngqǔ	動 勝ち取る、獲得する

0938		
	征求 zhēngqiú	動 たずね求める、募る

0939		
	睁 zhēng	動 目を開ける、目を見張る

0940		
	挣 zhèng	動 (汗水流して) 稼ぐ

0941		
	指导 zhǐdǎo	動 指導する

他俩声音很大，好像在争论着什么。
Tā liǎ shēngyīn hěn dà, hǎoxiàng zài zhēnglùnzhe shénme.

彼ら2人は大きな声で、何か言い争っているようです。

我们以前争论过这个问题，但没有结论。
Wǒmen yǐqián zhēnglùnguo zhège wèntí, dàn méiyǒu jiélùn.

私たちは以前この問題を論議しましたが、まだ結論が出ていません。

今年我要争取一等奖学金。
Jīnnián wǒ yào zhēngqǔ yīděng jiǎngxuéjīn.

私は今年一等の奨学金を取るつもりです。

我们得争取时间，早日完成这项工作。
Wǒmen děi zhēngqǔ shíjiān, zǎorì wánchéng zhè xiàng gōngzuò.

一分一秒も無駄にせず、早くこの仕事を終わらせましょう。

老师征求了同学们的意见，决定开展汉语比赛。
Lǎoshī zhēngqiúle tóngxuémen de yìjiàn, juédìng kāizhǎn Hànyǔ bǐsài.

先生は学生たちの意見を求め、中国語コンクールを開くことを決めました。

这家公司经常征求顾客对产品的意见。
Zhè jiā gōngsī jīngcháng zhēngqiú gùkè duì chǎnpǐn de yìjiàn.

この会社はよく商品に対する顧客の意見を求めている。

孩子睁着大眼睛，一直望着陌生人。
Háizi zhēngzhe dà yǎnjing, yìzhí wàngzhe mòshēng rén.

子どもは目を見開いて、ずっと見知らぬ人を見つめています。

他昏迷了两天，现在终于睁开了眼睛。
Tā hūnmíle liǎng tiān, xiànzài zhōngyú zhēngkāile yǎnjing.

彼は2日間意識不明の状態で、今やっと目を開けました。

听说种西瓜挣钱，他就到处学习种西瓜的技术。
Tīngshuō zhòng xīguā zhèng qián, tā jiù dàochù xuéxí zhòng xīguā de jìshù.

スイカの栽培はお金を稼げると聞いて、彼はあちこちでスイカ栽培の技術を学びました。

这些钱都是我辛辛苦苦挣来的。
Zhèxiē qián dōu shì wǒ xīnxīnkǔkǔ zhènglai de.

このお金はすべて、私が懸命に働いて得たものです。

今年张教授要指导三个研究生。
Jīnnián Zhāng jiàoshòu yào zhǐdǎo sān ge yánjiūshēng.

今年、張教授は3名の大学院生を指導します。

他对每个学员都指导得很认真。
Tā duì měi ge xuéyuán dōu zhǐdǎode hěn rènzhēn.

彼は全受講者に真面目に指導しています。

0942		
	指挥 zhǐhuī	動 指揮する　名 指揮者

0943		
	制定 zhìdìng	動 制定する

0944		
	制造 zhìzào	動 製造する、でっちあげる ⑤ "制作 zhìzuò" 作る 解説 多く書き言葉に用いる。

0945		
	制作 zhìzuò	動 作る

0946		
	治疗 zhìliáo	動 治療を受ける、治療する

0947		
	主持 zhǔchí	動 主催する、持つ

战争时期他是将军，指挥过千军万马。

Zhànzhēng shíqī tā shì jiāngjūn, zhǐhuīguo qiān jūn wàn mǎ.

戦争期に彼は将軍で、多数の兵馬を指揮しました。

我们的行动都听总指挥的。

Wǒmen de xíngdòng dōu tīng zǒngzhǐhuī de.

私たちの行動はすべて総司令官の指揮に従っています。

经过反复修改，我们公司制定了新的规章制度。

Jīngguò fǎnfù xiūgǎi, wǒmen gōngsī zhìdìngle xīn de guīzhāng zhìdù.

修正を繰り返して、弊社は新しい規則制度を制定しました。

这项法规的制定，将有助于改善生态环境。

Zhè xiàng fǎguī de zhìdìng, jiāng yǒuzhùyú gǎishàn shēngtài huánjìng.

この法規の制定は、生態環境の改善に役立ちます。

这个机器人是几个工厂联合制造的。

Zhège jīqìrén shì jǐ ge gōngchǎng liánhé zhìzào de.

このロボットはいくつかの工場で共同制作されたものです。

大家本来就有些担心，你就别制造紧张空气了。

Dàjiā běnlái jiù yǒuxiē dānxīn, nǐ jiù bié zhìzào jǐnzhāng kōngqì le.

みな元々ちょっと不安に感じているので、張り詰めた空気を作らないようにしてくださいね。

他工作不忙的时候，就在家制作家具。

Tā gōngzuò bù máng de shíhou, jiù zài jiā zhìzuò jiājù.

彼は仕事が忙しくないとき、家で家具を作ります。

这个公司的服装制作得很漂亮，深受欢迎。

Zhège gōngsī de fúzhuāng zhìzuòde hěn piàoliang, shēn shòu huānyíng.

この会社の服は美しく作られていて、非常に人気があります。

你生病了，要尽快到医院治疗。

Nǐ shēngbìng le, yào jǐnkuài dào yīyuàn zhìliáo.

あなたは病気です。早く病院へ治療に行きなさい。

这里的治疗条件比较好，你就安心治病吧。

Zhèlǐ de zhìliáo tiáojiàn bǐjiào hǎo, nǐ jiù ānxīn zhì bìng ba.

ここの治療環境は比較的良いです、安心して治療を受けてください。

这次的演讲比赛由老师和学生共同主持。

Zhè cì de yǎnjiǎng bǐsài yóu lǎoshī hé xuésheng gòngtóng zhǔchí.

今回のスピーチコンテストは教師と学生が共同で主催しています。

每个人都应该有主持正义的勇气。

Měi ge rén dōu yīnggāi yǒu zhǔchí zhèngyì de yǒngqì.

誰もが正義を主張する勇気を持つべきです。

指定語句 ／ 名詞 ／ 動詞 ／ ほか ／ 作文対策語句

0948		
	煮 zhǔ	動 煮る

0949		
	注册 zhù//cè	動 登録する

0950		
	祝福 zhùfú	動 祝福する、祝う

0951		
	抓 zhuā	動 捕まえる、手でつかむ

0952		
	抓紧 zhuā//jǐn	動 しっかりつかむ、急いでやる

0953		
	转变 zhuǎnbiàn	動 変える、転換する

指定語句

名詞・動詞

ほか

作文対策語句

我们中午煮面条吧，我最爱吃面条了。

Wǒmen zhōngwǔ zhǔ miàntiáo ba, wǒ zuì ài chī miàntiáo le.

昼ご飯は麺をゆでましょう。私、麺が大好きなんです。

肉还不太熟，再好好儿煮煮吧。

Ròu hái bú tài shú, zài hǎohāor zhǔzhu ba.

肉はまだ煮えていないので、もう少しよく煮込みましょう。

她在香港注册了一家公司。

Tā zài Xiānggǎng zhùcèle yì jiā gōngsī.

彼女は香港で会社を登記しました。

这个产品的商标去年就已经注册了。

Zhège chǎnpǐn de shāngbiāo qùnián jiù yǐjing zhùcè le.

この商品の商標は昨年すでに登録されました。

同学们热情地祝福他生日快乐。

Tóngxuémen rèqíngde zhùfú tā shēngrì kuàilè.

クラスメートたちは温かく彼の誕生日を祝いました。

每到节日，那位老师就会收到许多祝福的贺卡。

Měi dào jiérì, nà wèi lǎoshī jiù huì shōudào xǔduō zhùfú de hèkǎ.

祝祭日になると、あの先生は祝福のメッセージカードをたくさん受け取ります。

公安人员终于抓住了那个罪犯。

Gōng'ān rényuán zhōngyú zhuāzhùle nàge zuìfàn.

警察はついにあの犯罪者を捕まえました。

人们都希望警察能早日抓到真正的罪犯。

Rénmen dōu xīwàng jǐngchá néng zǎorì zhuādào zhēnzhèng de zuìfàn.

警察がすぐにでも真犯人を捕まえることを人々はみな望んでいます。

过河的时候，你要抓紧我的手。

Guò hé de shíhou, nǐ yào zhuājǐn wǒ de shǒu.

川を渡るとき、僕の手をしっかりつかんでいてください。

这项工作如果再不抓紧，就不能按时完成了。

Zhè xiàng gōngzuò rúguǒ zài bù zhuājǐn, jiù bù néng ànshí wánchéng le.

この仕事はもし今急がないと、予定通りに終わらせられなくなります。

大家希望尽快转变这种被动的局面。

Dàjiā xīwàng jìnkuài zhuǎnbiàn zhè zhǒng bèidòng de júmiàn.

みなはこの防戦一方の状況をできるだけ早く変えたいと望んでいる。

你不要着急，她需要一个转变的过程。

Nǐ búyào zháojí, tā xūyào yí ge zhuǎnbiàn de guòchéng.

焦らないでください、彼女には転換のプロセスが必要です。

333

160

0954		
	转告 zhuǎngào	動 言づける、伝言する
0955		
	装 zhuāng	動 積みこむ、～のふりをする
0956		
	装饰 zhuāngshì	動 飾る　名 飾り、装飾品
0957		
	装修 zhuāngxiū	動 (取り付けや付帯の) 工事をする 名 設備
0958		
	撞 zhuàng	動 ぶつかる、衝突する
0959		
	追 zhuī	動 追いかける、追及する

朋友转告我，明天的聚会取消了。

Péngyou zhuǎngào wǒ, míngtiān de jùhuì qǔxiāo le.

友人は明日の集まりが中止になったことを伝えてくれました。

他今天转告给我的那些话很重要。

Tā jīntiān zhuǎngàogěi wǒ de nàxiē huà hěn zhòngyào.

今日彼が私に言づけたあの話はとても重要でした。

他把不用的东西装进了箱子。

Tā bǎ búyòng de dōngxi zhuāngjìnle xiāngzi.

彼は不要なものを箱に詰めました。

这所学校很先进，每个教室都装了多媒体。

Zhè suǒ xuéxiào hěn xiānjìn, měi ge jiàoshì dōu zhuāngle duōméitǐ.

この学校は先進的で、すべての教室にマルチメディアが導入されています。

街道上到处装饰着节日的彩灯。

Jiēdào shang dàochù zhuāngshìzhe jiérì de cǎidēng.

通りには至る所に祭日のきれいな提灯が飾られています。

她在自己的包上加了很多小装饰。

Tā zài zìjǐ de bāo shang jiāle hěn duō xiǎo zhuāngshì.

彼女はバッグに小さな飾りをたくさんつけています。

为了重新装修，政府决定暂时关闭展览馆。

Wèile chóngxīn zhuāngxiū, zhèngfǔ juédìng zànshí guānbì zhǎnlǎnguǎn.

改装のため、政府は展示館の一時閉鎖を決定しました。

房子刚装修好，还没买家具。

Fángzi gāng zhuāngxiūhǎo, hái méi mǎi jiājù.

家は内装工事が終わったばかりで、家具はまだ買っていません。

他反应得很快，没有被汽车撞到。

Tā fǎnyìngde hěn kuài, méiyǒu bèi qìchē zhuàngdào.

彼はすばやく反応したので、車に衝突されませんでした。

我差点儿被撞到，幸亏我躲得快。

Wǒ chàdiǎnr bèi zhuàngdào, xìngkuī wǒ duǒde kuài.

私はあやうく衝突されそうになりましたが、幸い素早く避けられました。

他刚刚出去，你现在追还来得及。

Tā gānggāng chūqu, nǐ xiànzài zhuī hái láidejí.

彼はたった今出たばかりです、今追いかければまだ間に合いますよ。

敌人追着追着，就掉到陷阱里了。

Dírén zhuīzhe zhuīzhe, jiù diàodào xiànjǐng li le.

敵は追いかけているうちに、落とし穴に落ちました。

指定語句

名詞

動詞

ほか

作文対策語句

335

0960

追求

zhuīqiú

動 追求する、(異性を) 追う

0961

咨询

zīxún

動 尋ねる

0962

自觉

zìjué

動 自覚している、主体的な 動 自覚する

0963

自愿

zìyuàn

動 進んでする、自由意思でする

0964

综合

zōnghé

動 まとめる、統合する

⟷ "**分析 fēnxī**" 分析する

0965

阻止

zǔzhǐ

動 止める、阻止する

指定語句　名詞　動詞　ほか　作文対策語句

他一生都在追求民主和自由。
Tā yìshēng dōu zài zhuīqiú mínzhǔ hé zìyóu.

彼は民主主義と自由を一生涯追い求めます。

他在追求一个女孩儿，每天打好几个小时电话。
Tā zài zhuīqiú yí ge nǚháir, měitiān dǎ hǎojǐ ge xiǎoshí diànhuà.

彼は１人の女の子にアプローチしていて、毎日何時間も電話をしています。

我咨询了律师一些法律问题。
Wǒ zīxúnle lǜshī yìxiē fǎlǜ wèntí.

私は弁護士に法律上の問題について尋ねました。

他们一起成立了一家投资方面的咨询公司。
Tāmen yìqǐ chénglìle yì jiā tóuzī fāngmiàn de zīxún gōngsī.

彼らは一緒に投資関係のコンサルティング会社を立ち上げました。

这些学生学习都很自觉，不用催。
Zhèxiē xuésheng xuéxí dōu hěn zìjué, búyòng cuī.

この学生たちは主体的に勉強し、催促する必要がありません。

每个人都应该自觉地遵守社会公德。
Měi ge rén dōu yīnggāi zìjuéde zūnshǒu shèhuì gōngdé.

全員が自発的に社会道徳を遵守していくべきです。

这个活动自愿参加，不用向谁请假。
Zhège huódòng zìyuàn cānjiā, búyòng xiàng shéi qǐngjià.

このイベントは自由参加で、誰かに休みの許可をとる必要はありません。

这些人自愿献血，帮助那些需要的人。
Zhèxiē rén zìyuàn xiànxiě, bāngzhù nàxiē xūyào de rén.

この人たちは自ら進んで献血し、必要としているあの人たちを助けています。

经理综合了大家的建议，提出了这个计划。
Jīnglǐ zōnghéle dàjiā de jiànyì, tíchūle zhège jìhuà.

マネージャーはみなの提案をまとめて、この計画を打ち出しました。

这款手机，综合了多家手机的优点。
Zhè kuǎn shǒujī, zōnghéle duō jiā shǒujī de yōudiǎn.

この携帯は、何社もの携帯の利点を兼ね備えています。

妻子阻止你吸烟，是为你的健康着想。
Qīzi zǔzhǐ nǐ xīyān, shì wèi nǐ de jiànkāng zhuóxiǎng.

奥さんがあなたの喫煙を止めるのは、あなたの健康を考えているからです。

他想冲出去，被大家阻止住了。
Tā xiǎng chōngchuqu, bèi dàjiā zǔzhǐzhù le.

彼は外へ飛び出そうとしましたが、みなに止められました。

0966

組合
zǔhé

動 組み合わせる、組む

0967

組成
zǔchéng

動 結成する、構成する

0968

醉
zuì

動 酔っぱらう

0969

尊敬
zūnjìng

動 尊敬する

0970

遵守
zūnshǒu

動 遵守する、守る

他把两组数字组合在一起，得出了一个规律。
Tā bǎ liǎng zǔ shùzì zǔhé zài yìqǐ, déchūle yí ge guīlǜ.

彼は2組の数字を組み合わせて、1つのパターンを見つけ出しました。

我们分组讨论，大家可以自由组合。
Wǒmen fēn zǔ tǎolùn, dàjiā kěyǐ zìyóu zǔhé.

グループを分けて討議します。皆さん自由にグループになってください。

他们四个人组成了一个学习小组。
Tāmen sì ge rén zǔchéngle yí ge xuéxí xiǎozǔ.

彼らは4人で1つの学習グループを結成しました。

这个代表团主要由科学家组成。
Zhège dàibiǎotuán zhǔyào yóu kēxuéjiā zǔchéng.

この代表団は主に科学者で構成されています。

他醉了，走路摇摇晃晃的。
Tā zuì le, zǒulù yáoyáohuànghuàng de.

彼は酔って、ふらふらと歩いています。

我没喝醉，可以再来两瓶。
Wǒ méi hēzuì, kěyǐ zài lái liǎng píng.

僕は酔っていません。あと2本頼んでも大丈夫です。

孩子们都很尊敬老人，老人们都很爱护孩子。
Háizimen dōu hěn zūnjìng lǎorén, lǎorénmen dōu hěn àihù háizi.

子どもたちは老人を尊敬していますし、老人たちは子どもをいつくしんでいます。

他用自己的成功赢得了人们的尊敬。
Tā yòng zìjǐ de chénggōng yíngdéle rénmen de zūnjìng.

彼は自らの成功をもって人々からの尊敬を勝ち取りました。

学生们都自觉遵守课堂纪律。
Xuéshengmen dōu zìjué zūnshǒu kètáng jìlǜ.

学生たちは自発的に教室のルールを守っています。

这项法律我们要严格遵守，否则后果严重。
Zhè xiàng fǎlǜ wǒmen yào yángé zūnshǒu, fǒuzé hòuguǒ yánzhòng.

この法律を私たちは厳格に守らなければなりません、そうしないとひどいことになります。

重组默认词

　　シラバスでは、指定されている語句以外にも紹介されている語句があり、本ページではそのうち、指定語句の一部を組み合わせてできる語句（重组默认词）をご紹介いたします。

※多くの意味を持つ語については便宜上1つの意味・訳のみを紹介しております。

编 biān 編む

藏 cáng 隠す

肠 cháng 腸

厂 chǎng 工場

尺 chǐ ものさし

充 chōng 満たす

充电 chōngdiàn 充電する

愁 chóu 心配する

胆 dǎn 胆のう

岛 dǎo 島

订 dìng 注文する

毒 dú 毒

躲 duǒ 避ける

防 fáng 防ぐ

工程 gōngchéng 工事

拐 guǎi 曲がる

含 hán 含む

挤 jǐ こみあう

剪 jiǎn はさみで切る

亏 kuī 損をする

立 lì まっすぐ立つ

领 lǐng 首、襟

录 lù 記録する

赔 péi 賠償する

配 pèi 合わせる

喷 pēn 噴き出す

齐 qí 整然としている

棋 qí 囲碁、中国将棋

强 qiáng 強い

删 shān 削除する

扇 shàn あおぐ

射 shè 射る

湿 shī 湿っている

梳 shū くし

摔 shuāi 転ぶ

搜 sōu 捜す

替 tì 代わりをする

贴 tiē 張りつける

痛 tòng 痛い

投 tóu 投げる

土 tǔ 土

弯 wān 曲がっている

未 wèi まだ～していない

稳 wěn 安定している

握 wò 握る

闲 xián 暇な

用品 yòngpǐn 用品

造 zào 作る

曾 céng かつて

粘 zhān くっつく

治 zhì 治める

致 zhì もたらす、招く

1章

HSK 指定語句 1300

ほか 0971-1300

1300 の指定語句のうち、名詞と動詞を除く
品詞とフレーズの語句 330 を掲載していま
す。

形容詞

Track 163

0971		
	暗 àn	形 暗い、（色が）地味だ

0972		
	薄 báo	形 薄い ⇔ "**厚** hòu" 厚い

0973		
	宝贵 bǎoguì	形 貴重な

0974		
	悲观 bēiguān	形 悲観的な ⇔ "**乐观** lèguān" 楽観的な

0975		
	必然 bìrán	形 必然的な ⇔ "**偶然** ǒurán" 偶然の

0976		
	必要 bìyào	形 必要のある

灯光有点儿暗，我看不清。
Dēngguāng yǒudiǎnr àn, wǒ kànbuqīng.

明かりが少し暗くて、はっきりと見えません。

你在这么暗的地方看书，对眼睛不好。
Nǐ zài zhème àn de dìfang kàn shū, duì yǎnjing bù hǎo.

こんな暗い場所で本を読むのは、目に悪いですよ。

这条被子薄，你换条厚的吧。
Zhè tiáo bèizi báo, nǐ huàn tiáo hòu de ba.

この掛け布団は薄いので、厚いのに換えましょうよ。

她只穿了件薄毛衣就出去了。
Tā zhǐ chuānle jiàn báo máoyī jiù chūqu le.

彼女は薄いセーターだけを着て出ていきました。

时间很宝贵，我们不要浪费。
Shíjiān hěn bǎoguì, wǒmen búyào làngfèi.

時間はとても貴重です。私たちは無駄にしてはいけません。

对这次活动，欢迎大家提出宝贵意见。
Duì zhè cì huódòng, huānyíng dàjiā tíchū bǎoguì yìjiàn.

今回のイベントでは、皆様の貴重なご意見を歓迎します。

他因为一直没找到工作，变得很悲观。
Tā yīnwèi yìzhí méi zhǎodào gōngzuò, biànde hěn bēiguān.

彼はずっと仕事が見つからないので、悲観的になりました。

你的想法有些悲观，其实情况没那么糟糕。
Nǐ de xiǎngfǎ yǒuxiē bēiguān, qíshí qíngkuàng méi nàme zāogāo.

あなたの考えはいささか悲観的です。実は状況はそんなにひどくありません。

他没准备，所以考不好是必然的。
Tā méi zhǔnbèi, suǒyǐ kǎobuhǎo shì bìrán de.

彼は準備をしていなかったので、試験の結果がよくないのは必然です。

帮助别人的人必然会受到人们的尊敬。
Bāngzhù biérén de rén bìrán huì shòudào rénmen de zūnjìng.

他人を助ける人は必然的に人々に尊敬されるでしょう。

我们有必要做一些准备工作。
Wǒmen yǒu bìyào zuò yìxiē zhǔnbèi gōngzuò.

私たちは少し準備作業をする必要があります。

经理去，你们就没必要去了。
Jīnglǐ qù, nǐmen jiù méi bìyào qù le.

責任者が行くので、あなたたちは行く必要がなくなりました。

指定語句
名詞
動詞
ほか
作文対策語句
形容詞

343

Track 164

0977		
□ □ □	**不安** bù'ān	形 不安な

0978		
□ □ □	**不得了** bùdéliǎo	形 程度が非常に高い、たまらない

0979		
□ □ □	**不要紧** búyàojǐn	形 差支えない

0980		
□ □ □	**惭愧** cánkuì	形 恥ずかしい

0981		
□ □ □	**长途** chángtú	形 長距離

0982		
□ □ □	**超级** chāojí	形 超～、並外れた、スーパー

听到这个消息，他感到很不安。
Tīngdào zhège xiāoxi, tā gǎndào hěn bù'ān.

この知らせを聞いて、彼はとても不安を感じました。

他怀着不安的心情，等待着考试结果。
Tā huáizhe bù'ān de xīnqíng, děngdàizhe kǎoshì jiéguǒ.

彼はとても不安な気持ちを抱きながら、テストの結果を待っています。

听到这个消息，他高兴得不得了。
Tīngdào zhège xiāoxi, tā gāoxìngde bùdéliǎo.

この知らせを聞いて、彼はこの上なく喜びました。

万一着火了，可不得了。
Wànyī zháohuǒ le, kě bùdéliǎo.

万が一、火事になったら大変です。

他的病不要紧，过几天就好了。
Tā de bìng bú yàojǐn, guò jǐ tiān jiù hǎo le.

彼の病は大丈夫です。ここ何日かでよくなります。

你伤得怎么样？不要紧吧？
Nǐ shāngde zěnmeyàng? Búyàojǐn ba?

あなたの傷の具合はどうですか？大丈夫ですか？

任务没完成，他觉得很惭愧。
Rènwu méi wánchéng, tā juéde hěn cánkuì.

仕事が終わらなかったので、彼は恥ずかしいと思いました。

因为输了比赛，他觉得惭愧极了。
Yīnwèi shūle bǐsài, tā juéde cánkuìjí le.

試合に負けたので、彼は非常に恥ずかしそうでした。

这是一次长途旅行，我们坐了三天的火车。
Zhè shì yí cì chángtú lǚxíng, wǒmen zuòle sān tiān de huǒchē.

これは長旅です。私たちは3日間電車に乗りました。

我要坐五个小时的长途汽车，才能到老家。
Wǒ yào zuò wǔ ge xiǎoshí de chángtú qìchē, cái néng dào lǎojiā.

長距離列車に5時間乗ってやっと実家につくことができます。

这个酒店超级豪华，价格非常昂贵。
Zhège jiǔdiàn chāojí háohuá, jiàgé fēicháng ángguì.

このホテルは超豪華で、非常に高価です。

他是一位超级电影明星。
Tā shì yí wèi chāojí diànyǐng míngxīng.

彼は映画のスーパースターです。

0983		
	潮湿 cháoshī	形 湿っぽい
0984		
	吵 chǎo	形 うるさい　動 喧嘩する
0985		
	彻底 chèdǐ	形 徹底的に
0986		
	诚恳 chéngkěn	形 誠実な
0987		
	充分 chōngfèn	形 十分な
0988		
	抽象 chōuxiàng	形 抽象的な

指定語句
名詞
動詞
ほか
作文対策語句
形容詞

这个地区雨季气候非常潮湿。
Zhège dìqū yǔjì qìhòu fēicháng cháoshī.

この地域は、雨季に湿度が非常に高くなります。

她受不了这么潮湿、闷热的天气。
Tā shòubuliǎo zhème cháoshī, mēnrè de tiānqì.

彼女はこのようなジメジメした、蒸し暑い天候に耐えることができません。

这里太吵了，咱们换个地方吧。
Zhèlǐ tài chǎo le, zánmen huàn ge dìfang ba.

ここはうるさいので、場所を変えましょう。

他们俩不知道为什么吵起来了。
Tāmen liǎ bù zhīdào wèi shénme chǎoqilai le.

彼ら2人はなぜか言い争いを始めました。

这个问题解决得很彻底，以后不会再发生了。
Zhège wèntí jiějuéde hěn chèdǐ, yǐhòu bú huì zài fāshēng le.

この問題は徹底的に解決したので、今後二度と発生することはないでしょう。

我彻底明白了，他完全是为了孩子才这么做的。
Wǒ chèdǐ míngbai le, tā wánquán shì wèile háizi cái zhème zuò de.

私は完全に分かりました。彼は完全に子どものためにこうしたのです。

他诚恳的态度感动了大家。
Tā chéngkěn de tàidù gǎndòngle dàjiā.

彼の誠実な態度はみんなを感動させました。

我再一次诚恳地邀请大家到我家做客。
Wǒ zài yí cì chéngkěnde yāoqǐng dàjiā dào wǒ jiā zuòkè.

私はもう一度心から皆さんを我が家にお客さんとしてお招きします。

因为复习得很充分，所以他取得了好成绩。
Yīnwèi fùxíde hěn chōngfèn, suǒyǐ tā qǔdéle hǎo chéngjì.

十分に復習したので、彼はよい成績をとりました。

希望大家充分发表自己的意见。
Xīwàng dàjiā chōngfèn fābiǎo zìjǐ de yìjiàn.

皆さんが存分に自分の意見を発表されることを願います。

你讲得太抽象了，我听不懂。
Nǐ jiǎngde tài chōuxiàng le, wǒ tīngbudǒng.

あなたの話はあまりにも抽象的過ぎて、理解できません。

老师能把抽象的理论讲得这么生动，很不容易。
Lǎoshī néng bǎ chōuxiàng de lǐlùn jiǎngde zhème shēngdòng, hěn bù róngyì.

先生は抽象的な理論をこんなにも生き生きと話します。なかなかできることではありません。

0989		
	丑	形 醜い
	chǒu	⊟ "美 měi" 美しい
0990		
	臭	形 くさい
	chòu	⊟ "香 xiāng" 香りがよい
0991		
	出色	形 すばらしい、際立っている
	chūsè	
0992		
	初级	形 初級の
	chūjí	
0993		
	次要	形 二次的な
	cìyào	
0994		
	匆忙	形 あわただしい
	cōngmáng	

这些手机的样子太丑了，我不想买。

Zhèxiē shǒujī de yàngzi tài chǒu le, wǒ bù xiǎng mǎi.

これらの携帯のデザインはあまりにひどい。私は買いたくありません。

外貌并不是判断一个人美丑的标准。

Wàimào bìng bú shì pànduàn yí ge rén měi chǒu de biāozhǔn.

外見は、けっして人の美醜を判断する基準ではありません。

我闻到了一股臭味儿，不知道来自哪里。

Wǒ wéndàole yì gǔ chòu wèir, bù zhīdào láizì nǎli.

私は臭いにおいを嗅ぎつけましたが、どこから来たのか分かりません。

别总是乱扔你的臭袜子。

Bié zǒngshì luàn rēng nǐ de chòu wàzi.

あなたの臭い靴下をいつも適当に放っておくのはやめなさい。

他是一位非常出色的领导人。

Tā shì yí wèi fēicháng chūsè de lǐngdǎorén.

彼は非常に優れた指導者です。

他今天在比赛中的表现非常出色。

Tā jīntiān zài bǐsài zhōng de biǎoxiàn fēicháng chūsè.

彼の今日の試合での活躍は非常にすばらしかったです。

我学英语时间不长，在初级班。

Wǒ xué Yīngyǔ shíjiān bù cháng, zài chūjíbān.

私は英語の学習歴が長くないので、初級クラスにいます。

我参加的是初级水平的汉语口语考试。

Wǒ cānjiā de shì chūjí shuǐpíng de Hànyǔ kǒuyǔ kǎoshì.

私が受けるのは初級レベルの会話のテストです。

这些次要问题以后再讨论吧。

Zhèxiē cìyào wèntí yǐhòu zài tǎolùn ba.

これらの二次的な問題はまた検討しましょう。

他的成功主要是由于勤奋，聪明是次要的因素。

Tā de chénggōng zhǔyào shì yóuyú qínfèn, cōngmíng shì cìyào de yīnsù.

彼の成功は主に勤勉さによるもので、賢さは二次的な要素です。

他走得太匆忙了，忘了带手机。

Tā zǒude tài cōngmáng le, wàngle dài shǒujī.

彼はあまりにあわただしく出かけたので、携帯を忘れました。

我看见她匆匆忙忙地出去了。

Wǒ kànjiàn tā cōngcōngmángmáng de chūqu le.

私は彼女があわただしく出ていくのを見ました。

指定語句

名詞

動詞

ほか

作文対策語句

形容詞

0995		
	粗糙 cūcāo	形 雑な、ざらざらしている
0996		
	大方 dàfang	形 気前のいい
0997		
	大型 dàxíng	形 大型の
0998		
	呆 dāi	形 ぼんやりした、ぼうぜんとした
0999		
	单纯 dānchún	形 単純な　副 ただ単に、単純に
1000		
	单调 dāndiào	形 単調である、つまらない

这把椅子做工粗糙，但是还算耐用。
Zhè bǎ yǐzi zuògōng cūcāo, dànshì hái suàn nàiyòng.

この椅子は仕上がりは雑ですが、まあ丈夫だとは言えます。

他常年干体力活，所以手很粗糙。
Tā chángnián gàn tǐlì huó, suǒyǐ shǒu hěn cūcāo.

彼は年がら年じゅう力仕事をしているので、手がごつごつしています。

该大方的时候，不要小气。
Gāi dàfang de shíhou, búyào xiǎoqi.

気前よくふるまうべきときに、けちけちしてはいけません。

明天客人来了，你们要大大方方的。
Míngtiān kèrén lái le, nǐmen yào dàdàfāngfāng de.

明日お客さんが来たら、十分おもてなししてください。

这个公司制造建筑方面的大型设备。
Zhège gōngsī zhìzào jiànzhù fāngmiàn de dàxíng shèbèi.

この会社は建築関係の大型設備を製造しています。

这场大型音乐会有两万人参加。
Zhè chǎng dàxíng yīnyuèhuì yǒu liǎng wàn rén cānjiā.

この大きなコンサートには2万人が参加します。

当时我被吓呆了。
Dāngshí wǒ bèi xiàdāi le.

その時びっくりしました。

你别发呆了，赶紧想办法呀！
Nǐ bié fādāi le, gǎnjǐn xiǎng bànfǎ ya!

ぼんやりしていないで、早く方法を考えてくださいよ！

这个姑娘很单纯，很容易相信别人。
Zhège gūniang hěn dānchún, hěn róngyì xiāngxìn biérén.

この娘はとても単純で、人を信じやすいです。

公司不能单纯追求经济效益。
Gōngsī bù néng dānchún zhuīqiú jīngjì xiàoyì.

会社はただ単に利益のみを追求してはいけません。

我的生活很单调，每天就是上班和回家。
Wǒ de shēnghuó hěn dāndiào, měitiān jiù shì shàngbān hé huí jiā.

私の生活は単調で、毎日出勤し帰宅するだけです。

这些衣服都是蓝的，颜色太单调了。
Zhèxiē yīfu dōu shì lán de, yánsè tài dāndiào le.

これらの服はすべて青で、色があまりにも単調です。

指定語句 名詞 動詞 ほか 作文対策語句 形容詞

351

1001	淡 dàn	形 (味や色が) 淡い、薄い
1002	倒霉 dǎoméi	形 運が悪い、ついていない
1003	地道 dìdao	形 本場の、生粋の
1004	独特 dútè	形 独特な、ユニークな
1005	多余 duōyú	形 余分な、余計な
1006	恶劣 èliè	形 ひどい、下劣な

我觉得这个菜太淡了。
Wǒ juéde zhège cài tài dàn le.

この料理は味が薄すぎると思います。

这条裙子颜色太淡了，不适合你穿。
Zhè tiáo qúnzi yánsè tài dàn le, bú shìhé nǐ chuān.

このスカートは色が薄すぎて、あなたに似合いません。

真倒霉，我的钱包丢了。
Zhēn dǎoméi, wǒ de qiánbāo diū le.

本当に運が悪いです。財布をなくしました。

这几天老碰上这些倒霉的事。
Zhè jǐ tiān lǎo pèngshàng zhèxiē dǎoméi de shì.

この数日こんなひどい目に遭ってばかりです。

我们想去北京吃地道的北京烤鸭。
Wǒmen xiǎng qù Běijīng chī dìdao de Běijīng kǎoyā.

私たちは北京に行って本場の北京ダックを食べたいです。

他汉语说得非常地道。
Tā Hànyǔ shuōde fēicháng dìdao.

彼はネイティブ並みの中国語を話します。

他的性格非常独特，爱哭又爱笑。
Tā de xìnggé fēicháng dútè, ài kū yòu ài xiào.

彼の性格は非常にユニークで、よく泣きよく笑います。

我们学校的建筑都有独特的风格。
Wǒmen xuéxiào de jiànzhú dōu yǒu dútè de fēnggé.

私たちの学校の建物はどれも独特の風格があります。

他已经没有多余的时间去干别的了。
Tā yǐjīng méiyǒu duōyú de shíjiān qù gàn bié de le.

彼はもう他のことをする時間がなくなりました。

这篇文章里还有一些多余的句子，可以去掉。
Zhè piān wénzhāng li hái yǒu yìxiē duōyú de jùzi, kěyǐ qùdiào.

この文章にはまだ余分な文があるので、削除していいです。

那里气候恶劣，经常发生自然灾害。
Nàli qìhòu èliè, jīngcháng fāshēng zìrán zāihài.

あそこは気候が悪くて、しょっちゅう自然災害が発生します。

服务员态度很恶劣，经常向顾客发火。
Fúwùyuán tàidù hěn èliè, jīngcháng xiàng gùkè fāhuǒ.

店員の態度はとても悪く、しばしばお客さんに怒ります。

指定語句　名詞　動詞　ほか　作文対策語句　形容詞

1007		
	发达 fādá	形 発達した、盛んな　動 発達する

1008		
	繁荣 fánróng	形 繁栄した、栄えた　名 繁栄

1009		
	方 fāng	形 四角い　名 方面、〜側

1010		
	疯狂 fēngkuáng	形 狂っている

1011		
	干燥 gānzào	形 乾燥している、乾いた

1012		
	高档 gāodàng	形 高級の

指定語句　名詞　動詞　ほか　作文対策語句　形容詞

这里经济发达，人们生活富裕。
Zhèli jīngjì fādá, rénmen shēnghuó fùyù.

ここは経済が発達していて、人々の生活は豊かです。

北京的交通越来越发达，到哪儿都很方便。
Běijīng de jiāotōng yuè lái yuè fādá, dào nǎr dōu hěn fāngbiàn.

北京の交通はますます発達して、どこへ行くにも便利です。

改革开放后，这个城市逐渐繁荣起来了。
Gǎigé kāifàng hòu, zhège chéngshì zhújiàn fánróngqilai le.

改革開放後、この都市はしだいに繁栄してきました。

我们要建设一个繁荣、富强、文明的新中国。
Wǒmen yào jiànshè yí ge fánróng, fùqiáng, wénmíng de xīn Zhōngguó.

私たちは繁栄し、強く、文明的な新中国を作り上げなければなりません。

我想买一块方的餐桌布。
Wǒ xiǎng mǎi yí kuài fāng de cānzhuōbù.

四角いテーブルクロスを1枚買いたいです。

你支持哪一方的观点？
Nǐ zhīchí nǎ yìfāng de guāndiǎn?

あなたはどちらの見方を支持しますか。

他喝醉了，在大街上疯狂地喊叫着。
Tā hēzuì le, zài dàjiē shang fēngkuáng de hǎnjiàozhe.

彼は酔っぱらって、通りで狂ったように叫んでいます。

我们打退了敌人的疯狂进攻，取得了胜利。
Wǒmen dǎtuìle dírén de fēngkuáng jìngōng, qǔdéle shènglì.

私たちは敵の狂気じみた攻撃を撃退し、勝利を獲得しました。

很久不下雨了，天气很干燥。
Hěn jiǔ bú xià yǔ le, tiānqì hěn gānzào.

長い間雨が降っておらず、とても乾燥しています。

这些天有些干燥，你要多喝水。
Zhèxiē tiān yǒuxiē gānzào, nǐ yào duō hē shuǐ.

この数日少し乾燥しています、あなたは水をたくさん飲むべきです。

这个商店卖的都是高档衣服。
Zhège shāngdiàn mài de dōu shì gāodàng yīfu.

この店で売っているものはすべて高級な服です。

这几年高档住房建设得太多了。
Zhè jǐ nián gāodàng zhùfáng jiànshède tài duō le.

ここ数年、高級住宅の建設があまりに多くなっています。

1013		
	高级 gāojí	形 高級な、高価な

1014		
	公平 gōngpíng	形 公平な

1015		
	古典 gǔdiǎn	形 古典的な

1016		
	乖 guāi	形 聞き分けが良く賢い

1017		
	光滑 guānghuá	形 つるつるしている

1018		
	光明 guāngmíng	形 希望に満ちた　名 希望の光

指定語句

名詞

動詞

ほか

作文対策語句

形容詞

他现在是公司的高级管理者。
Tā xiànzài shì gōngsī de gāojí guǎnlǐzhě.

彼は現在、会社のシニアマネージャーです。

他用的东西都很高级，我几乎都没见过。
Tā yòng de dōngxi dōu hěn gāojí, wǒ jīhū dōu méi jiànguo.

彼が使うものはすべて非常に高価で、私はほとんど見たことがありません。

这件事情我们会公平处理。
Zhè jiàn shìqing wǒmen huì gōngpíng chǔlǐ.

この事件を私たちは公平に処理します。

你这种做法对我很不公平。
Nǐ zhè zhǒng zuòfǎ duì wǒ hěn bù gōngpíng.

あなたのこのようなやり方は私に対してとても不公平です。

我对中国古典哲学非常感兴趣。
Wǒ duì Zhōngguó gǔdiǎn zhéxué fēicháng gǎn xìngqù.

私は中国古典哲学に非常に興味があります。

这种建筑既很古典，也很现代。
Zhè zhǒng jiànzhù jì hěn gǔdiǎn, yě hěn xiàndài.

このような建築はとてもクラシックですが、モダンでもあります。

这孩子真乖，坐在那里一动也不动。
Zhè háizi zhēn guāi, zuòzài nàli yí dòng yě bú dòng.

この子は本当におとなしいです。あそこに座って少しも動きません。

这孩子一点儿也不乖，经常跟人打架。
Zhè háizi yìdiǎnr yě bù guāi, jīngcháng gēn rén dǎjià.

この子は少しも聞き分けがよくありません。いつも人とけんかをします。

刚下过雪，路面很光滑。
Gāng xiàguo xuě, lùmiàn hěn guānghuá.

先程雪が降り、路面がとてもつるつるしています。

桌子擦得很干净，看上去很光滑。
Zhuōzi cāde hěn gānjìng, kànshangqu hěn guānghuá.

机はきれいに拭いてあって、ぴかぴかに見えます。

只要努力工作，前途就会很光明。
Zhǐyào nǔlì gōngzuò, qiántú jiù huì hěn guāngmíng.

一生懸命仕事をしてこそ、前途はとても明るくなります。

经过手术，他终于见到了光明。
Jīngguò shǒushù, tā zhōngyú jiàndàole guāngmíng.

手術を経て、彼はついに希望の光を目にしました。

171

1019	广大 guǎngdà	形 広大な、（範囲・規模が）大きい
1020	广泛 guǎngfàn	形 幅広い
1021	过分 guòfèn	形 度を超す
1022	豪华 háohuá	形 豪華な
1023	好客 hàokè	形 客好きの、もてなし上手な
1024	好奇 hàoqí	形 興味を持つ

指定語句
名詞
動詞
ほか
作文対策語句
形容詞

西北的广大地区正在快速发展中。
Xīběi de guǎngdà dìqū zhèngzài kuàisù fāzhǎn zhōng.

北西部の広大な地域が現在急速に発展しています。

电视是为广大观众服务的。
Diànshì shì wèi guǎngdà guānzhòng fúwù de.

テレビはおびただしい数の視聴者に向けたサービスです。

我们广泛征求了群众的意见。
Wǒmen guǎngfàn zhēngqiúle qúnzhòng de yìjiàn.

私たちは幅広く民衆の意見を求めました。

这个技术已经广泛运用到很多领域了。
Zhège jìshù yǐjīng guǎngfàn yùnyòngdào hěn duō lǐngyù le.

この技術はすでに多くの分野に幅広く運用されています。

他这么说话，太过分了。
Tā zhème shuōhuà, tài guòfèn le.

彼がこう言ったのは、言い過ぎです。

他后悔不该说那些过分的话。
Tā hòuhuǐ bù gāi shuō nàxiē guòfèn de huà.

彼はあんなひどいことを言うべきではなかったと後悔しています。

这个宾馆里的设备十分豪华。
Zhège bīnguǎn li de shèbèi shífēn háohuá.

このホテルの設備はとても豪華です。

我不追求豪华，简单舒适最好。
Wǒ bù zhuīqiú háohuá, jiǎndān shūshì zuì hǎo.

私は豪華さを追求しません。シンプルで心地よいのが一番です。

好客的女主人热情地招待了我们。
Hàokè de nǚzhǔrén rèqíngde zhāodàile wǒmen.

客好きの女主人は私たちを温かくもてなしてくれました。

他总是那么好客，用最好的酒菜招待我们。
Tā zǒngshì nàme hàokè, yòng zuì hǎo de jiǔcài zhāodài wǒmen.

彼はいつも客に対してあんなに親切で、最高のお酒と食事で私たちを楽しませてくれます。

刚来中国，他对什么都很好奇。
Gāng lái Zhōngguó, tā duì shénme dōu hěn hàoqí.

中国に来たばかりの頃、彼は何にでもとても興味がありました。

人们都好奇地看着他表演。
Rénmen dōu hàoqíde kànzhe tā biǎoyǎn.

人々はみな興味深そうに彼が演じるのを見ています。

1025		
☐☐☐	**合法** héfǎ	形 合法な

1026		
☐☐☐	**合理** hélǐ	形 理にかなっている

1027		
☐☐☐	**糊涂** hútu	形 はっきりしていない、訳が分からない、めちゃくちゃである

1028		
☐☐☐	**慌张** huāngzhāng	形 あたふたした、落ち着かない

1029		
☐☐☐	**灰** huī	形 灰色の、気落ちする　名 灰

1030		
☐☐☐	**灰心** huī//xīn	形 気落ちする、くよくよする

公司一直合法经营，从来不做违法的事。

Gōngsī yìzhí héfǎ jīngyíng, cónglái bú zuò wéifǎ de shì.

会社はずっと合法的に運営しています。これまで違法なことはしたことがありません。

你们这样做肯定是不合法的。

Nǐmen zhèyàng zuò kěndìng shì bù héfǎ de.

あなた方がこのようにするのは間違いなく法にかなっていません。

你这样安排生活和学习很合理。

Nǐ zhèyàng ānpái shēnghuó hé xuéxí hěn hélǐ.

このように生活や学習の計画を立てるのは理にかなっています。

这件事她处理得又公平又合理。

Zhè jiàn shì tā chǔlǐde yòu gōngpíng yòu hélǐ.

このことは彼女が公平に、合理的に処理しました。

老人有点儿糊涂了，常常叫错孩子的名字。

Lǎorén yǒudiǎnr hútu le, chángcháng jiàocuò háizi de míngzi.

老人はちょっとぼんやりしていて、よく子どもの名前を呼び間違えます。

你这么一说，我更糊涂了。

Nǐ zhème yì shuō, wǒ gèng hútu le.

あなたのこの一言で、私はさらに訳が分からなくなりました。

快要比赛了，他显得有些慌张。

Kuàiyào bǐsài le, tā xiǎnde yǒuxiē huāngzhāng.

もうすぐ試合です、彼は少し落ち着かないようです。

大家都不要慌张，要镇定。

Dàjiā dōu búyào huāngzhāng, yào zhèndìng.

みんな慌ててはいけません、落ち着きましょう。

他今天穿的是灰色的衬衫、蓝色的牛仔裤。

Tā jīntiān chuān de shì huīsè de chènshān, lánsè de niúzǎikù.

彼は今日灰色のシャツと青いデニムをはいています。

地上有一层厚厚的灰，快扫扫吧。

Dìshang yǒu yì céng hòuhòu de huī, kuài sǎosao ba.

地面に分厚く灰が積もっています。早く掃除してください。

虽然比赛输了，可他们并没有灰心。

Suīrán bǐsài shū le, kě tāmen bìng méiyǒu huīxīn.

試合には負けましたが、彼らは落胆していません。

你灰什么心啊？应该振作起来继续努力。

Nǐ huī shénme xīn a? Yīnggāi zhènzuòqǐlai jìxù nǔlì.

何をくよくよしているのですか？元気を出して努力を続けるべきです。

指定語句

名詞

動詞

ほか

作文対策語句

形容詞

361

1031		
	活跃 huóyuè	形 活発な、活気がある 動 活発にさせる

1032		
	基本 jīběn	形 主な、基本的な　副 基本的に

1033		
	激烈 jīliè	形 (闘争・言論が) 激しい

1034		
	寂寞 jìmò	形 寂しい、孤独な

1035		
	坚决 jiānjué	形 (態度・主張などが) 断固とした、 きっぱりした

1036		
	坚强 jiānqiáng	形 ゆるぎない、強固な

第8周/第1天

今天有很多人发言，气氛很活跃。
Jīntiān yǒu hěn duō rén fāyán, qìfēn hěn huóyuè.

今日は多くの人が発言して、雰囲気がとても活発です。

这些市场活跃了当地的经济。
Zhèxiē shìchǎng huóyuèle dāngdì de jīngjì.

これらの市場は現地の経済を活性化させました。

这项工作的基本要求是会用电脑。
Zhè xiàng gōngzuò de jīběn yāoqiú shì huì yòng diànnǎo.

この仕事の基本的要件はコンピュータが使えることです。

我基本上明白了你的意思。
Wǒ jīběn shang míngbaile nǐ de yìsi.

あなたの言いたいことはだいたい分かりました。

他们意见不同，争论得很激烈。
Tāmen yìjiàn bù tóng, zhēnglùnde hěn jīliè.

彼らは意見が食い違い、激しく論争しています。

这是一场激烈的比赛，很难分出胜负。
Zhè shì yì chǎng jīliè de bǐsài, hěn nán fēnchū shèngfù.

これは激しい試合で、なかなか勝負がつきません。

那时候我没有朋友，很寂寞。
Nà shíhou wǒ méiyǒu péngyou, hěn jìmò.

そのとき私は友達がおらず、孤独でした。

老人每天一个人生活，感到很寂寞。
Lǎorén měitiān yí ge rén shēnghuó, gǎndào hěn jìmò.

老人は毎日1人で生活していて、寂しさを感じています。

他的态度非常坚决，就是不同意。
Tā de tàidù fēicháng jiānjué, jiùshì bù tóngyì.

彼の態度は断固としていて、つまり反対です。

他说得非常坚决，信心十足。
Tā shuōde fēicháng jiānjué, xìnxīn shízú.

彼の話しぶりは非常に断固としていて、自信満々です。

他生病的时候，表现得十分坚强。
Tā shēngbìng de shíhou, biǎoxiànde shífēn jiānqiáng.

彼は病気のときも、気丈に振る舞いました。

他摔倒后，又坚强地站了起来。
Tā shuāidǎo hòu, yòu jiānqiángde zhànleqǐlai.

彼は転んで、再びたくましく立ち上がった。

指定語句 名詞 動詞 ほか 作文対策語句 形容詞

363

1037	**艰巨** jiānjù	形 (事業・任務などが) 極めて困難である
1038	**艰苦** jiānkǔ	形 (環境・生活などが) 困難に満ちた、苦しい
1039	**狡猾** jiǎohuá	形 ずる賢い
1040	**结实** jiēshi	形 しっかりしている、丈夫な
1041	**紧急** jǐnjí	形 緊急の
1042	**谨慎** jǐnshèn	形 慎重である

指定語句

名詞　動詞　ほか

作文対策語句　形容詞

这项工作艰巨而光荣。 Zhè xiàng gōngzuò jiānjù ér guāngróng.	この仕事は大変ですが、光栄です。
这是一个艰巨的挑战，需要付出很多努力。 Zhè shì yí ge jiānjù de tiǎozhàn, xūyào fùchū hěn duō nǔlì.	これは困難な挑戦であり、多くの努力が必要です。
这个地区条件很艰苦，有时候连水也没有。 Zhège dìqū tiáojiàn hěn jiānkǔ, yǒu shíhou lián shuǐ yě méiyǒu.	この地域は条件が厳しく、水さえないこともあります。
他们艰苦奋斗，终于取得了成功。 Tāmen jiānkǔ fèndòu, zhōngyú qǔdéle chénggōng.	彼らは刻苦奮闘して、ついに成功を収めました。
尽管小偷很狡猾，但还是被警察抓住了。 Jǐnguǎn xiǎotōu hěn jiǎohuá, dàn háishi bèi jǐngchá zhuāzhù le.	泥棒はずる賢いけれども、やはり警察に捕まりました。
他露出了狡猾的目光，企图装作什么也不知道。 Tā lùchūle jiǎohuá de mùguāng, qǐtú zhuāngzuò shénme yě bù zhīdào.	彼はずる賢い目をしました。何もわからないふりをしようとしています。
这把椅子很结实，用了十年了。 Zhè bǎ yǐzi hěn jiēshi, yòngle shí nián le.	この椅子はとてもしっかりしていて、使って10年になります。
爷爷虽然老了，但身体很结实。 Yéye suīrán lǎo le, dàn shēntǐ hěn jiēshi.	祖父は年を取っていますが、身体はとても丈夫です。
飞机出现了故障，需要紧急降落。 Fēijī chūxiànle gùzhàng, xūyào jǐnjí jiàngluò.	飛行機に故障が起こったので、緊急着陸しなければなりません。
我们要采取紧急措施，解决这一困难。 Wǒmen yào cǎiqǔ jǐnjí cuòshī, jiějué zhè yí kùnnan.	私たちは緊急処置をとり、この問題を解決しなければなりません。
他怕别人不高兴，所以说话很谨慎。 Tā pà biérén bù gāoxìng, suǒyǐ shuōhuà hěn jǐnshèn.	彼は人が不快になるのを恐れるので、言葉に気をつけています。
我们还是谨慎一些好，免得出错。 Wǒmen háishi jǐnshèn yìxiē hǎo, miǎnde chūcuò.	私たちはやはり少し慎重になる方がいいです。間違いを起こさないように。

1043		
	经典 jīngdiǎn	形 権威のある　名 権威のある書物

1044		
	巨大 jùdà	形 巨大な

1045		
	具体 jùtǐ	形 具体的な

1046		
	均匀 jūnyún	形 一定している

1047		
	可靠 kěkào	形 信頼できる

1048		
	可怕 kěpà	形 恐ろしい

指定語句

名詞

動詞

ほか

作文対策語句

形容詞

我最近在读一些经典文章，很有收获。
Wǒ zuìjìn zài dú yìxiē jīngdiǎn wénzhāng, hěn yǒu shōuhuò.

私は最近いくつか権威のある文章を読んでいて、得るものがたくさんあります。

这些书都是经济学方面的经典。
Zhèxiē shū dōu shì jīngjìxué fāngmiàn de jīngdiǎn.

これらの本は経済学の分野で権威のある書物です。

这本书的影响巨大，它改变了很多人的观念。
Zhè běn shū de yǐngxiǎng jùdà, tā gǎibiànle hěn duō rén de guānniàn.

この本の影響はとても大きく、多くの人の考え方を変えました。

自然灾害让我们受到了巨大损失。
Zìrán zāihài ràng wǒmen shòudàole jùdà sǔnshī.

自然災害によって、私たちはとても大きな損失をこうむりました。

我看过这本书，但具体内容已经记不住了。
Wǒ kànguo zhè běn shū, dàn jùtǐ nèiróng yǐjīng jìbuzhù le.

私はこの本を読んだことがありますが、具体的な内容はもう覚えていませんでした。

具体什么时间出发，请等通知。
Jùtǐ shénme shíjiān chūfā, qǐng děng tōngzhī.

具体的にいつ出発するのかは通知をお待ちください。

他的呼吸很均匀。
Tā de hūxī hěn jūnyún.

彼の呼吸は安定しています。

油漆涂得十分均匀。
Yóuqī túde shífēn jūnyún.

ペンキはとてもむらなく塗られています。

他很可靠，你就放心吧。
Tā hěn kěkào, nǐ jiù fàngxīn ba.

彼はとても信頼できます。安心してください。

这个消息是报纸上说的，很可靠。
Zhège xiāoxi shì bàozhǐ shang shuō de, hěn kěkào.

この情報は新聞によるものです。とても信頼できます。

昨天晚上我做了一个可怕的梦。
Zuótiān wǎnshang wǒ zuòle yí ge kěpà de mèng.

昨日の夜、私は怖い夢を見ました。

他那可怕的表情，把孩子吓哭了。
Tā nà kěpà de biǎoqíng, bǎ háizi xiàkū le.

彼のあの怖い表情で子どもは驚いて泣いてしまいました。

1049

刻苦

kèkǔ

形 苦労をいとわない

1050

客观

kèguān

形 客観的な

⇔ "**主观** zhǔguān" 主観的な

1051

空闲

kòngxián

形 暇な、使われていない　名 暇

1052

宽

kuān

形 ゆったりとしている、広々とした

1053

烂

làn

形 腐った、だめな、ボロボロな

1054

老实

lǎoshi

形 誠実な、まじめな

他学习很刻苦，经常睡得很晚。

Tā xuéxí hěn kèkǔ, jīngcháng shuìde hěn wǎn.

彼は一生懸命勉強するので、しばしば寝るのが遅くなります。

经过刻苦学习，他终于掌握了这项技术。

Jīngguò kèkǔ xuéxí, tā zhōngyú zhǎngwòle zhè xiàng jìshù.

苦労をいとわず勉強し、彼はついにこの技術をものにしました。

这是客观存在的现象，谁也不能改变。

Zhè shì kèguān cúnzài de xiànxiàng, shéi yě bù néng gǎibiàn.

これは客観的に存在する現象で、誰も変えることができません。

我们要客观地分析这些问题。

Wǒmen yào kèguānde fēnxī zhèxiē wèntí.

私たちは客観的にこれらの問題を分析しなければなりません。

我空闲的时候喜欢收集一些美丽的图片。

Wǒ kòngxián de shíhou xǐhuan shōují yìxiē měilì de túpiàn.

暇なときにきれいな写真を集めるのが好きです。

工作有空闲时，他喜欢打乒乓球。

Gōngzuò yǒu kòngxián shí, tā xǐhuan dǎ pīngpāngqiú.

仕事で時間があるときには、彼は卓球をするのが好きです。

这张床很宽，可以睡三个人。

Zhè zhāng chuáng hěn kuān, kěyǐ shuì sān ge rén.

このベッドはゆったりとしていて、3人が寝られます。

这张桌子再宽一点儿就好了。

Zhè zhāng zhuōzi zài kuān yìdiǎnr jiù hǎo le.

このテーブルはもう少し大きいとよいのですが。

这些香蕉再不吃就烂了。

Zhèxiē xiāngjiāo zài bù chī jiù làn le.

これらのバナナはこれ以上食べなかったら腐ってしまいます。

我不小心，买了个烂西瓜。

Wǒ bù xiǎoxīn, mǎile ge làn xīguā.

私はうっかりして傷んだスイカを買ってしまいました。

他是个老实人，从来不说谎。

Tā shì ge lǎoshi rén, cónglái bù shuōhuǎng.

彼は誠実な人で、これまで嘘をついたことがありません。

我说的都是老实话，没有一句是假的。

Wǒ shuō de dōu shì lǎoshi huà, méiyǒu yí jù shì jiǎ de.

私が言っているのはすべてまじめな話で、嘘は一言もありません。

指定語句

名詞

動詞

ほか

作文対策語句

形容詞

369

1055		
	乐观 lèguān	形 楽観的な ⟷ "悲观 bēiguān" 悲観的な

1056		
	冷淡 lěngdàn	形 冷淡な、冷ややかな

1057		
	良好 liánghǎo	形 良好な、よい

1058		
	亮 liàng	形 (光線が強くて) 明るい　動 明るくなる

1059		
	了不起 liǎobuqǐ	形 すばらしい

1060		
	灵活 línghuó	形 敏捷な、素早い、柔軟な、融通がきく

指定語句

名詞

動詞

ほか

作文対策語句

形容詞

他是个非常乐观的人，喜欢开玩笑。
Tā shì ge fēicháng lèguān de rén, xǐhuan kāi wánxiào.

彼は非常に楽観的な人で、冗談を言うのが好きです。

他对公司今后的发展充满乐观。
Tā duì gōngsī jīnhòu de fāzhǎn chōngmǎn lèguān.

彼は会社の今後の発展に対して非常に楽観的です。

我们都受不了他那种冷淡的语气。
Wǒmen dōu shòubuliǎo tā nà zhǒng lěngdàn de yǔqì.

私たちはみな彼のあの冷淡な話し方に我慢できません。

那天的会谈气氛冷淡得很。
Nà tiān de huìtán qìfēn lěngdànde hěn.

あの日の会談の雰囲気は非常に冷ややかなものでした。

20 多年来，我们保持着良好的关系。
Èrshí duō nián lái, wǒmen bǎochízhe liánghǎo de guānxi.

二十数年来、私たちは良好な関係を保っています。

他是个自我感觉良好的人。
Tā shì ge zìwǒ gǎnjué liánghǎo de rén.

彼は自信満々な人です。

灯太亮了，我睁不开眼。
Dēng tài liàng le, wǒ zhēngbukāi yǎn.

灯りが明るすぎて、目が開けられません。

天亮了，你该起床了。
Tiān liàng le, nǐ gāi qǐchuáng le.

夜が明けました、もう起きなさい。

他会说六种语言，真了不起。
Tā huì shuō liù zhǒng yǔyán, zhēn liǎobuqǐ.

彼は6種類の言語を話せて、本当にすばらしい。

别人都认为他很了不起，但他自己觉得没什么。
Biérén dōu rènwéi tā hěn liǎobuqǐ, dàn tā zìjǐ juéde méi shénme.

人はみな彼を素晴らしいと言いますが、彼自身はなんとも思っていません。

他虽然有点儿胖，但身体很灵活。
Tā suīrán yǒudiǎnr pàng, dàn shēntǐ hěn línghuó.

彼は少し太っているが、体の動きはとても敏捷だ。

对这个问题，我们要灵活处理。
Duì zhège wèntí, wǒmen yào línghuó chǔlǐ.

この問題に対しては、私たちは柔軟に処理する必要があります。

1061

落后

luòhòu

形 遅れている　動 遅れる

⟷ "**先进 xiānjìn**" 先進的な

1062

密切

mìqiè

形 密接な、細かく

1063

苗条

miáotiao

形 ほっそりした、すらりとした

解説 女性のスタイルを描写するときに使用される

1064

敏感

mǐngǎn

形 敏感な、デリケートな

1065

明显

míngxiǎn

形 はっきりしている、明らかである

1066

模糊

móhu

形 ぼんやりしている、はっきりしない

指定語句　名詞　動詞　ほか　作文対策語句　形容詞

这个地区的经济还很落后，生活条件不太好。
Zhège dìqū de jīngjì hái hěn luòhòu, shēnghuó tiáojiàn bú tài hǎo.

この地区の経済状況は遅れていて、生活条件があまりよくありません。

我们如果不抓紧学习，就会落后。
Wǒmen rúguǒ bù zhuājǐn xuéxí, jiù huì luòhòu.

私たちがもし勉強をしっかりやらなかったら、すぐに遅れてしまうでしょう。

二十几年来他们一直保持着密切的关系。
Èrshí jǐ niánlái tāmen yìzhí bǎochízhe mìqiè de guānxi.

二十数年の間彼らはずっと密接な関係を保っています。

医生在密切观察病人的病情变化。
Yīshēng zài mìqiè guānchá bìngrén de bìngqíng biànhuà.

医師は患者の病状の変化を細かく観察しています。

那个女孩儿身材非常苗条。
Nàge nǚháir shēncái fēicháng miáotiao.

その女の子のスタイルは非常にほっそりしています。

她长得够苗条的，是很多男孩子追求的对象。
Tā zhǎngde gòu miáotiao de, shì hěn duō nánháizi zhuīqiú de duìxiàng.

彼女は生まれつきすらりとしていて、大勢の男の子の憧れの的となりました。

他是一个敏感的记者，写了很多好新闻。
Tā shì yí ge mǐngǎn de jìzhě, xiěle hěn duō hǎo xīnwén.

彼は感覚の優れた記者であり、多くの良いニュースを書いています。

你们最好不要讨论太敏感的话题。
Nǐmen zuìhǎo búyào tǎolùn tài mǐngǎn de huàtí.

あまりに敏感な話題について、あなたたちは話し合わない方がいいでしょう。

他这一年，各方面都取得了明显的进步。
Tā zhè yì nián, gè fāngmiàn dōu qǔdéle míngxiǎn de jìnbù.

彼はこの1年間、あらゆる面で明らかに進歩しました。

他的用意很明显，就是想请人帮忙解决这件事。
Tā de yòngyì hěn míngxiǎn, jiùshì xiǎng qǐng rén bāngmáng jiějué zhè jiàn shì.

彼の意図ははっきりとしています。つまり人にこの事を解決してもらうことです。

奶奶死得早，我只有一点儿模糊的印象。
Nǎinai sǐde zǎo, wǒ zhǐyǒu yìdiǎnr móhu de yìnxiàng.

おばあさんは早く亡くなったので、私にはぼんやりとした印象しかありません。

封面上的名字变得模糊不清了。
Fēngmiàn shang de míngzi biànde móhu bù qīng le.

表紙の名前がぼやけていて判別できません。

1067		
	陌生 mòshēng	形 よく知らない、なじみのない

1068		
	难免 nánmiǎn	形 避けられない、免れない

1069		
	嫩 nèn	形 若い、柔らかい、みずみずしい ⇔ "**老 lǎo**" (調理のしすぎで) 固い

1070		
	能干 nénggàn	形 仕事がよくできる、やり手である

1071		
	浓 nóng	形 濃い

1072		
	偶然 ǒurán	形 偶然の 副 たまに、たまたま ⇔ "**必然 bìrán**" 必然の

指定語句

名詞　動詞　ほか

作文対策語句

形容詞

来到这个陌生的国家，我什么都想了解。
Láidào zhège mòshēng de guójiā, wǒ shénme dōu xiǎng liǎojiě.

この知らない国に来て、私はすべてのことを知りたいです。

他回到故乡，觉得一切都变得陌生了。
Tā huídào gùxiāng, juéde yíqiè dōu biànde mòshēng le.

彼は故郷に戻ると、すべてが見知らぬものに変わったと感じました。

年轻人犯点儿错误，也是难免的事情。
Niánqīng rén fàn diǎnr cuòwù, yě shì nánmiǎn de shìqing.

若い人たちが少々間違いを犯すのは、避けられないことです。

刚到中国，难免会碰到一些困难。
Gāng dào Zhōngguó, nánmiǎn huì pèngdào yìxiē kùnnan.

中国に到着してすぐ、いくつかの困難にぶつかることは避けられません。

这些黄瓜很嫩，早上刚摘下来的。
Zhèxiē huángguā hěn nèn, zǎoshang gāng zhāixiàlai de.

このきゅうりはみずみずしいです。朝にもぎ取ったばかりです。

孩子的皮肤特别嫩，洗澡时水不能太热。
Háizi de pífū tèbié nèn, xǐzǎo shí shuǐ bù néng tài rè.

子どもの皮膚は特に柔らかいので、お風呂のときお湯が熱すぎてはいけません。

他非常能干，经理很信任他。
Tā fēicháng nénggàn, jīnglǐ hěn xìnrèn tā.

彼は仕事が非常にできるので、マネージャーに信頼されています。

小伙子确实能干，总是提前完成任务。
Xiǎohuǒzi quèshí nénggàn, zǒngshì tíqián wánchéng rènwù.

間違いなくこの青年は仕事がよくできます、いつも期限よりも前に仕事を終わらせています。

空气里有很浓的香味儿。
Kōngqì li yǒu hěn nóng de xiāngwèir.

空気中にきついにおいが漂っています。

他们学习汉语的兴趣都很浓。
Tāmen xuéxí Hànyǔ de xìngqù dōu hěn nóng.

彼らの中国語学習への関心は高いです。

一个很偶然的机会，我认识了她。
Yí ge hěn ǒurán de jīhuì, wǒ rènshile tā.

全くの偶然で、私は彼女と知り合いました。

我平时很少去书店，一年也就偶然去一两次。
Wǒ píngshí hěn shǎo qù shūdiàn, yì nián yě jiù ǒurán qù yì liǎng cì.

普段私は本屋にほとんど行きません、1年にたまたま1・2回行く程度です。

1073		
	疲劳 píláo	形 疲労している、疲れている

1074		
	片面 piànmiàn	形 一面に偏った ⇔ "**全面 quánmiàn**" 全面的な

1075		
	平 píng	形 平らな、引き分けの

1076		
	平安 píng'ān	形 無事である、平穏である

1077		
	平常 píngcháng	形 普通の　副 通常、平時

1078		
	平等 píngděng	形 平等な、対等な

指定語句 名詞 動詞 ほか 作文対策語句 形容詞

工作了一天，他感到很疲劳。
Gōngzuòle yì tiān, tā gǎndào hěn píláo.

一日働いて、彼は疲れを感じました。

在电脑前工作时间长了，眼睛特别疲劳。
Zài diànnǎo qián gōngzuò shíjiān cháng le, yǎnjing tèbié píláo.

パソコンに向かって長時間仕事をしたので、目がとても疲れています。

他的这种想法很片面，没有从全局考虑。
Tā de zhè zhǒng xiǎngfǎ hěn piànmiàn, méiyǒu cóng quánjú kǎolǜ.

彼のこのような考えは一面的で、全局から考慮されていません。

请不要片面地看问题，要全面客观地分析问题。
Qǐng búyào piànmiànde kàn wèntí, yào quánmiàn kèguānde fēnxī wèntí.

問題を一方的に見るのではなく、全面的かつ客観的に分析してください。

前面是一块平地，我们可以在那里休息。
Qiánmiàn shì yí kuài píngdì, wǒmen kěyǐ zài nàli xiūxi.

先のほうに平地があります、そこで休憩を取れますよ。

这局棋下平了，没分出胜负。
Zhè jú qí xiàpíng le, méi fēnchū shèngfù.

この1局は引き分けに終わり、勝負はつきませんでした。

我们已经平安地到达中国。
Wǒmen yǐjīng píng'ānde dàodá Zhōngguó.

私たちは無事に中国へ到着しました。

祝你旅途顺利！一路平安！
Zhù nǐ lǚtú shùnlì! Yí lù píng'ān!

順調な旅であることをお祈りします！道中ご無事で！

我只是个平常人，过着平常的生活。
Wǒ zhǐ shì ge píngcháng rén, guòzhe píngcháng de shēnghuó.

私はただの一般人で、普通の生活をしています。

他平常不太爱说话，今天说个没完。
Tā píngcháng bú tài ài shuōhuà, jīntiān, shuō ge méiwán.

彼は通常あまり話すのが好きではありませんが、今日は話が止まりません。

每个公民都具有平等的权利。
Měi ge gōngmín dōu jùyǒu píngděng de quánlì.

すべての市民はみな平等の権利を持っています。

宪法保证了人民享有真正的平等。
Xiànfǎ bǎozhèngle rénmín xiǎngyǒu zhēnzhèng de píngděng.

憲法は人々が享有する真の平等を保障しています。

1079		
	平静 píngjìng	形 (気分や環境が) 落ち着いている
1080		
	平均 píngjūn	形 均等の、平均の
1081		
	迫切 pòqiè	形 切実な、差し迫った
1082		
	谦虚 qiānxū	形 謙虚な ⇔ "骄傲 jiāo' ào" 尊大な
1083		
	浅 qiǎn	形 (深さ・経験・見識などが) 浅い、わかりやすい、(色合いが) 淡い ⇔ "深 shēn" (深さ・奥行・内容などが) 深い
1084		
	强烈 qiángliè	形 強烈な、非常に激しい

指定語句
名詞
動詞
ほか
作文対策語句
形容詞

他虽然得了冠军，但内心很平静。

Tā suīrán déle guànjūn, dàn nèixīn hěn píngjìng.

彼は優勝しましたが落ち着いています。

他平静地等待考试结果。

Tā píngjìngde děngdài kǎoshì jiéguǒ.

彼はテスト結果を落ち着いて待ちました。

我们把这笔钱平均了吧，每人一份。

Wǒmen bǎ zhè bǐ qián píngjūn le ba, měi rén yí fèn.

このお金を均等にして、それぞれの人に分けましょう。

这里冬天的平均气温在零下11度。

Zhèli dōngtiān de píngjūn qìwēn zài língxià shíyī dù.

ここの冬の平均気温はマイナス11度です。

我们都理解她渴望考上大学的迫切心情。

Wǒmen dōu lǐjiě tā kěwàng kǎoshàng dàxué de pòqiè xīnqíng.

私たちは、大学試験に合格したいという彼女の切実な思いを理解しています。

目前，治理环境污染问题显得非常迫切。

Mùqián, zhìlǐ huánjìng wūrǎn wèntí xiǎndé fēicháng pòqiè.

現在、環境汚染問題の解決は急を要しています。

我觉得王老师是个很谦虚的人。

Wǒ juéde Wáng lǎoshī shì ge hěn qiānxū de rén.

王先生はとても謙虚な人だと私は思います。

你就别谦虚了，我们知道你肯定能做好。

Nǐ jiù bié qiānxū le, wǒmen zhīdao nǐ kěndìng néng zuòhǎo.

謙遜しないでください。私たちはあなたが間違いなくうまくやれることを知っています。

这条河很浅，孩子们经常下去玩儿。

Zhè tiáo hé hěn qiǎn, háizimen jīngcháng xiàqu wánr.

この川は浅いので、子どもたちはよくそこで泳いでいます。

这本书内容比较浅，适合小学生读。

Zhè běn shū nèiróng bǐjiào qiǎn, shìhé xiǎoxuéshēng dú.

この本の内容は比較的簡単で、小学生が読むのに向いています。

强烈的地震引发了巨大的灾害。

Qiángliè de dìzhèn yǐnfāle jùdà de zāihài.

強烈な地震が大災害をもたらしました。

我心里突然产生一种强烈的不安感。

Wǒ xīnli tūrán chǎnshēng yì zhǒng qiángliè de bù'āngǎn.

突然、心の中に強い不安を感じました。

182

1085	**巧妙** qiǎomiào	形 巧妙な、巧みな
1086	**亲爱** qīn'ài	形 親愛なる
1087	**亲切** qīnqiè	形 親切な、心のこもった
1088	**勤奋** qínfèn	形 (仕事や勉強に) 勤勉な、一生懸命な
1089	**青** qīng	形 青い、(打撲を受けて皮膚などが) 黒ずんでいる
1090	**清淡** qīngdàn	形 あっさりしている、淡白な

指定語句

名詞

動詞

ほか

作文対策語句

形容詞

他巧妙地回答了记者的问题。
Tā qiǎomiàode huídále jìzhě de wèntí.

彼は巧みに記者の質問に答えました。

大家都赞成这个巧妙的方法。
Dàjiā dōu zànchéng zhège qiǎomiào de fāngfǎ.

みな全員、この巧みなやり方を賛同しています。

亲爱的爸爸妈妈，你们好吗?
Qīn'ài de bàba māma, nǐmen hǎo ma?

親愛なるお父さん、お母さん、お元気ですか?

无论我走到哪儿，都忘不了亲爱的故乡。
Wúlùn wǒ zǒudào nǎr, dōu wàngbuliǎo qīn'ài de gùxiāng.

どこに行っても、愛する故郷を忘れられません。

老师们很亲切，对我们都很关心。
Lǎoshīmen hěn qīnqiè, duì wǒmen dōu hěn guānxīn.

先生たちはとても親切で、私たちを気遣ってくれます。

他亲切的笑容让我感到非常温暖。
Tā qīnqiè de xiàoróng ràng wǒ gǎndào fēicháng wēnnuǎn.

彼の優しい笑顔は私に温かさを感じさせました。

他是个特别勤奋的学生，每天学习到很晚。
Tā shì ge tèbié qínfèn de xuésheng, měitiān xuéxídào hěn wǎn.

彼は特別勤勉な学生で、毎日遅くまで勉強しています。

在美国期间，他勤奋地学习科学技术。
Zài Měiguó qījiān, tā qínfènde xuéxí kēxué jìshù.

アメリカにいた間に、彼は科学技術を一生懸命に勉強していました。

我爱这里的青山绿水，爱这里的一切。
Wǒ ài zhèlǐ de qīngshān lǜ shuǐ, ài zhèlǐ de yíqiè.

私はここの青い山や川を愛し、ここのすべてを愛しています。

他的脸上青一块、紫一块的。
Tā de liǎn shang qīng yíkuài, zǐ yí kuài de.

彼の顔はあざだらけでした。

这盘菜很清淡，比较合我的口味。
Zhè pán cài hěn qīngdàn, bǐjiào hé wǒ de kǒuwèi.

この料理はあっさりしていて私の口に合います。

你如果觉得太清淡，可以自己放佐料。
Nǐ rúguǒ juéde tài qīngdàn, kěyǐ zìjǐ fàng zuǒliào.

もし味が薄いと感じたら、自分で調味料を入れてもいいですよ。

Track 183

1091	**全面** quánmiàn	形 全面的な、あらゆる面の ↔ "片面 piànmiàn" 一面に偏った
1092	**热烈** rèliè	形 熱烈な、盛り上がっている
1093	**热心** rèxīn	形 親切な、熱心な
1094	**日常** rìcháng	形 日常の、日々の
1095	**软** ruǎn	形 柔らかい、力が入らない
1096	**弱** ruò	形 弱い ↔ "强 qiáng" 強い

他的知识非常全面，什么都懂。
Tā de zhīshi fēicháng quánmiàn, shénme dōu dǒng.

彼に関するあらゆることを知っているので、なんでも分かります。

关于这个问题，我已经做了全面的考虑。
Guānyú zhège wèntí, wǒ yǐjīng zuòle quánmiàn de kǎolǜ.

この問題に関して、すでにあらゆる面から検討を行いました。

讨论会上，大家发言很热烈。
Tǎolùnhuì shang, dàjiā fāyán hěn rèliè.

討論会では、みなの発言で盛り上がりました。

他讲完以后，响起了热烈的掌声。
Tā jiǎngwán yǐhòu, xiǎngqǐle rèliè de zhǎngshēng.

彼の演説が終わると、会場は大きな拍手が沸き起こりました。

他对人非常热心，人们都喜欢他。
Tā duì rén fēicháng rèxīn, rénmen dōu xǐhuan tā.

彼は人に非常に親切で、みなに好かれています。

我们每天都收到大量热心读者的来信。
Wǒmen měitiān dōu shōudào dàliàng rèxīn dúzhě de láixìn.

我々は毎日多くの親切な読者の手紙を受け取っています。

这个商店只卖一些日常用品。
Zhège shāngdiàn zhǐ mài yìxiē rìcháng yòngpǐn.

この店は日常用品しか売っていません。

学校的日常工作由副校长负责。
Xuéxiào de rìcháng gōngzuò yóu fùxiàozhǎng fùzé.

学校の日常業務は副校長先生が担当しています。

这个沙发很软，坐上去很舒服。
Zhège shāfā hěn ruǎn, zuòshangqu hěn shūfu.

このソファは柔らかくて、座るととても気持ちがいいです。

我的腿脚发软，一点儿力气也没有。
Wǒ de tuǐjiǎo fāruǎn, yìdiǎnr lìqi yě méiyǒu.

足がくたくたで、少しの力も残っていません

他小时候身体很弱，经常生病。
Tā xiǎoshíhou shēntǐ hěn ruò, jīngcháng shēngbìng.

彼は小さい頃体が弱くて、よく病気になっていました。

对方一点儿也不弱，我们不能大意。
Duìfāng yìdiǎnr yě bú ruò, wǒmen bù néng dàyì.

先方は少しも弱くないので、私たちは油断してはいけません。

指定語句 名詞 動詞 ほか 作文対策語句 形容詞

Track 184

1097	**傻** shǎ	形 馬鹿な、呆然としている
1098	**善良** shànliáng	形 善良な ⊟ "凶恶 xiōng'è" 凶悪である
1099	**深刻** shēnkè	形 深い、本質に触れている
1100	**神秘** shénmì	形 神秘的な、不思議な
1101	**生动** shēngdòng	形 生き生きとしている、現実味のある
1102	**湿润** shīrùn	形 湿り気のある、しっとりしている

第 8 周 / 第 3 天

我怎么这么傻？居然让人把钱骗了。 Wǒ zěnme zhème shǎ? Jūrán ràng rén bǎ qián piàn le.	私はどうしてこんなに馬鹿なのだろう？ なんと彼にお金を騙しとられてしまいました。
他已经走了，你还在这儿傻等什么呀？ Tā yǐjīng zǒu le, nǐ hái zài zhèr shǎ děng shénme ya?	彼はもう帰りました。あなたはまだここでぼんやりして何を待っているのですか？
他是个很善良的人，有一颗善良的心。 Tā shì ge hěn shànliáng de rén, yǒu yì kē shànliáng de xīn.	彼は善良な人で、善良な心をもっています。
她不但非常美丽，而且非常善良。 Tā búdàn fēicháng měilì, érqiě fēicháng shànliáng.	彼女はただとても綺麗なだけではなく、心根も善良です。
大家对这个问题有了深刻的认识。 Dàjiā duì zhège wèntí yǒule shēnkè de rènshi.	皆はこの問題に対して、深い認識がありました。
我体会到了这段话的深刻含义。 Wǒ tǐhuìdàole zhè duàn huà de shēnkè hányì.	この話の深い意味を理解しました。
这些神秘现象，现在科学都解释清楚了。 Zhèxiē shénmì xiànxiàng, xiànzài kēxué dōu jiěshì qīngchule.	多くの神秘的な現象は、現在科学ではっきりと解明されています。
他在这里住了两天，然后神秘地消失了。 Tā zài zhèli zhùle liǎng tiān, ránhòu shénmìde xiāoshī le.	彼はここで 2 日間泊まり、その後不思議にも消えてしまいました。
他讲故事总是那么生动、有趣。 Tā jiǎng gùshi zǒngshì nàme shēngdòng、yǒuqù.	彼が話した物語はいつも生き生きとして、面白いです。
我举两个生动的例子来说明这个游戏的危害。 Wǒ jǔ liǎng ge shēngdòng de lìzi lái shuōmíng zhège yóuxì de wēihài.	リアリティのある 2 つの例を挙げて、このゲームの危険性を説明します。
下过雨后，空气变得清新湿润。 Xiàguo yǔ hòu, kōngqì biànde qīngxīn shīrùn.	雨が降ったあと、空気はすがすがしく、しっとりとなりました。
他在房间里放了一盆水，保持空气湿润。 Tā zài fángjiān li fàngle yì pén shuǐ, bǎochí kōngqì shīrùn.	彼は部屋に水が入った鉢を 1 つ置いて、空気の潤いを保っています。

指定語句

名詞

動詞

ほか

作文対策語句

形容詞

1103	时髦 shímáo	形 流行している、流行りの
1104	时尚 shíshàng	形 流行している　名 時代の流行
1105	实用 shíyòng	形 実用的な
1106	舒适 shūshì	形 心地よい、快適である
1107	熟练 shúliàn	形 熟練している、手慣れた
1108	数码 shùmǎ	形 デジタルの　名 数字

这个词现在时髦得很，很多人喜欢用。 Zhège cí xiànzài shímáo de hěn, hěnduō rén xǐhuan yòng.	この言葉は流行っていますので、みんなによく使われます。
这种红裙子曾经时髦过一阵儿。 Zhè zhǒng hóng qúnzi céngjīng shímáoguo yízhènr.	この赤いスカートは昔一時期流行していました。
这些手表都很时尚，样子非常漂亮。 Zhèxiē shǒubiǎo dōu hěn shíshàng, yàngzi fēicháng piàoliang.	これらの時計はおしゃれで、とても洗練されています。
她穿衣有自己的风格，不跟着时尚走。 Tā chuānyī yǒu zìjǐ de fēnggé, bù gēnzhe shíshàng zǒu.	彼女のファッションには彼女なりのスタイルがあります、流行は追いません。
这个办法很实用，能解决不少问题。 Zhège bànfǎ hěn shíyòng, néng jiějué bù shǎo wèntí.	この方法は実用的で、たくさんの問題を解決することができます。
这种箱子非常实用，能装很多东西。 Zhè zhǒng xiāngzi fēicháng shíyòng, néng zhuāng hěn duō dōngxi.	この箱はとても実用的で、いっぱい物が入ります。
这个沙发坐着很舒适。 Zhège shāfā zuòzhe hěn shūshì.	このソファーは座り心地がいいです。
卧室被她布置得很舒适。 Wòshì bèi tā bùzhìde hěn shūshì.	寝室は彼女が快適にしつらえていました。
老王能熟练地用英语进行交谈。 Lǎo Wáng néng shúliànde yòng Yīngyǔ jìnxíng jiāotán.	王さんは流暢な英語で会話することができます。
他开车已经达到了很熟练的程度。 Tā kāichē yǐjīng dádàole hěn shúliàn de chéngdù.	彼の運転は熟練レベルにまで到達しています。
我买了一台数码照相机。 Wǒ mǎile yì tái shùmǎ zhàoxiàngjī.	私は1台のデジタルカメラを買いました。
公司正在进一步研制提升数码技术。 Gōngsī zhèngzài jìnyíbù yánzhì tíshēng shùmǎ jìshù.	会社はさらに研究を進めてデジタル技術を発展させています。

指定語句

名詞

動詞

ほか

作文対策語句

形容詞

Track 186

1109	丝毫 sīháo	形 少しの、いささかの
1110	随身 suíshēn	形 身につける、身の回りの
1111	碎 suì	形 ばらばらの、細々とした 動 くだける
1112	坦率 tǎnshuài	形 率直な、包み隠さない
1113	烫 tàng	形 (痛いくらいに) 熱い 動 やけどする
1114	淘气 táoqì	形 やんちゃな、わんぱくな

这件事情跟我没有丝毫关系。
Zhè jiàn shìqing gēn wǒ méiyǒu sīháo guānxi.

このことはちっとも私と関係ありません。

他说的丝毫不差，完全符合事实。
Tā shuō de sīháo bù chā, wánquán fúhé shìshí.

彼が言ったことは寸分も違わなくて、完全に事実と一致します。

他总是随身带着笔记本电脑。
Tā zǒngshì suíshēn dàizhe bǐjìběn diànnǎo.

彼はいつもノートパソコンを持ち歩いています。

重要的物品大家一定要随身携带。
Zhòngyào de wùpǐn dàjiā yídìng yào suíshēn xiédài.

重要なものは、皆さん必ず身につけて携帯しなければなりません。

地上都是一些碎纸。
Dì shang dōu shì yìxiē suì zhǐ.

床にはこまごまとした紙切れが落ちています。

这些盘子全碎了，一个好的也没有。
Zhèxiē pánzi quán suì le, yí ge hǎo de yě méiyǒu.

これらのお皿は全て壊れました。1枚も割れていないものがありません。

他坦率地说出了心里的想法。
Tā tǎnshuàide shuōchū le xīnlǐ de xiǎngfǎ.

彼は素直に心の中で思ったことを話しました。

他坦率的言语让大家觉得他非常真诚。
Tā tǎnshuài de yányǔ ràng dàjiā juéde tā fēicháng zhēnchéng.

彼の率直な言葉に、みPがPを誠実な人だと思いました。

水太烫了，等一会儿再喝吧。
Shuǐ tài tàng le, děng yíhuìr zài hē ba.

お湯が熱すぎます、少し待ってあとで飲みましょう。

他的手被开水烫了一下。
Tā de shǒu bèi kāishuǐ tàngle yíxià.

彼は手を熱湯で火傷しました。

他是个淘气的孩子，不好管。
Tā shì ge táoqì de háizi, bù hǎoguǎn.

彼はやんちゃな子で、しつけるのは簡単ではありません。

小女孩儿不像小男孩儿那么淘气。
Xiǎo nǚháir bú xiàng xiǎo nánháir nàme táoqì.

女の子は男の子ほどやんちゃではありません。

指定語句

名詞

動詞

ほか

作文対策語句

形容詞

1115		
	特殊 tèshū	形 特別な、特殊な
1116		
	天真 tiānzhēn	形 無邪気でかわいい、甘い
1117		
	调皮 tiáopí	形 やんちゃな、言うことを聞かない
1118		
	统一 tǒngyī	形 一つにまとまっている 動 統一する
1119		
	痛苦 tòngkǔ	形 苦しい、苦痛である
1120		
	痛快 tòngkuài	形 愉快である、気が晴れ晴れとした

指定語句

名詞

動詞

ほか

作文対策語句

形容詞

她的情况很特殊，需要我们照顾。

Tā de qíngkuàng hěn tèshū, xūyào wǒmen zhàogù.

彼女の状況は特殊なので、私たちの世話が要ります。

我们应该考虑到一些特殊情况。

Wǒmen yīnggāi kǎolǜdào yìxiē tèshū qíngkuàng.

私たちは特別な状況を考慮すべきです。

这些孩子天真可爱，让人喜欢。

Zhèxiē háizi tiānzhēn kě'ài, ràng rén xǐhuan.

子供たちは本当にかわいくて、人に好かれています。

这种想法太天真了。

Zhè zhǒng xiǎngfǎ tài tiānzhēnle.

このような考えは甘いです。

这群孩子很调皮，不好管。

Zhè qún háizi hěn tiáopí, bù hǎoguǎn.

この子供たちはやんちゃで、しつけるのが難しい。

他是我们班最调皮的学生。

Tā shì wǒmen bān zuì tiáopí de xuésheng.

彼はうちのクラスで最も言うことを聞かない学生です。

要做好这项工作，首先要统一大家的思想。

Yào zuòhǎo zhè xiàng gōngzuò, shǒuxiān yào tǒngyī dàjiā de sīxiǎng.

この仕事をうまく進めるには、まず皆の意見をまとめなければなりません。

元旦时，全国统一放假一天。

Yuándàn shí, quánguó tǒngyī fàngjià yì tiān.

元旦の日、全国で統一して1日休みます。

他生病了，表情十分痛苦。

Tā shēngbìngle, biǎoqíng shífēn tòngkǔ.

彼は病気になって、とても苦しそうな表情をしています。

人生有欢乐，也有痛苦。

Rénshēng yǒu huānlè, yěyǒu tòngkǔ.

人生は喜びがあり、苦痛もあります。

大家都很高兴，只有他不太痛快。

Dàjiā dōu hěn gāoxìng, zhǐyǒu tā bú tài tòngkuai.

みな喜んでいますが、彼だけすっきりしないようです。

老师痛快地答应了我们的要求。

Lǎoshī tòngkuàide dāyingle wǒmen de yāoqiú.

先生は私たちの要望を素直にのんでくれました。

1121	透明 tòumíng	形 透明な、透き通った
1122	突出 tūchū	形 突出している　動 目立たせる、突出する
1123	歪 wāi	形 ゆがんだ、まっすぐでない ⟷ "正 zhèng" まっすぐな
1124	完美 wánměi	形 完璧である、全くすばらしい
1125	完善 wánshàn	形 (設備が) 完備された、完璧な
1126	完整 wánzhěng	形 全てがそろった、欠けたもののない

这里的海水非常干净、透明。
Zhèli de hǎishuǐ fēicháng gānjìng, tòumíng.

この海の水は透き通っていて、非常にきれいです。

这种鱼的身体是透明的，非常独特。
Zhè zhǒng yú de shēntǐ shì tòumíng de, fēicháng dútè.

この種類の魚は体が透明で、とても独特です。

他的成绩很突出，在前三名之内。
Tā de chéngjì hěn tūchū, zài qián sān míng zhīnèi.

彼の成績は抜きんでていて、トップ3に入ります。

你讲话的时候要突出重点。
Nǐ jiǎnghuà de shíhou yào tūchū zhòngdiǎn.

話をするときには、重要なところを際立たせます。

这幅画儿挂得有点儿歪。
Zhè fú huàr guàde yǒudiǎnr wāi.

この絵は少し斜めに掛けられています。

这个汉字写歪了，不好看。
Zhège Hànzì xiěwāi le, bù hǎokàn.

この漢字は曲がって書かれているので、見栄えがよくないです。

表演太完美了，观众完全被征服了。
Biǎoyǎn tài wánměi le guānzhòng wánquán bèi zhēngfú le.

演技があまりに立派で、観衆は完全に圧倒されました。

这部作品的思想性和艺术性达到了完美的统一。
Zhè bù zuòpǐn de sīxiǎngxìng hé yìshùxìng dádàole wánměi de tǒngyī.

この作品の思想性と芸術性は完全に1つとなっています。

这里有完善的体育设施，你随时可以锻炼身体。
Zhèli yǒu wánshàn de tǐyù shèshī, nǐ suíshí kěyǐ duànliàn shēntǐ.

ここには設備が整った体育施設があり、いつでも体を鍛えることができます。

我们的技术还没达到十分完善的地步。
Wǒmen de jìshù hái méi dádào shífēn wánshàn de dìbù.

私たちの技術はまだたいへん優れた程度にまでは達していません。

关于这次会议，我们有完整的记录。
Guānyú zhè cì huìyì, wǒmen yǒu wánzhěng de jìlù.

今回の会議について記録がすべて残っています。

你能不能把这件事完整地叙述一遍?
Nǐ néng bù néng bǎ zhè jiàn shì wánzhěngde xùshù yí biàn?

この事件を最初から最後まで完璧に説明してもらえますか。

指定語句

名詞

動詞

ほか

作文対策語句

形容詞

1127	唯一 wéiyī	形 唯一の
1128	伟大 wěidà	形 偉大な
1129	委屈 wěiqu	形 つらい、悔しい　動 嫌な思いをさせる
1130	温暖 wēnnuǎn	形 暖かい、温和な
1131	温柔 wēnróu	形 優しい 解説 多く女性を形容するときに用いられる
1132	无数 wúshù	形 無数の、数えきれない

现在哥哥是她唯一的亲人。
Xiànzài gēge shì tā wéiyī de qīnrén.

今、お兄さんは彼女の唯一の身内です。

要想通过考试，努力学习是唯一的办法。
Yào xiǎng tōngguò kǎoshì, nǔlì xuéxí shì wéiyī de bànfǎ.

試験に合格したいのであれば、一生懸命勉強することが唯一の方法です。

母爱是伟大的，也是无私的。
Mǔ'ài shì wěidà de, yě shì wúsī de.

母の愛というのは偉大で、私心のないものでもあります。

这样伟大的建筑不知道古人是怎么完成的。
Zhèyàng wěidà de jiànzhù bù zhīdào gǔrén shì zěnme wánchéng de.

この偉大な建築物を昔の人々がどのように完成させたのか、本当に分かりません。

受了批评，他觉得很委屈。
Shòule pīpíng, tā juéde hěn wěiqu.

叱られたので、彼はつらく感じました。

这不是他的错，你委屈他了。
Zhè bú shì tā de cuò, nǐ wěiqu tā le.

これは彼の過失ではありません。あなたが彼を苦しめたのです。

春天来了，天气渐渐温暖起来。
Chūntiān lái le, tiānqì jiànjiàn wēnnuǎnqilai.

春が来て、天気がだんだん暖かくなっています。

我能感到他家温暖的气氛。
Wǒ néng gǎndào tā jiā wēnnuǎn de qìfēn.

彼の家の温かい雰囲気が感じられます。

他妻子的性格非常温柔。
Tā qīzi de xìnggé fēicháng wēnróu.

彼の奥さんは性格がとても優しいです。

她用温柔的目光看着大家。
Tā yòng wēnróu de mùguāng kànzhe dàjiā.

彼女は優しいまなざしでみなを見ています。

无数的人们来到这里，纪念这位英雄。
Wúshù de rénmen láidào zhèli, jìniàn zhè wèi yīngxióng.

数えきれない人々がここに来て、この英雄を記念します。

我去过的地方无数，但还是最喜欢自己的家乡。
Wǒ qùguo de dìfang wúshù, dàn háishi zuì xǐhuan zìjǐ de jiāxiāng.

私は数えきれないほどの場所に行きましたが、やはり自分の故郷が一番好きです。

指定語句 名詞 動詞 ほか 作文対策語句 形容詞

190

1133		
鲜艳 xiānyàn	形 あざやかな	

1134		
显然 xiǎnrán	形 明らかな	

1135		
相对 xiāngduì	形 相対的な　動 向かい合う	
	↔ "**绝对 juéduì**" 絶対的な、絶対に	

1136		
相似 xiāngsì	形 似ている	

1137		
消极 xiāojí	形 消極的な、マイナスな	
	↔ "**积极 jījí**"	

1138		
小气 xiǎoqi	形 けちな	
	↔ "**大方 dàfang**" 気前がよい	

花园里的牡丹花特别鲜艳。
Huāyuán li de mǔdanhuā tèbié xiānyàn.

庭園にある牡丹の花が特に美しく鮮やかです。

她们穿着鲜艳的服装，显得特别年轻。
Tāmen chuānzhe xiānyàn de fúzhuāng, xiǎnde tèbié niánqīng.

彼女らは鮮やかな服装をしていて、特別若く見えます。

他们不按要求做，显然是错误的。
Tāmen bú àn yāoqiú zuò, xiǎnrán shì cuòwù de.

彼らは要求どおりにやっていません、明らかに間違っています。

他显然得到了一些人的支持。
Tā xiǎnrán dédàole yìxiē rén de zhīchí.

彼は明らかに一定の人たちから支持を得ています。

两个人相对而坐，一句话也不说。
Liǎng ge rén xiāngduì ér zuò, yí jù huà yě bù shuō.

2人は向かい合って座り、一言も話していません。

水平的高低是相对的，不是绝对的。
Shuǐpíng de gāodī shì xiāngduì de, bú shì juéduì de.

レベルの高低は相対的なもので、絶対的なものではありません。

他俩长得很相似，我有时候分不出来。
Tā liǎ zhǎngde hěn xiāngsì, wǒ yǒu shíhou fēnbuchūlái.

彼ら2人はよく似ているので、私はたまに見分けがつきません。

两个地方有着相似的气候条件。
Liǎng ge dìfang yǒuzhe xiāngsì de qìhòu tiáojiàn.

2つの地方には似た気候条件があります。

他的行为给公司带来了消极的影响。
Tā de xíngwéi gěi gōngsī dàilaile xiāojí de yǐngxiǎng.

彼の行動は会社に悪い影響を与えました。

他现在的工作态度很消极，缺乏动力。
Tā xiànzài de gōngzuò tàidù hěn xiāojí, quēfá dònglì.

彼の現在の仕事の態度は非常に消極的で、やる気がありません。

我不喜欢像他那么小气的人。
Wǒ bù xǐhuan xiàng tā nàme xiǎoqi de rén.

彼のようにみみっちい人が私は好きではありません。

我没见过比他更小气的人。
Wǒ méi jiànguo bǐ tā gèng xiǎoqi de rén.

彼よりけちな人を私は見たことがありません。

指定語句

名詞 動詞 ほか

作文対策語句

形容詞

1139		
	斜 xié	形 斜めの、傾いた

1140		
	幸运 xìngyùn	形 幸運な、運のよい

1141		
	虚心 xūxīn	形 謙虚な

1142		
	迅速 xùnsù	形 迅速な、速やか

1143		
	严肃 yánsù	形 厳しい、まじめな、厳粛な

1144		
	痒 yǎng	形 かゆい

这条街是斜的，很容易迷路。
Zhè tiáo jiē shì xié de, hěn róngyì mílù.

この通りは斜めになっているので、道に迷いやすいです。

墙上的钟表挂得有点儿斜。
Qiáng shang de zhōngbiǎo guàde yǒudiǎnr xié.

壁の時計は少し傾いてかかっています。

你能中奖，真是太幸运了。
Nǐ néng zhòngjiǎng, zhēn shì tài xìngyùn le.

あなたはくじに当たるなんて、本当に幸運ですね。

不是每个人都能得到这种幸运。
Bú shì měi ge rén dōu néng dédào zhè zhǒng xìngyùn.

誰でもこのような幸運に恵まれるわけではありません。

他是个很虚心的人，进步很快。
Tā shì ge hěn xūxīn de rén, jìnbù hěn kuài.

彼は謙虚な人で、進歩が早いです。

校长虚心听取了学生们的意见和建议。
Xiàozhǎng xūxīn tīngqǔle xuéshengmen de yìjiàn hé jiànyì.

校長は学生たちの意見と提案を謙虚に聞き取りました。

这几年，北京的发展非常迅速。
Zhè jǐ nián, Běijīng de fāzhǎn fēicháng xùnsù.

ここ数年、北京は発展のスピードが非常に速いです。

他迅速地说出了问题的答案。
Tā xùnsùde shuōchūle wèntí de dá'àn.

彼はすばやく問題の答えを言いました。

老师严肃的目光让我们感到很紧张。
Lǎoshī yánsù de mùguāng ràng wǒmen gǎndào hěn jǐnzhāng.

先生の厳しい目つきが私たちを緊張させます。

无论做什么，他都严肃、认真。
Wúlùn zuò shénme, tā dōu yánsù、rènzhēn.

何をするにしても、彼はいつも厳しく、真面目です。

我身上很痒，在不停地抓。
Wǒ shēnshang hěn yǎng, zài bù tíng de zhuā.

体がかゆいので、ひっきりなしにかいています。

我的嗓子非常痒，总想咳嗽。
Wǒ de sǎngzi fēicháng yǎng, zǒng xiǎng késou.

私の喉が非常にむずむずして、ずっと咳をしたいです。

1145		
	业余 yèyú	形 仕事以外の、アマチュアの

1146		
	一致 yízhì	形 一致した、合致した

1147		
	意外 yìwài	形 意外な　副 意外にも

1148		
	英俊 yīngjùn	形 ハンサムな、格好いい 解説 多く男性を形容するときに用いられる

1149		
	硬 yìng	形 硬い、（意思・感情が）動かされにくい　副 かたくなに

1150		
	用功 yònggōng	形 勉強熱心である

她常常利用业余时间写小说。
Tā chángcháng lìyòng yèyú shíjiān xiě xiǎoshuō.

彼女はよく余暇を利用して、小説を書いています。

他是搞经济学研究的，是个业余画家。
Tā shì gǎo jīngjìxué yánjiū de, shì ge yèyú huàjiā.

彼は経済学の研究者で、アマチュアの画家です。

我们对这个问题有一致的认识。
Wǒmen duì zhège wèntí yǒu yízhì de rènshi.

この問題に対して、私たちは一致した認識を持っています。

两位专家的观点有些不一致。
Liǎng wèi zhuānjiā de guāndiǎn yǒuxiē bù yízhì.

2人の専門家の見方は一部が食い違っています。

这个电影的结尾很意外，谁都没有想到。
Zhège diànyǐng de jiéwěi hěn yìwài, shéi dōu méiyǒu xiǎngdào.

この映画の結末は意外で、誰も思いつきませんでした。

一定要注意安全，防止意外发生。
Yídìng yào zhùyì ānquán, fángzhǐ yìwài fāshēng.

絶対に安全に注意して、不慮の事故が起こるのを防ぎましょう。

这些英俊的青年表演了中国功夫。
Zhèxiē yīngjùn de qīngnián biǎoyǎnle Zhōngguó gōngfu.

このハンサムな若者はカンフーを披露しました。

他穿上这身衣服显得特别英俊。
Tā chuānshàng zhè shēn yīfu xiǎnde tèbié yīngjùn.

彼はこの服を着たら、特別ハンサムに見えます。

这张床太硬了，昨晚我没睡好。
Zhè zhāng chuáng tài yìng le, zuówǎn wǒ méi shuìhǎo.

このベッドは固すぎて、昨夜よく眠れませんでした。

我们不让他去，可他硬要去。
Wǒmen bú ràng tā qù, kě tā yìng yào qù.

私たちは彼を行かせまいとしましたが、彼は頑として行きたがっています。

你好好儿用功，争取明年考上一个好大学。
Nǐ hǎohāor yònggōng, zhēngqǔ míngnián kǎoshàng yí ge hào dàxué.

しっかり勉強して、来年良い大学に入学できるように努めなさい。

她一向很用功，无论在学习还是工作上。
Tā yíxiàng hěn yònggōng, wúlùn zài xuéxí háishi gōngzuò shang.

彼女は、学業でも仕事でも一生懸命がんばっています。

指定語句

名詞

動詞

ほか

作文対策語句

形容詞

401

1151	优惠 yōuhuì	形 優遇した
1152	优美 yōuměi	形 (景色や言語などが) 美しい
1153	悠久 yōujiǔ	形 悠久な、とても長い
1154	犹豫 yóuyù	形 ためらう、躊躇する
1155	有利 yǒulì	形 有利な
1156	圆 yuán	形 丸い

指定語句

名詞

動詞

ほか

作文対策語句

形容詞

你们可以再优惠一些吗?
Nǐmen kěyǐ zài yōuhuì yìxiē ma?

もう少し価格をご優遇いただけ
ないでしょうか?

国家制定了很多优惠政策, 鼓励发展科学技术。
Guójiā zhìdìngle hěn duō yōuhuì zhèngcè, gǔlì fāzhǎn kēxué jìshù.

国は多くの優遇政策を制定し
て、科学技術の発展を奨励して
います。

这里景色优美, 游人很多。
Zhèlǐ jǐngsè yōuměi, yóurén hěn duō.

ここの景色は美しくて、観光客
が多いです。

这篇文章语言优美, 内容丰富。
Zhè piān wénzhāng yǔyán yōuměi, nèiróng fēngfù.

この文章は言葉が美しく、内容
も豊かである。

两国交往的历史十分悠久。
Liǎng guó jiāowǎng de lìshǐ shífēn yōujiǔ.

両国の交流の歴史はとても長
い。

这是一座历史悠久的古城。
Zhè shì yí zuò lìshǐ yōujiǔ de gǔchéng.

ここは悠久の歴史をもった古都
です。

他犹豫了一会儿, 但还是答应了。
Tā yóuyùle yíhuìr, dàn háishi dāying le.

彼は少し躊躇しましたが、結局
同意しました。

他遇到事情总犹豫不决。
Tā yùdào shìqing zǒng yóuyù bù jué.

彼は何かあったとき、いつも優
柔不断です。

现在的情况对我们很有利。
Xiànzài de qíngkuàng duì wǒmen hěn yǒulì.

今の状況は私たちに有利です。

他们抓住有利时机, 大力发展公司业务。
Tāmen zhuāzhù yǒulì shíjī, dàlì fāzhǎn gōngsī yèwù.

彼らは有利な時機を逃さず、会
社の事業を大いに発展させまし
た。

今晚的月亮又圆又亮。
Jīnwǎn de yuèliang yòu yuán yòu liàng.

今夜の月は丸くて明るいです。

她在纸上画了一个圆。
Tā zài zhǐ shang huàle yí ge yuán.

彼女は紙に1つの円を描きまし
た。

1157		
	糟糕 zāogāo	形 ひどい、まずい

1158		
	窄 zhǎi	形 (幅・度量などが) 狭い

1159		
	真实 zhēnshí	形 真実の、現実の

1160		
	整个 zhěnggè	形 全体の、全ての

1161		
	整齐 zhěngqí	形 そろっている、整然としている 関 **"衣冠整齐"** 身なりがきちんとしている

1162		
	正 zhèng	形 まっすぐの、正直な　副 ちょうど、最中で ⊟ **"歪 wāi"** 歪んだ、傾いた

指定語句

名詞

動詞

ほか

作文対策語句

形容詞

糟糕! 我把钥匙锁在房间里了。
Zāogāo! Wǒ bǎ yàoshi suǒzài fángjiān li le.

しまった！鍵を部屋に置いたまま閉めてしまいました。

我还没考过这么糟糕的成绩。
Wǒ hái méi kǎoguo zhème zāogāo de chéngjì.

僕は一度もこんなひどい成績を取ったことはありません。

这条胡同很窄，两人并排走很困难。
Zhè tiáo hútòng hěn zhǎi, liǎng rén bìngpái zǒu hěn kùnnan.

この路地は狭く、2人並んで歩くのは難しいです。

小王心眼儿太窄，容易生气。
Xiǎo Wáng xīnyǎnr tài zhǎi, róngyì shēngqì.

王さんは度量が狭すぎて、すぐに腹を立てます。

这是一个真实的故事，不是编造出来的。
Zhè shì yí ge zhēnshí de gùshi, bú shì biānzàochulai de.

これは真実の物語で、作り上げられたものではありません。

这部小说真实地反映了现实生活。
Zhè bù xiǎoshuō zhēnshíde fǎnyìngle xiànshí shēnghuó.

この小説は現実の生活をそのまま反映しています。

北京整个城市是以故宫为中心的。
Běijīng zhěnggè chéngshì shì yǐ Gùgōng wéi zhōngxīn de.

北京市全体は故宮を中心としています。

我找遍了整个学校，也没看见他的影子。
Wǒ zhǎobiànle zhěnggè xuéxiào, yě méi kànjiàn tā de yǐngzi.

学校中を探しても、彼の姿は見当たりませんでした。

这个班表演太极拳时，动作非常整齐。
Zhège bān biǎoyǎn tàijíquán shí, dòngzuò fēicháng zhěngqí.

このクラスは太極拳のパフォーマンスをしているとき、動きが非常にそろっていました。

这里满山都是整齐的梯田。
Zhèlǐ mǎn shān dōu shì zhěngqí de tītián.

ここは山全体が、きれいに整った段々畑です。

他正上着课，不能接电话。
Tā zhèng shàngzhe kè, bù néng jiē diànhuà.

彼は授業中で、今電話に出られません。

我的看法和你正相反。
Wǒ de kànfǎ hé nǐ zhèng xiāngfǎn.

私の見方は君のと正反対です。

Track 195

1163		
	直 zhí	形 まっすぐな、一直線の　副 正直に ⟷ "弯 wān" 曲がった，"横 héng" 水平方向の
1164	**重大** zhòngdà	形 重大な
1165	**周到** zhōudào	形 用意周到の、行き届いた
1166	**主动** zhǔdòng	形 自発的な、積極的な ⟷ "被动 bèidòng / 受动 shòudòng" 受動的な
1167	**主观** zhǔguān	形 主観的な ⟷ "客观 kèguān" 客観的な
1168	**专心** zhuānxīn	形 専念した、集中した

指定語句

名詞 動詞 ほか

作文対策語句

形容詞

这条街特别直，从这头可以望见那头。
Zhè tiáo jiē tèbié zhí, cóng zhè tóu kěyǐ wàngjiàn nà tóu.

この通りは特にまっすぐなので、こちらの端からあちらの端まで見渡せます。

火箭直上蓝天，一会儿就不见了。
Huǒjiàn zhíshàng lántiān, yíhuìr jiù bújiàn le.

ロケットは青空へ一直線に上っていき、しばらくすると見えなくなりました。

他们在科学研究上取得了重大成就。
Tāmen zài kēxué yánjiū shang qǔdéle zhòngdà chéngjiù.

彼らは科学的研究で大きな成果を上げました。

他们采取了一些重大措施，保障了大家的安全。
Tāmen cǎiqǔle yìxiē zhòngdà cuòshī, bǎozhàngle dàjiā de ānquán.

彼らはいくつかの重大な措置を講じて、みなの安全を保障しました。

这家饭店服务周到，客人很满意。
Zhè jiā fàndiàn fúwù zhōudào, kèrén hěn mǎnyì.

このホテルはサービスが良くて、お客様は満足している。

我们的接待有哪些不周到的，请指出来。
Wǒmen de jiēdài yǒu nǎxiē bù zhōudào de, qǐng zhǐchulai.

私たちのおもてなしに行き届かないところがありましたら、どうぞぞ指摘ください。

他做事向来很主动，想得很周到。
Tā zuòshì xiànglái hěn zhǔdòng, xiǎngde hěn zhōudào.

彼はこれまで何をするにも積極的で、あらゆることに気が回ります。

遇到问题时，应该主动采取一些措施。
Yùdào wèntí shí, yīnggāi zhǔdòng cǎiqǔ yìxiē cuòshī.

問題にぶつかったとき、いくつかの措置を積極的に取るべきです。

你的主观愿望是好的，但方法不对。
Nǐ de zhǔguān yuànwàng shì hǎo de, dàn fāngfǎ búduì.

あなたの主観的な願いはよいのですが、やり方を間違えています。

这个人主观得很，很难听取别人的意见。
Zhège rén zhǔguānde hěn, hěn nán tīngqǔ biérén de yìjiàn.

この人は見方が独り善がりなので、人の意見をなかなか受け入れません。

大家都劝他好好儿休息，专心养病。
Dàjiā dōu quàn tā hǎohāor xiūxi, zhuānxīn yǎngbìng.

みなが彼に、しっかり休んで療養に専念するよう勧めました。

这些孩子踢球踢得很专心，我看有培养前途。
Zhèxiē háizi tī qiú tīde hěn zhuānxīn, wǒ kàn yǒu péiyǎng qiántú.

この子たちは一心不乱にサッカーをしていて、将来性があると思います。

形容詞・副詞

 196

1169		
	紫 zǐ	形 紫色の
1170		
	自动 zìdòng	形 自発的な、自動の　副 自然に
1171		
	自豪 zìháo	形 誇りに思う、誇らしげだ
1172		
	自私 zìsī	形 利己的な、身勝手な
1173		
	自由 zìyóu	形 自由な　名 自由
1174		
	毕竟 bìjìng	副 ついに、つまり

她穿了一条紫颜色的裙子。
Tā chuānle yì tiáo zǐ yánsè de qúnzi.

彼女は紫色のスカートを穿いて
います。

天气很冷，他的嘴唇都发紫了。
Tiānqì hěn lěng, tā de zuǐchún dōu fā zǐ le.

寒くて、彼の唇が紫色になって
います。

上车的时候，人们自动地站成了一排。
Shàng chē de shíhou, rénmen zìdòngde zhànchéngle yì pái.

乗車時、人々は進んで一列に並
んでいます。

因为过期，这张卡已经自动失效了。
Yīnwèi guòqī, zhè zhāng kǎ yǐjīng zìdòng shīxiào le.

期限切れで、このカードはすで
に自動的に失効した。

儿子拿了冠军，父母非常自豪。
Érzi nále guànjūn, fùmǔ fēicháng zìháo.

息子が優勝を勝ち取ったこと
を、両親はとても誇りに思って
います。

经理自豪地说，我们的产品质量是最好的。
Jīnglǐ zìháode shuō, wǒmen de chǎnpǐn zhìliàng shì zuì hǎo de.

マネージャーは誇らしげに、私
たちの製品の質は一番だと言い
ました。

老刘比较自私，很少帮助别人。
Lǎo Liú bǐjiào zìsī, hěn shǎo bāngzhù biérén.

劉さんはわりと自分勝手で、
めったに他人を助けません。

他一点儿也不自私，处处为别人着想。
Tā yìdiǎnr yě bú zìsī, chùchù wèi biérén zhuóxiǎng.

彼は少しも身勝手なところがな
く、どこに行っても他人のため
を考えます。

法律规定，公民享有言论的自由。
Fǎlǜ guīdìng, gōngmín xiǎngyǒu yánlùn de zìyóu.

法律は公民に言論の自由がある
と定めている。

我羡慕自由的小鸟，想飞到哪里就飞到哪里。
Wǒ xiànmù zìyóu de xiǎo niǎo, xiǎng fēidào nǎli jiù fēidào nǎli.

私は自由な小鳥が羨ましいで
す、好きなところへ飛んでいけ
るのですから。

毕竟是春天了，天气暖和多了。
Bìjìng shì chūntiān le, tiānqì nuǎnhuoduō le.

ついに春になって、ずっと暖か
くなりました。

他毕竟还是个孩子，你就原谅他吧。
Tā bìjìng hái shì ge háizi, nǐ jiù yuánliàng tā ba.

彼はつまるところまだ子どもで
す。彼を許してあげてください。

指定語句

名詞 | 動詞 | ほか

作文対策語句

形容詞・副詞

副詞

1175		
	便 biàn	副 すぐに 接 ～だとしても
1176		
	不断 búduàn	副 絶えず
1177		
	不见得 bújiànde	副 ～とは限らない
1178		
	曾经 céngjīng	副 かつて
1179		
	迟早 chízǎo	副 遅かれ早かれ
1180		
	从此 cóngcǐ	副 この時から

指定語句 | 名詞 | 動詞 | ほか | 作文対策語句 | 副詞

他刚出门便下起了大雨。

Tā gāng chūmén biàn xiàqǐle dàyǔ.

彼が家を出るとすぐに大雨が降りだしました。

因为没买到机票，我便多住了两天。

Yīnwèi méi mǎidào jīpiào, wǒ biàn duō zhùle liǎng tiān.

航空券が買えなかったので、私は2日間延泊しました。

河水不断地流向大海。

Héshuǐ búduànde liúxiàng dàhǎi.

川の水は絶えず海へと流れます。

他不断鼓励我，我才有了信心。

Tā búduàn gǔlì wǒ, wǒ cái yǒule xìnxīn.

彼が絶えず私を励ましてくれたからこそ、私は自信が持てました。

别看容易，你不见得能学会。

Bié kàn róngyì, nǐ bújiànde néng xuéhuì.

簡単に考えないように、あなたはマスターできているとは限りません。

这场雨下午不见得能停。

Zhè cháng yǔ xiàwǔ bújiànde néng tíng.

この雨が午後にやむとは限りません。

我曾经在这里工作过三年。

Wǒ céngjīng zài zhèlǐ gōngzuòguo sān nián.

私はかつてここで3年仕事をしたことがあります。

我小的时候，曾经跟爷爷奶奶生活在一起。

Wǒ xiǎo de shíhou, céngjīng gēn yéye nǎinai shēnghuózài yìqǐ.

私は小さいとき、祖父母と一緒に生活したことがあります。

你再这样做下去，迟早会出问题。

Nǐ zài zhèyàng zuòxiaqu, chízǎo huì chū wèntí.

あなたがこのようにやり続けたら、遅かれ早かれ問題が発生します。

他们俩分手是迟早的事。

Tāmen liǎ fēnshǒu shì chízǎo de shì.

彼らは遅かれ早かれ別れるでしょう。

他 15 岁离开家乡，从此再也没有回去。

Tā shíwǔ suì líkāi jiāxiāng, cóngcǐ zài yě méiyǒu huíqu.

彼は15歳で故郷を離れ、それから二度と戻っていません。

我买了一辆汽车，从此上下班就方便多了。

Wǒ mǎile yí liàng qìchē, cóngcǐ shàngxiàbān jiù fāngbiànduō le.

私は自動車を買ったので、それ以降通勤がずっと便利になりました。

1181		
	单独 dāndú	副 一人で、単独で

1182		
	的确 díquè	副 確かに、間違いなく

1183		
	反而 fǎn'ér	副 かえって、むしろ

1184		
	反复 fǎnfù	副 繰り返して、何遍も

1185		
	反正 fǎnzhèng	副 どうせ、どのみち、いずれにせよ

1186		
	仿佛 fǎngfú	副 まるで（～のようだ）　動 似ている

第9周 / 第1天

我想跟你单独谈谈。 Wǒ xiǎng gēn nǐ dāndú tántan.	私はあなた1人と話したいです。
老师单独给他辅导过两次。 Lǎoshī dāndú gěi tā fǔdǎoguo liǎng cì.	先生は彼1人を2回指導したことがある。
他的确聪明，一看就会了。 Tā díquè cōngmíng, yí kàn jiù huì le.	彼は確かに頭がよく、一度見ただけですぐできるようになりました。
的确，我们从前没有见过面。 Díquè, wǒmen cóngqián méiyǒu jiànguo miàn.	間違いなく、私たちは会ったことがありません。
他不但没生气，反而笑了起来。 Tā búdàn méi shēngqì, fǎn'ér xiàoleqǐlai.	彼は怒っていないどころか、かえって笑い出しました。
他的病不但没好，反而更加严重了。 Tā de bìng búdàn méi hǎo, fǎn'ér gèngjiā yánzhòng le.	彼の病気はよくなるどころか、いっそうひどくなりました。
他反复读着这篇文章，觉得很有道理。 Tā fǎnfù dúzhe zhè piān wénzhāng, juéde hěn yǒu dàolǐ.	彼は繰り返しこの文章を読んでいて、なるほどと思っています。
老师反复强调了安全问题。 Lǎoshī fǎnfù qiángdiàole ānquán wèntí.	先生は安全の問題を繰り返し強調しました。
你不用担心，反正我们会支持你。 Nǐ búyòng dānxīn, fǎnzhèng wǒmen huì zhīchí nǐ.	心配しないでください。どちらにせよあなたを応援します。
你不用着急，反正不是什么重要的事情。 Nǐ búyòng zháojí, fǎnzhèng bú shì shénme zhòngyào de shìqing.	焦らないでください。どうせ重要なことではないです。
我跟他说话，他仿佛没听见。 Wǒ gēn tā shuōhuà, tā fǎngfú méi tīngjiàn.	私は彼に話しましたが、彼は聞こえなかったようです。
我仿佛见过他，但想不起在哪儿了。 Wǒ fǎngfú jiànguo tā, dàn xiǎngbuqǐ zài nǎr le.	私は彼に会ったことがあるようですが、どこでかは思い出せません。

指定語句

名詞

動詞

ほか

作文対策語句

副詞

413

1187	非 fēi	副 ～にあらず
1188	纷纷 fēnfēn	副 次々と
1189	干脆 gāncuì	副 いっそのこと　形 はっきりしている
1190	赶紧 gǎnjǐn	副 急いで
1191	赶快 gǎnkuài	副 早く
1192	格外 géwài	副 特に、ことのほか

第9周 / 第1天

指定語句 名詞 動詞 ほか 作文対策語句 副詞

我不让他去，可他非去不可。
Wǒ bú ràng tā qù, kě tā fēi qù bù kě.

私は彼に行かないように言いました が、彼はどうしても行くと言って聞きません。

他下了决心，非学好汉语不行。
Tā xiàle juéxīn, fēi xuéhǎo Hànyǔ bùxíng.

彼は中国語をマスターしなければならないと決心しました。

大家纷纷发言，表达自己的看法。
Dàjiā fēnfēn fāyán, biǎodá zìjǐ de kànfǎ.

みんなは次々と発言し、自分の考えを述べました。

同学们纷纷报名参加 HSK 考试。
Tóngxuémen fēnfēn bàomíng cānjiā HSK kǎoshì.

同級生は次々とHSKに申し込みました。

你要是再迟到，就干脆别来了。
Nǐ yàoshi zài chídào, jiù gāncuì bié lái le.

もしまた遅刻するのでしたら、いっそのこと来ないでください。

他回答得很干脆，就一个字"行"。
Tā huídáde hěn gāncuì, jiù yí ge zì "xíng".

彼ははっきりと答えました。ただ一言「よろしい」と。

快开车了，大家赶紧上车吧。
Kuài kāichē le, dàjiā gǎnjǐn shàng chē ba.

もうすぐ発車します。みなさん急いで乗ってくださいね。

他的病很严重，需要赶紧送医院。
Tā de bìng hěn yánzhòng, xūyào gǎnjǐn sòng yīyuàn.

彼の病気はとても重いので、早く病院に送る必要があります。

大家都在等你，你赶快来吧。
Dàjiā dōu zài děng nǐ, nǐ gǎnkuài lái ba.

みんなあなたを待っていますよ。早く来てください。

时间不多了，我们赶快开始吧。
Shíjiān bù duō le, wǒmen gǎnkuài kāishǐ ba.

時間があまりありません。私たちは急いで始めましょう。

他的学习成绩格外突出。
Tā de xuéxí chéngjì géwài tūchū.

彼の学業成績はとりわけ群を抜いています。

穿上这件衣服，她显得格外年轻。
Chuānshàng zhè jiàn yīfu, tā xiǎnde géwài niánqīng.

この服を着ると、彼女は特に若く見えます。

1193		
	个别 gèbié	副 個別に

1194		
	根本 gēnběn	副 全く 名 根本 形 主要な 解説 副詞用法は否定形で使用されることが多い

1195		
	怪不得 guàibude	副 道理で

1196		
	果然 guǒrán	副 案の定、やはり

1197		
	何必 hébì	副 ～する必要はあるのか

1198		
	忽然 hūrán	副 突然

你对我有什么意见，可以个别提出来。

Nǐ duì wǒ yǒu shénme yìjiàn, kěyǐ gèbié tíchulai.

私に対するどんな不満も、個別に伝えていただいて構いません。

你再个别征求一下大家的意见。

Nǐ zài gèbié zhēngqiú yíxià dàjiā de yìjiàn.

再度みなの意見を個別に求めてみなさい。

我根本不认识他，怎么会和他在一起呢?

Wǒ gēnběn bú rènshi tā, zěnme huì hé tā zài yìqǐ ne?

私は全く彼を知らないのに、どうして彼と一緒にいるということがあるでしょうか。

抓住问题的根本，才能找出正确的解决方法。

Zhuāzhù wèntí de gēnběn, cái néng zhǎochū zhèngquè de jiějué fāngfǎ.

問題の根本をつかんでこそ、正確な解決方法が探し出せるのです。

怪不得看不到他了，原来他回国了。

Guàibude kànbudào tā le, yuánlái tā huí guó le.

道理で彼を見なくなったわけです。彼は帰国していたのですから。

怪不得他没来，原来生病了。

Guàibude tā méi lái, yuánlái shēngbìng le.

道理で彼は来なかったはずです。病気だったのですから。

他说下雨，果然下雨了。

Tā shuō xià yǔ, guǒrán xià yǔ le.

彼は雨が降ると言って、案の定雨が降りました。

你说的真准，他果然来了。

Nǐ shuō de zhēn zhǔn, tā guǒrán lái le.

あなたの言うことは正しいです、案の定彼は来ました。

坐公共汽车很方便，何必打车呢?

Zuò gōnggòng qìchē hěn fāngbiàn, hébì dǎchē ne?

バスに乗れば便利なのに、タクシーに乗る必要がありますか?

我们都是老朋友，何必客气呢?

Wǒmen dōu shì lǎo péngyou, hébì kèqi ne?

私たちはみんなつき合いの長い友達なのに遠慮する必要があるでしょうか。

刚才还是晴天，现在忽然下起雨来了。

Gāngcái háishi qíngtiān, xiànzài hūrán xiàqi yǔ lai le.

ちょうどさっきまで晴れていましたが、今突然雨が降ってきました。

他说着说着忽然笑了起来。

Tā shuōzhe shuōzhe hūrán xiàoleqǐlai.

彼は話しているうちに突然笑い出しました。

指定語句

名詞

動詞

ほか

作文対策語句

副詞

1199

或许

huòxǔ

副 かもしれない

1200

极其

jíqí

副 極めて

解説 書き言葉で用いる

1201

急忙

jímáng

副 あわただしく、せわしく

1202

简直

jiǎnzhí

副（語気を強調して）まさに、全く

1203

尽快

jǐnkuài

副 できるだけ早く

1204

尽量

jǐnliàng

副 できるだけ

指定語句
名詞
動詞
ほか
作文対策語句
副詞

或许是酒喝得太多了，他看起来很兴奋。
Huòxǔ shì jiǔ hēde tài duō le, tā kànqilai hěn xīngfèn.

おそらく飲みすぎたのか、彼は興奮しているようでした。

这本书你拿去吧，或许对你有帮助。
Zhè běn shū nǐ náqu ba, huòxǔ duì nǐ yǒu bāngzhù.

この本を持っていきなさい、もしかしたら役に立つかもしれません。

同学们**极其**珍惜这次出国留学的机会。
Tóngxuémen jíqí zhēnxī zhè cì chūguó liúxué de jīhuì.

クラスメートたちはこの海外留学の機会を大切にしています。

他们**极其**重视教育，建设了很多学校。
Tāmen jíqí zhòngshì jiàoyù, jiànshèle hěnduō xuéxiào.

彼らは教育を非常に重視しており、多くの学校を建ててきました。

接完电话后，他**急忙**跑了出去。
Jiēwán diànhuà hòu, tā jímáng pǎolechūqu.

電話に出た後、彼は急いで駆け出していきました。

看见领导进来，他**急忙**站了起来。
Kànjiàn lǐngdǎo jìnlai, tā jímáng zhànleqǐlai.

指導者が入って来るのを見て、彼は慌てて立ち上がりました。

中国长城**简直**是人类的奇迹。
Zhōngguó Chángchéng jiǎnzhí shì rénlèi de qíjì.

中国の万里の長城はまさに人類の奇跡です。

我**简直**不知道该怎么办才好了。
Wǒ jiǎnzhí bù zhīdào gāi zěnme bàn cái hǎo le.

どうすればいいか全然分からなくなりました。

经理催我们**尽快**把工作计划写出来。
Jīnglǐ cuī wǒmen jǐnkuài bǎ gōngzuò jìhuà xiěchulai.

マネージャーは業務計画をできるだけ早く書き上げるよう私たちをせかしました。

这些水果要**尽快**运输到北方。
Zhèxiē shuǐguǒ yào jǐnkuài yùnshū dào běifāng.

これらの果物はできるだけ早く北に輸送する必要があります。

你**尽量**来吧，我们等你。
Nǐ jǐnliàng lái ba, wǒmen děng nǐ.

できる限り来てくださいね。私たちは待っていますから。

你**尽量**提前一些到火车站，免得到时候着急。
Nǐ jǐnliàng tíqián yìxiē dào huǒchēzhàn, miǎnde dào shíhou zháojí.

あなたはできるだけ少し早めに駅についておいてください。そのときになって焦らなくてもいいように。

1205		
	居然 jūrán	副 なんと
1206		
	绝对 juéduì	副 絶対に　形 絶対的な
1207		
	立即 lìjí	副 すぐ、ただちに
1208		
	立刻 lìkè	副 すぐ
1209		
	连忙 liánmáng	副 急いで、あわてて
1210		
	临时 línshí	副 臨時に　形 臨時の

他没去医院，病居然好了。
Tā méi qù yīyuàn, bìng jūrán hǎo le.

彼は病院に行かなかったのになんと病気が治りました。

这么简单的考试，他居然没及格。
Zhème jiǎndān de kǎoshì, tā jūrán méi jígé.

こんな簡単な試験にもかかわらず、彼はなんと合格しませんでした。

我们绝对服从上级的命令。
Wǒmen juéduì fúcóng shàngjí de mìnglìng.

私たちは絶対に上司の命令に従います。

我们是好朋友，我绝对相信他。
Wǒmen shì hǎo péngyou, wǒ juéduì xiāngxìn tā.

私たちは親友です。私は絶対に彼を信じます。

病人需要立即做手术。
Bìngrén xūyào lìjí zuò shǒushù.

病人はすぐに手術する必要があります。

事故发生后，我们立即采取了措施。
Shìgù fāshēng hòu, wǒmen lìjí cǎiqǔle cuòshī.

事故発生後、私たちはただちに措置を取りました。

请你立刻到我办公室来。
Qǐng nǐ lìkè dào wǒ bàngōngshì lái.

すぐに私のオフィスに来てください。

这种情景让我立刻想起了自己的童年。
Zhè zhǒng qíngjǐng ràng wǒ lìkè xiǎngqǐle zìjǐ de tóngnián.

この情景はすぐ私に自分の子ども時代を思い起こさせました。

看到有老人上车，他连忙站起来让座。
Kàndào yǒu lǎorén shàng chē, tā liánmáng zhànqǐlai ràngzuò.

お年寄りが乗車するのを見て、彼は急いで立ちあがり席を譲りました。

我不小心碰了他，连忙说了三个"对不起"。
Wǒ bù xiǎoxīn pèngle tā, liánmáng shuōle sān ge "duìbuqǐ".

私はうっかり彼にぶつかってしまい、あわてて3回「すみません」と言いました。

他临时有事，来不了了。
Tā línshí yǒu shì, láibuliǎo le.

彼は臨時の用事があって、来られなくなりました。

这是我办的临时身份证。
Zhè shì wǒ bàn de línshí shēnfènzhèng.

これは私が手続きをした臨時の身分証です。

1211		
	陆续 lùxù	副 続々と

1212		
	难怪 nánguài	副 なるほど、道理で

1213		
	宁可 nìngkě	副 むしろ、たとえ コロ "与其~，宁可…" ～するよりは、…する "宁可~，也不[也要]…" ～しても、…しない[…する]

1214		
	悄悄 qiāoqiāo	副 こっそりと、音を立てずに

1215		
	亲自 qīnzì	副 自ら、直々に

1216		
	轻易 qīngyì	副 安易に、軽率に

会议快开始了，代表们已经陆续到达。 Huìyì kuài kāishǐ le, dàibiǎomen yǐjīng lùxù dàodá.	会議がまもなく始まるので、代表たちはすでに続々と到着しています。
对这些问题，我们陆续开展了调查。 Duì zhèxiē wèntí, wǒmen lùxù kāizhǎnle diàochá.	これらの問題について、私たちは続々と調査を展開しました。
难怪她这么高兴，原来是要结婚了。 Nánguài tā zhème gāoxìng, yuánlái shì yào jiéhūnle.	なるほど、彼女がこんなに喜んでいるのは、結婚するからなのですね。
难怪他这么开心，原来汉语水平考试过了六级。 Nánguài tā zhème kāixīn, yuánlái Hànyǔ shuǐpíng kǎoshì guòle liù jí.	なるほど、彼はこんなに喜んでいるのはHSK6級に合格したからです。
与其这么傻等着，我宁可亲自跑一趟。 Yǔqí zhème shǎ děngzhe, wǒ nìngkě qīnzì pǎo yí tàng.	こんなにボーっとして待つよりは、自ら行ってみたほうがいいです。
我宁可不睡觉，也要把这个电影看完。 Wǒ nìngkě bú shuìjiào, yě yào bǎ zhège diànyǐng kàn wán.	私はたとえ寝なくても、この映画を観終えなければなりません。
老师悄悄地推开门走进来。 Lǎoshī qiāoqiāo de tuī kāi mén zǒujìnlai.	先生はこっそりとドアを開けて入ってきました。
他悄悄地送给她一个礼物。 Tā qiāoqiāo de sòng gěi tā yí ge lǐwù.	彼はこっそりと彼女にプレゼントを贈りました。
校长亲自到机场来接我们了。 Xiàozhǎng qīnzì dào jīchǎng lái jiē wǒmen le.	校長先生は自ら空港へ私たちを出迎えに来ました。
你要是不相信，可以亲自去问他。 Nǐ yàoshi bù xiāngxìn, kěyǐ qīnzì qù wèn tā.	信じないなら、自分で彼に聞いてください。
你们多了解一些，就不会轻易上当了。 Nǐmen duō liǎojiě yìxiē, jiù bú huì qīngyì shàngdàng le.	あなたたちはもっと物事を知りなさい、そうすれば簡単にだまされることはありません。
我们要坚持这个原则，不能轻易放弃。 Wǒmen yào jiānchí zhège yuánzé, bùnéng qīngyì fàngqì.	私たちはこの原則を守らなければならず、簡単に諦めることはできません。

指定語句

名詞

動詞

ほか

作文対策語句

副詞

1217		
	始终 shǐzhōng	副 ずっと、一貫して

1218		
	说不定 shuōbudìng	副 はっきりと言えない、かもしれない

1219		
	似乎 sìhū	副 ～みたいだ、～のようだ

1220		
	随时 suíshí	副 いつでも、随時

1221		
	随手 suíshǒu	副 ひょいと、手当たり次第に

1222		
	通常 tōngcháng	副 いつも、通常 形 普通の、通常の

第9周 / 第2天

指定語句

名詞

動詞

ほか

作文対策語句

副詞

在我的奋斗过程中，妻子始终支持着我。
Zài wǒ de fèndòu guòchéng zhōng, qīzi shǐzhōng zhīchízhe wǒ.

努力している過程の中で、妻は終始私のことを応援してくれています。

我始终相信，只要坚持就能胜利。
Wǒ shǐzhōng xiāngxìn, zhǐyào jiānchí jiù néng shènglì.

頑張りさえすれば、必ず成功すると一貫して信じています。

这天气说不定要下雨。
Zhè tiānqì shuō bu dìng yào xià yǔ.

このような天気だったら、雨が降るかもしれません。

我说不定下个月就回国了。
Wǒ shuō bu dìng xià ge yuè jiù huíguóle.

来月帰国することができるかもしれません。

他似乎听懂了我的意思。
Tā sìhū tīng dǒngle wǒ de yìsi.

彼は私の言ったことが分かったようです。

房间里很安静，我似乎能听见呼吸的声音。
Fángjiānli hěn ānjìng, wǒ sìhū néng tīngjiàn hūxī de shēngyīn.

部屋がとても静かで、呼吸する音が聞こえるかのようです。

有什么问题，你可以随时问。
Yǒu shénme wèntí, nǐ kěyǐ suíshí wèn.

何か質問がありましたら、いつでも聞いてください。

我们已经做好了准备，随时可以出发。
Wǒmen yǐjīng zuò hǎole zhǔnbèi, suíshí kěyǐ chūfā.

私たちはもう準備ができましたので、いつでも出発できます。

他弯下腰，随手捡起了那个钱包。
Tā wānxià yāo, suíshǒu jiǎnqǐle nàge qiánbāo.

彼は腰をかがめて、その財布をひょいと拾い上げました。

他躺在床上，随手打开了电视机。
Tā tǎngzài chuáng shang, suíshǒu dǎkāile diànshìjī.

彼はベッドに横になって、ひょいとテレビをつけました。

我通常去门口那个理发店理发。
Wǒ tōngcháng qù ménkǒu nàge lǐfà diàn lǐfà.

私はいつも出入口のあの理髪店で散髪します。

他通常七点钟到学校。
Tā tōngcháng qī diǎnzhōng dào xuéxiào.

彼は通常7時に学校に着きます。

1223

未必

wèibì

副 必ずしも～とは限らない

1224

勿

wù

副 ～しない、～してはならない

解説 書き言葉で、多く立て札などに用いる

1225

相当

xiāngdāng

副 かなり、相当に　動 相当する
形 ふさわしい

1226

幸亏

xìngkuī

副 幸いにも

1227

一旦

yídàn

副 一旦、ひとまず

1228

一律

yílǜ

副 例外なく、一律

指定語句
名詞
動詞
ほか
作文対策語句
副詞

这个答案未必正确。

Zhège dá'àn wèibì zhèngquè.

この答えが必ずしも正しいとは限りません。

他未必会同意你的看法。

Tā wèibì huì tóngyì nǐ de kànfǎ.

彼は必ずしもあなたの考えに賛成するとは限りません。

门上挂着"请勿入内"的牌子。

Mén shang guàzhe "qǐng wù rù nèi" de páizi.

「立ち入り禁止」という看板がドアに掛かっています。

图书馆内请勿大声讲话。

Túshūguǎn nèi qǐng wù dàshēng jiǎnghuà.

図書館の中では大声で話さないでください。

那个商店的东西相当贵，我买不起。

Nàge shāngdiàn de dōngxi xiāngdāng guì, wǒ mǎibuqǐ.

あの店の品物はかなり高いので、買えません。

他的文化程度相当于初中水平。

Tā de wénhuà chéngdù xiāngdāngyú chūzhōng shuǐpíng.

彼の教養水準は中学校レベルに当たります。

幸亏这病发现得早，要是晚了就治不好了。

Xìngkuī zhè bìng fāxiànde zǎo, yàoshi wǎnle jiù zhìbuhǎo le.

幸いなことに、この病気は発見が早かったです。もし遅かったら、治すことができませんでした。

幸亏我带了电话，否则我们就联系不上了。

Xìngkuī wǒ dàile diànhuà, fǒuzé wǒmen jiù liánxìbushàng le.

幸い私は携帯を持っています、そうでないと、私たちは連絡が取れなくなります。

我一旦得到消息，会马上告诉你。

Wǒ yídàn dédào xiāoxi, huì mǎshàng gàosu nǐ.

情報を一旦手に入れたら、すぐに伝えますよ。

一旦掌握了这种技术，生产效率就会提高两倍。

Yídàn zhǎngwòle zhè zhǒng jìshù, shēngchǎn xiàolǜ jiù huì tígāo liǎng bèi.

一旦この技術を身につけたら、生産効率が3倍になるでしょう。

这次活动要求男生一律穿西服。

Zhè cì huódòng yāoqiú nánshēng yílǜ chuān xīfú.

このイベントでは男性は例外なくスーツ着用を求められています。

未经登记，一律不许入内。

Wèi jīng dēngjì, yílǜ bùxǔ rùnèi.

登録なしでは、例外なく入場できません。

1229	一再 yízài	副 繰り返し、再三
1230	依然 yīrán	副 依然、やはり
1231	再三 zàisān	副 再三、幾度となく
1232	照常 zhàocháng	副 平常通り、いつものように
1233	至今 zhìjīn	副 いまなお、現在でも
1234	逐步 zhúbù	副 一歩一歩、少しずつ

第9周 / 第3天

指定語句 名詞 動詞 ほか 作文対策語句 副詞

老师一再告诉我们，要注意安全。 Lǎoshī yízài gàosu wǒmen, yào zhùyì ānquán.	先生は私たちに安全に注意を払うよう繰り返し言いました。
在我们的一再要求下，经理终于同意了。 Zài wǒmen de yízài yāoqiú xià, jīnglǐ zhōngyú tóngyì le.	私たちが再三再四要求したおかげで、マネージャーはとうとう同意しました。
我讲了半天，他依然听不懂。 Wǒ jiǎngle bàntiān, tā yīrán tīngbudǒng.	長時間説明しているのに、彼はやはり分かりません。
大家都下班了，只有老王依然在工作。 Dàjiā dōu xiàbān le, zhǐyǒu lǎo Wáng yīrán zài gōngzuò.	みな退勤しましたが、王さんだけまだ仕事をしています。
经过再三考虑，我决定明年到中国留学。 Jīngguò zàisān kǎolǜ, wǒ juédìng míngnián dào Zhōngguó liúxué.	再三検討し、来年中国へ留学に行くことに決めました。
经过老师再三解释，同学们才明白了这个问题。 Jīngguò lǎoshī zàisān jiěshì, tóngxuémen cái míngbaile zhège wèntí.	先生の再三の説明によって、クラスメートたちはやっとこの問題を理解しました。
我们现在的生活照常，没受什么影响。 Wǒmen xiànzài de shēnghuó zhàocháng, méi shòu shénme yǐngxiǎng.	私たちの今の生活はいつも通りで、何も影響はありません。
医院周末还照常开门，方便人们看病。 Yīyuàn zhōumò hái zhàocháng kāimén, fāngbiàn rénmen kànbìng.	病院は週末でもいつもどおり開いていて、診察を受ける人にとても便利です。
这件事我们没告诉他，所以他至今还不知道。 Zhè jiàn shì wǒmen méi gàosu tā, suǒyǐ tā zhìjīn hái bù zhīdào.	このことを私たちは彼に知らせなかったので、彼は今でも知りません。
他毕业两年了，至今还没找到工作。 Tā bìyè liǎng nián le, zhìjīn hái méi zhǎodào gōngzuò.	彼は卒業して2年になりましたが、まだ仕事が見つかりません。
他正在逐步实施自己的旅行计划。 Tā zhèngzài zhúbù shíshī zìjǐ de lǚxíng jìhuà.	彼は今まさに、自分の旅行計画を一歩一歩実行している最中です。
你们的生活条件一定会逐步改善的。 Nǐmen de shēnghuó tiáojiàn yídìng huì zhúbù gǎishàn de.	あなたたちの生活環境はきっと少しずつ改善されるはずです。

1235		
	逐渐 zhújiàn	副 しだいに、だんだんと
1236	**总共** zǒnggòng	副 全部で、すべて合わせて
1237	**总算** zǒngsuàn	副 ようやく、どうにかこうにか
1238	**册** cè	量 冊
1239	**滴** dī	量 滴、しずく　動 (液体を) たらす
1240	**顶** dǐng	量 帽子やテントなどを数える 名 てっぺん、頂

在交往中，他们逐渐了解了对方。
Zài jiāowǎng zhōng, tāmen zhújiàn liǎojiěle duìfāng.

交流の中で、彼らはだんだんとお互いを理解していきました。

天气逐渐暖和起来了。
Tiānqì zhújiàn nuǎnhuoqilai le.

天気はしだいに暖かくなってきています。

昨天去图书大厦，他总共买了 15 本书。
Zuótiān qù túshū dàshà, tā zǒnggòng mǎile 15 běn shū.

昨日図書ビルに行って、彼は全部で15冊の本を買いました。

这些东西总共要多少钱?
Zhèxiē dōngxi zǒnggòng yào duōshao qián?

これらのものは全部でいくらですか？

这件事总算解决了，我轻松了很多。
Zhè jiàn shì zǒngsuàn jiějué le, wǒ qīngsōngle hěn duō.

本件がようやく解決して、だいぶ気が楽になりました。

不管怎么说，我们总算有了点儿成绩。
Bùguǎn zěnme shuō, wǒmen zǒngsuàn yǒule diǎnr chéngjì.

なんと言おうが、私たちはどうにか多少の成果をあげました。

他藏书已经达到了三千多册。
Tā cángshū yǐjīng dádàole sānqiān duō cè.

彼の蔵書はすでに3000冊余りになりました。

这套书我们只学了第一册。
Zhè tào shū wǒmen zhǐ xuéle dì yī cè.

これらのシリーズ本のうち、私たちは第1冊目のみ勉強しました。

杯子里一滴水也没有了。
Bēizi li yì dī shuǐ yě méiyǒu le.

コップには一滴の水もなくなりました。

眼睛累了，滴点儿眼药水吧。
Yǎnjing lèi le, dī diǎnr yǎnyàoshuǐ ba.

目が疲れたので、目薬をさしましょう。

他戴着一顶帽子。
Tā dàizhe yì dǐng màozi.

彼は帽子をかぶっています。

他们已经爬到山顶了。
Tāmen yǐjīng pádào shāndǐng le.

彼らはすでに山頂まで登り切りました。

指定語句

名詞 | 動詞 | ほか

作文対策語句

副詞・量詞

1241		
	吨 dūn	量（重量単位）トン
1242	**顿** dùn	量 食事・叱咤などの回数を数える
1243	**朵** duǒ	量 花・雲などの数を数える
1244	**幅** fú	量 図や絵を数える
1245	**根** gēn	量 細長いものを数える　名 根
1246	**届** jiè	量 回、期

这辆车上装了三吨大米。 Zhè liàng chē shàng zhuāngle sān dūn dàmǐ.	この車には米が3トン積まれています。
这辆汽车可以拉十吨的东西。 Zhè liàng qìchē kěyǐ lā shí dūn de dōngxi.	この自動車は10トンのものを引くことができます。
他每天只吃两顿饭。 Tā měitiān zhǐ chī liǎng dùn fàn.	彼は1日2食しか食べません。
工作出错了，经理批评了他一顿。 Gōngzuò chūcuò le, jīnglǐ pīpíngle tā yí dùn.	仕事でミスがあったので、マネージャーは彼を叱責しました。
他给女朋友送了 99 朵花儿。 Tā gěi nǚpéngyou sòngle jiǔshíjiǔ duǒ huār.	彼は彼女に99輪の花を贈りました。
蓝天上飘着几朵白云。 Lántiān shang piāozhe jǐ duǒ báiyún.	青い空に白い雲がいくつか浮かんでいます。
我昨天买了两幅中国画儿。 Wǒ zuótiān mǎile liǎng fú Zhōngguóhuàr.	私は昨日中国画を2枚買いました。
这幅画儿是我自己画的。 Zhè fú huàr shì wǒ zìjǐ huà de.	この絵は私が自分で描いたものです。
我又多了好几根白头发。 Wǒ yòu duōle hǎojǐ gēn bái tóufa.	私はまた何本も白髪が増えました。
你去找根绳子，把这些报纸捆起来吧。 Nǐ qù zhǎo gēn shéngzi, bǎ zhèxiē bàozhǐ kǔnqilai ba.	紐を探してください、これらの新聞を縛りましょう。
这届运动会规模最大，项目最多。 Zhè jiè yùndònghuì guīmó zuì dà, xiàngmù zuì duō.	今回の運動会の規模は最大で、種目が最も多いです。
我们是一届的，都是 2009 年入学。 Wǒmen shì yí jiè de, dōu shì èrlínglíngjiǔ nián rùxué.	私たちは同期で、みんな2009年入学です。

指定語句

名詞

動詞

ほか

作文対策語句

量詞

1247	颗 kē	量 粒状のものなどを数える
1248	克 kè	量 グラム
1249	厘米 límǐ	量 センチメートル
1250	批 pī	量 群、陣、組　動 批判する、許可をする
1251	匹 pǐ	量 頭、匹
1252	片 piàn	量 面、錠

指定語句

名詞

動詞

ほか

作文対策語句

量詞

他掉了一颗牙齿。
Tā diàole yì kē yáchǐ.

彼は歯が1本抜けました。

这个礼物代表了他的一颗心。
Zhège lǐwù dàibiǎole tā de yì kē xīn.

このプレゼントは彼の心を表しています。

这个苹果重量是 250 克。
Zhège píngguǒ zhòngliàng shì èrbǎiwǔshí kè.

このリンゴの重さは250グラムです。

这条黄金项链有 50 克重。
Zhè tiáo huángjīn xiàngliàn yǒu wǔshí kè zhòng.

この金のネックレスは50グラムあります。

他身高是 180 厘米。
Tā shēngāo shì yìbǎibāshí límǐ.

彼の身長は180センチメートルです。

这个行李箱长 124 厘米。
Zhège xínglixiāng cháng yìbǎi èrshisì límǐ.

このトランクは長さが124センチメートルあります。

图书馆刚买了一批新书。
Túshūguǎn gāng mǎi le yì pī xīnshū.

図書館は1組の新刊を購入したばかりです。

你们单位申请经费的事批下来了。
Nǐmen dānwèi shēnqǐng jīngfèi de shì pī xiàlaile.

あなたたちが会社に申請した経費は承認されました。

我养过一匹马。
Wǒ yǎngguò yì pǐ mǎ.

私は馬を一頭飼ったことがあります。

我想买一匹绸子，做两床被子。
Wǒ xiǎng mǎi yì pǐ chóuzi, zuò liǎng chuáng bèizi.

絹を一匹買って、布団を2枚作りたいです。

这种药一次吃三片。
Zhè zhǒng yào yícì chī sān piàn.

この薬は一回に三錠飲みます。

东边是一片菜地。
Dōngbian shì yí piàn cài dì.

東側は一面の野菜畑です。

1253		
☐☐☐	**平方** píngfāng	量 平米、平方

1254		
☐☐☐	**群** qún	量 群れ、群、団　名 群れ

1255		
☐☐☐	**首** shǒu	量 詩歌などを数える

1256		
☐☐☐	**套** tào	量 セット　動 重ねる

1257		
☐☐☐	**项** xiàng	量 事業・制度・仕事・運動などの数 を数える

1258		
☐☐☐	**阵** zhèn	量 一定時間続く事物・現象・動作を 数える 解説 一区切りの時間を表す場合、"阵儿"となる

指定語句

名詞　動詞　ほか

作文対策語句

量詞

10 的平方是 100。
Shí de píngfāng shì yìbǎi.

10の2乗は100です。

你们家房子有多少个平方呀?
Nǐmen jiā fángzi yǒu duōshao ge píngfāng ya?

あなたたちのお家は何平米ありますか？

昨天我看见一群人在那儿说英语。
Zuótiān wǒ kànjiàn yì qún rén zài nàr shuō Yīngyǔ.

昨日、そこで英語を話している人たちを見かけました。

这里围了一群人，不知道在干什么。
Zhèli wéile yì qún rén, bù zhīdào zài gàn shénme.

ここに人の輪ができていますが、何をやっているのかわかりません。

我把这两首歌下载下来了。
Wǒ bǎ zhè liǎng shǒu gē xiàzàixialai le.

この2曲をダウンロードしました。

他一生写过 2000 多首诗。
Tā yìshēng xiěguo liǎng qiān duō shǒu shī.

彼は生涯で2,000を超える詩を書きました。

我买了一套厨房用品。
Wǒ mǎile yí tào chúfáng yòngpǐn.

キッチン用品を1セット買いました。

这件毛衣套在外面更好看。
Zhè jiàn máoyī tào zài wàimiàn gèng hǎokàn.

このセーターは一番上に着たほうがよりきれいです。

领导交给了我们一项重要的任务。
Lǐngdǎo jiāogěile wǒmen yí xiàng zhòngyào de rènwu.

リーダーは私たちに1つ重要な役目を任せてくれました。

我很喜欢打篮球这项体育运动。
Wǒ hěn xǐhuan dǎ lánqiú zhè xiàng tǐyù yùndòng.

バスケットボールというスポーツがとても好きです。

我好长一阵儿没去故宫了。
Wǒ hǎo cháng yízhènr méi qù Gùgōng le.

私は長い間故宮に行きませんでした。

刚才刮了一阵风，现在又停了。
Gāngcái guāle yí zhèn fēng, xiànzài yòu tíng le.

さっきひとしきり風が吹きましたが、今また止みました。

437

1259

支

zhī

量 歌・隊・棒状のものを数える
動 支払う、支える

関 "唱一支歌 chàng yì zhī gē" 1曲歌う

1260

组

zǔ

量 組　名 グループ

1261

不然

bùrán

接 そうでなければ

≒ "不这样，就～"

1262

除非

chúfēi

接 ～でない限り
"除非～，不(才)…" ～しなければ、…しない
解説 "才" "否则" "不然" などとともに用いることが多い

1263

此外

cǐwài

接 そのほか

1264

从而

cóng'ér

接 したがって

≒ "因此就 yīncǐ jiù"

他带领着一支少年足球队。
Tā dàilǐngzhe yì zhī shàonián zúqiúduì.

彼は1つの少年サッカーチームを引率しています。

我一会儿去银行支钱。
Wǒ yíhuìr qù yínháng zhī qián.

あとで、銀行へお金を支払いに行きます。

这组图片是我去年在长城照的。
Zhè zǔ túpiàn shì wǒ qùnián zài Chángchéng zhào de.

この写真のセットは、私が昨年万里の長城で撮ったものです。

我们六个人一个小组。
Wǒmen liù ge rén yí ge xiǎozǔ.

私たち六人で1つの小グループです。

我们得赶快出发，不然就赶不上火车了。
Wǒmen děi gǎnkuài chūfā, bùrán jiù gǎnbushàng huǒchē le.

私たちは早く出発しなければなりません。そうでなければ、電車に間に合わなくなりますよ。

幸亏有你在，不然我们肯定会迷路。
Xìngkuī yǒu nǐ zài, bùrán wǒmen kěndìng huì mílù.

あなたがいてくれたおかげです。そうでなければ私たちはきっと道に迷っていたでしょう。

除非有重要的事，他才请假。
Chúfēi yǒu zhòngyào de shì, tā cái qǐngjià.

何か重要なことがない限り、彼は休暇を取りません。

除非大家都同意，否则我们不能做决定。
Chúfēi dàjiā dōu tóngyì, fǒuzé wǒmen bù néng zuò juédìng.

みなが同意しない限り、私たちは決定することができません。

他喜欢打篮球，此外还喜欢游泳。
Tā xǐhuan dǎ lánqiú, cǐwài hái xǐhuan yóuyǒng.

彼はバスケットボールをするのが好きなほか、泳ぐのも好きです。

他喜欢爬山，此外就没什么爱好了。
Tā xǐhuan pá shān, cǐwài jiù méi shénme àihào le.

彼は山登りが好きで、そのほかには何の趣味もありません。

他们采用了新方法，从而提高了生产效率。
Tāmen cǎiyòngle xīn fāngfǎ, cóng'ér tígāole shēngchǎn xiàolǜ.

彼らは新しい方法を採用し、それによって生産効率が向上しました。

他们互相帮助，从而达到了共同提高的目的。
Tāmen hùxiāng bāngzhù, cóng'ér dádàole gòngtóng tígāo de mùdì.

彼らはお互いに助け合ったので、一緒にレベルアップするという目的に到達しました。

指定語句

名詞

動詞

ほか

作文対策語句

量詞・接続詞

1265		
	何况 hékuàng	接 まして〜なんてなおさらだ
1266	**假如** jiǎrú	接 もし〜ならば
1267	**可见** kějiàn	接 〜から…なことがわかる
1268	**哪怕** nǎpà	接 たとえ〜であっても コロ "哪怕〜，也[都]…" 〜だとしても、…する
1269	**如何** rúhé	接 どのように、いかがか
1270	**万一** wànyī	接 万が一

指定語句 名詞 動詞 ほか 作文対策語句 接続詞

开车都要一个小时，何况骑自行车呢?
Kāichē dōu yào yí ge xiǎoshí, hékuàng qí zìxíngchē ne?

車でも1時間かかるのに、ましてや自転車に乗るなんて。

他走路都很吃力，何况爬山呢?
Tā zǒulù dōu hěn chīlì, hékuàng páshān ne?

彼は歩くのですら苦労するのに、ましてや山に登るなんて。

假如我是你，一定不会这么做。
Jiǎrú wǒ shì nǐ, yídìng bú huì zhème zuò.

私があなたなら、きっとそうはしないでしょう。

假如有第二次生命，我还会跟他结婚。
Jiǎrú yǒu dì èr cì shēngmìng, wǒ hái huì gēn tā jiéhūn.

2回目の人生があるならば、また彼と結婚します。

他的成绩很好，可见他学习很努力。
Tā de chéngjì hěn hǎo, kějiàn tā xuéxí hěn nǔlì.

彼の成績がとてもよいことから、とても努力して勉強したことが分かります。

产品很快卖光了，可见很受顾客欢迎。
Chǎnpǐn hěn kuài màiguāng le, kějiàn hěn shòu gùkè huānyíng.

製品がすぐに売り切れたことから、とてもお客さんに人気なことが分かります。

哪怕遇到再大的困难，我也要坚持。
Nǎpà yù dào zài dà de kùnnan, wǒ yě yào jiānchí.

どんなに大きな困難にぶつかっても、私は頑張り抜きます。

他说得哪怕再好听，我都不会相信。
Tā shuōde nǎpà zài hǎotīng, wǒ dōu bú huì xiāngxìn.

彼がどんな調子のいいことを言っても、私は信じません。

我不清楚他是如何解决这个问题的。
Wǒ bù qīngchu tā shì rúhé jiějué zhège wèntí de.

彼がどうやってこの問題を解決したか、私ははっきり分かりません。

你来负责这个晚会，如何?
Nǐ lái fùzé zhège wǎnhuì, rúhé?

この宴会はあなたが担当してはどうですか?

快走吧，万一赶不上火车就麻烦了。
Kuàizǒu ba, wàn yī gǎnbushàng huǒchē jiù máfanle.

急ぎましょう。万が一列車に間に合わなかったら、大変ですよ。

万一回不来，你就给家里打个电话。
Wàn yī huí bu lái, nǐ jiù gěi jiālǐ dǎ ge diànhuà.

万が一帰って来られなかったら、うちに電話してください。

1271		
	要不 yàobù	接 そうでないと、～か…か

1272		
	以及 yǐjí	接 および

1273		
	因而 yīn'ér	接 それにより

1274		
	与其 yǔqí	接 というより、～より

1275		
	则 zé	接 ～すれば、～は ≒ **"就"** ～すると

1276		
	总之 zǒngzhī	接 要するに、つまり

指定語句　名詞　動詞　ほか　作文対策語句　接続詞

该走了，要不赶不上飞机了。
Gāi zǒu le, yàobù gǎnbushàng fēijī le.

もう行かなければ。そうしないと、飛行機に間に合いません。

要不你去，要不我去，你决定吧。
Yàobù nǐ qù, yàobù wǒ qù, nǐ juédìng ba.

あなたが行くか、私が行くか、あなたが決めてください。

参加比赛的有中国、美国以及日本的运动员。
Cānjiā bǐsài de yǒu Zhōngguó, Měiguó yǐjí Rìběn de yùndòngyuán.

試合に参加するのは中国、アメリカ及び日本の選手たちです。

看完这篇文章以及有关评论后，我收获很大。
Kànwán zhè piān wénzhāng yǐjí yǒuguān pínglùn hòu, wǒ shōuhuò hěn dà.

この文章およびそれに関わる評論を読み終えて、いい勉強になりました。

这里风景迷人，因而吸引了很多游客。
Zhèlǐ fēngjǐng mírén, yīn'ér xīyǐnle hěn duō yóukè.

ここは風景が魅力的で、たくさんの観光客を引きつけています。

我们采用了新技术，因而提高了生产效率。
Wǒmen cǎiyòngle xīn jìshù, yīn'ér tígāole shēngchǎn xiàolǜ.

新しい技術を取り入れて、それにより生産効率を高めました。

与其去看电影，不如在家看电视。
Yǔqí qù kàn diànyǐng, bùrú zài jiā kàn diànshì.

映画を見に行くより、家でテレビを見るほうがいいです。

她的话与其说是批评，不如说是鼓励。
Tā de huà yǔqí shuō shì pīpíng, bùrú shuō shì gǔlì.

彼女の話は批判というより、励ましでした。

这个问题解决不好，则直接影响我们的工作。
Zhège wèntí jiějuébuhǎo, zé zhíjiē yǐngxiǎng wǒmen de gōngzuò.

この問題を上手く解決しないと、直接私たちの仕事に影響があります。

说起来很容易的事，做起来则很难。
Shuōqilai hěn róngyì de shì, zuòqilai zé hěn nán.

言い出すのは簡単でも、手を付けるのは難しいです。

大家又唱又跳，总之，玩儿得很高兴。
Dàjiā yòu chàng yòu tiào, zǒngzhī, wánrde hěn gāoxìng.

みな歌ったり踊ったり、要するに楽しそうに遊んでいます。

不管你怎么想，总之，我不能对别人说谎。
Bùguǎn nǐ zěnme xiǎng, zǒngzhī, wǒ bù néng duì biérén shuōhuǎng.

あなたにどう思われても、とにかく僕は人に嘘を言うことはできません。

介詞

 Track 214

1277		
☐☐☐	**朝** cháo	介 ～の方向に　動 ～に向かう
1278		
☐☐☐	**趁** chèn	介 ～を利用して
1279		
☐☐☐	**凭** píng	介 ～に頼って、～に基づいて　動 頼る
1280		
☐☐☐	**至于** zhìyú	介 (ある程度に) なる、至る
1281		
☐☐☐	**自从** zìcóng	介 ～してから
1282		
☐☐☐	**作为** zuòwéi	介 ～として、～の資格で 動 ～と見なす、～とする

这个房间是朝南的。
Zhège fángjiān shì cháo nán de.

この部屋は南向きです。

他朝大家说了声再见就离开了。
Tā cháo dàjiā shuōle shēng zàijiàn jiù líkāi le.

彼はみんなに向かってさよなら と言って去っていきました。

趁你有时间，我们去打球吧。
Chèn nǐ yǒu shíjiān, wǒmen qù dǎ qiú ba.

あなたが時間があるうちに、一 緒に球技をしに行きましょう。

趁我不注意，小偷偷了我的手机。
Chèn wǒ bú zhùyì, xiǎotōu tōule wǒ de shǒujī.

私の不注意に乗じて泥棒は私の 携帯を盗みました。

光凭我一个人，怎么也完不成这项工作。
Guāng píng wǒ yí ge rén, zěnme yě wán buchéng zhè xiàng gōngzuò.

私一人だけでは、この仕事をど うしてもやりとげることができ ません。

凭学生证买票，可以买半价票。
Píng xuéshēngzhèng mǎi piào, kěyǐ mǎi bànjià piào.

学生証をもってチケットを買う と、半額になります。

这只不过是一个练习，你至于这么紧张吗?
Zhè zhǐ búguò shì yí ge liànxí, nǐ zhìyú zhème jǐnzhāng ma?

これは単なる練習で、まさかそ んなに緊張しないでしょう。

我通知他了，至于他能不能来，就是他的事。
Wǒ tōngzhī tā le, zhìyú tā néng bu néng lái, jiù shì tā de shì le.

彼に知らせましたが、彼が来ら れるかどうかは、彼次第です。

自从离开大学后，我再也没见过他。
Zìcóng líkāi dàxué hòu, wǒ zài yě méi jiànguo tā.

大学を離れた後、二度と彼に会 いませんでした。

自从买了电脑，他就天天玩儿游戏。
Zìcóng mǎile diànnǎo, tā jiù tiāntiān wánr yóuxì.

パソコンを買ってから、彼は毎 日ゲームで遊んでいます。

作为一名公务人员，她是尽职尽责的。
Zuòwéi yì míng gōngwù rényuán, tā shì jìn zhí jìn zé de.

1人の公務員として、彼女は自 らの仕事に全力を尽くします。

我们选王教授作为教师代表参加这次会议。
Wǒmen xuǎn Wáng jiàoshòu zuòwéi jiàoshī dàibiǎo cānjiā zhè cì huìyì.

私たちは王教授を教員の代表に 選んで、この会議に参加しても らいます。

指定語句 | 名詞 | 動詞 | ほか | 作文対策語句 | 介詞

1283		
	哎 āi	嘆 意外や不満の意を表すときに発する

1284		
	唉 āi	嘆 はい、ええ 解説 承諾を表す

1285		
	哈 hā	嘆 ハハハ (笑い声) 解説 通常重ねて使用する

1286		
	嗯 ǹg	嘆 はい、うん

1287		
	彼此 bǐcǐ	代 お互い

1288		
	各自 gèzì	代 各自

哎呀，你踩到我脚上了!
Āiyā, nǐ cǎidào wǒ jiǎo shang le!

おっと、私の足を踏んでいますよ！

哎，这不是老张吗?
Āi, zhè bú shì lǎo Zhāng ma?

あれ、こちらは張さんじゃありませんか？

唉，我马上就来。
Āi, wǒ mǎshàng jiù lái.

はい、すぐに行きます。

唉，你放心吧。
Āi, nǐ fàngxīn ba.

ほら、心配しないで。

听完这个故事，她哈哈大笑起来。
Tīngwán zhège gùshi, tā hāhā dàxiàoqilai.

この話を聞き終わった後、彼女はハハハと大笑いし始めた。

哈哈，我中奖了!
Hāhā, wǒ zhòngjiǎng le!

ハハ、くじに当たったぞ。

嗯，我马上就来。
Ňg, wǒ mǎshàng jiù lái.

はい、すぐに行きます。

A：好吃吗? B：嗯，非常好吃。
A: Hǎochī ma? B: Ňg, fēicháng hǎochī.

A：美味しいですか？ B：うん、とても美味しいです。

我们彼此都很信任对方。
Wǒmen bǐcǐ dōu hěn xìnrèn duìfāng.

私たちはお互い相手を信頼しています。

大家都是同学，彼此不用客气。
Dàjiā dōu shì tóngxué, bǐcǐ búyòng kèqi.

みなさんは同級生です。お互い遠慮はいりません。

请你们各自介绍一下自己。
Qǐng nǐmen gèzì jièshào yíxià zìjǐ.

それぞれちょっと自己紹介をしてください。

他们各自提出了请假的理由。
Tāmen gèzì tíchūle qǐngjià de lǐyóu.

彼らはそれぞれ休暇を取る理由を示しました。

指定語句

名詞

動詞

ほか

作文対策語句

感嘆詞・代名詞

1289		
	某 mǒu	代 某、ある

1290		
	其余 qíyú	代 残りの、あとの

1291		
	似的 shìde	助 のようだ コロ "像[好像、仿佛] ～似的" まるで～のようだ

1292		
	所 suǒ	助 するところの　量 棟、軒

1293		
	亿 yì	数量 億

1294		
	不耐烦 bú nàifán	フ 嫌がる

指定語句｜名詞｜動詞｜ほか｜作文対策語句｜代名詞・助詞・数量詞・フレーズ

出事的时候，某某也在现场。
Chūshì de shíhòu, mǒu mǒu yě zài xiànchǎng.

事故の時、あの人も現場にいた。

这些人就喜欢谈论某某怎样、某某如何。
Zhèxiē rén jiù xǐhuān tánlùn mǒu mǒu zěnyàng, mǒu mǒu rúhé.

誰々はどうだ、誰それはどうだと語り論じるのがこの人たちは好きです。

我只认识大卫，其余的人都不认识。
Wǒ zhǐ rènshi Dàwèi, qíyú de rén dōu bú rènshi.

私はデビッドを知っているだけで、他の人のことはだれも知りません。

你只答对了两个问题，其余的都错了。
Nǐ zhǐ dáduìle liǎng ge wèntí, qíyú de dōu cuòle.

あなたは2つの問題だけ正解し、他はすべて間違えました。

她的脸红得像苹果似的。
Tā de liǎn hóng de xiàng píngguǒ shìde.

彼女は顔がリンゴのように赤いです。

他做事慢得仿佛乌龟似的。
Tā zuòshì màn de fǎngfú wūguī shìde.

彼は物事をするとき、亀のように遅いです。

你所说的情况我们会仔细核实。
Nǐ suǒ shuō de qíngkuàng wǒmen huì zǐxì héshí.

あなたの言った事態を細かく調査して確認させていただきます。

这所大学有 200 多年历史了。
Zhè suǒ dàxué yǒu èrbǎi duōnián lìshǐle.

この大学には200年余りの歴史があります。

中国有十三亿人口。
Zhōngguó yǒu shísān yì rénkǒu.

中国の人口は13億人です。

今年公司的销售额达到了一亿元。
Jīnnián gōngsī de xiāoshòu'é dádàole yí yì yuán.

今年、会社の売上高は1億元に達しました。

我问了他两个问题后，他就不耐烦了。
Wǒ wènle tā liǎng ge wèntí hòu, tā jiù bú nàifán le.

私が彼に2つの質問をすると、彼は嫌がりました。

这是你的工作，不要觉得不耐烦。
Zhè shì nǐ de gōngzuò, búyào juéde bú nàifán.

これはあなたの仕事です。面倒だと思ってはいけません。

フレーズ

 Track 217

1295		
	打交道 dǎ jiāodao	⊿ 付き合う、接触する
1296		
	打喷嚏 dǎ pēntì	⊿ くしゃみをする
1297		
	系领带 jì lǐngdài	⊿ ネクタイを締める
1298		
	名胜古迹 míngshèng gǔjì	⊿ 名所旧跡、美しい景色や由緒ある場所
1299		
	忍不住 rěnbuzhù	⊿ 耐えきれない、我慢できない
1300		
	讨价还价 tǎo jià huán jià	⊿ 価格交渉をする、駆け引きをする

指定語句 名詞 動詞 ほか 作文対策語句 フレーズ

我们经常打交道，我很了解他。
Wǒmen jīngcháng dǎ jiāodào, wǒ hěn liǎojiě tā.

しょっちゅう行き来があるので、私は彼をよく知っています。

我们从来没打过交道。
Wǒmen cónglái méi dǎguo jiāodào.

私たちはこれまで全く付き合いがありませんでした。

你老打喷嚏，是不是感冒了？
Nǐ lǎo dǎ pēntì, shì bu shì gǎnmào le?

くしゃみばかりしていますが、風邪を引いたのではないですか？

他一连打了三个喷嚏。
Tā yìlián dǎle sān ge pēntì.

彼は続けざまにくしゃみを3回した。

我不会系领带，你能教我吗？
Wǒ bú huì jì lǐngdài, nǐ néng jiāo wǒ ma?

私はネクタイを結べないので、教えてもらえますか？

我记得那天他没系领带。
Wǒ jìde nà tiān tā méi jì lǐngdài.

あの日彼はネクタイを締めていなかったのを覚えています。

北京历史悠久，名胜古迹很多。
Běijīng lìshǐ yōujiǔ, míngshèng gǔjì hěnduō.

北京は歴史が長く、名所旧跡が多いです。

西安是个古城，有很多保存较好的名胜古迹。
Xī'ān shì ge gǔchéng, yǒu hěnduō bǎocún jiào hǎo de míngshèng gǔjì.

西安は古城で、保存状態のいい名所旧跡がたくさんあります。

他实在忍不住了，就大声笑了起来。
Tā shízài rěnbuzhùle, jiù dàshēng xiàole qǐlai.

彼はどうしても我慢できず、大声で笑いだしました。

他忍不住把所有的事情都告诉了朋友。
Tā rěn bu zhù bǎ suǒyǒu de shìqing dōu gàosùle péngyou.

彼は耐えられず、あらゆることを友達に打ち明けてしまいました。

他很会讨价还价，省了不少钱。
Tā hěn huì tǎo jià huán jià, shěngle bù shǎo qián.

彼は値切り上手で、たくさんのお金を節約しています。

关于交货时间，双方还在讨价还价。
Guānyú jiāohuò shíjiān, shuāngfāng hái zài tǎo jià huán jià.

納期については、双方でまだ交渉中です。

試験にでる固有名詞と呼称（特例詞）

　シラバスでは、指定されている語句以外にも紹介されている語句があります。本ページでは、著名な映画のタイトルや曲名、地名や中国に多い人名といった、試験にでる固有名詞と呼称（特例詞）をご紹介いたします。

内容	特例詞
書籍名	《本草纲目》
書籍名	《地理概况》
書籍名	《汉书》
書籍名	《全唐诗》
書籍名	《三国志》
書籍名	《三字经》
書籍名	《史记》
書籍名	《孙子兵法》
書籍名	《围城》
書籍名	《战争与和平》
絵の名称	《清明上河图》
番組名	《交换空间》
番組名	《舌尖上的中国》
番組名	《实话实说》
観賞物	冰灯
観賞物	孔明灯
橋の名称	赵州桥
橋の名称	安济桥
建築物	安乐寺
建築物	少林寺
呼称	赵王
山の名称	衡山
時代名	北宋
時代名	春秋
時代名	东汉
時代名	明代
時代名	明清
時代名	清朝
時代名	商周
時代名	唐代

内容	特例詞
博物館名	北京故宫博物院
組織名	编辑部
組織名	国航
文字名	甲骨文
民族名	汉族
民族名	满族
料理名	川菜
料理名	满汉全席
人名	白居易
人名	精卫
人名	孔子
人名	李时珍
人名	梅兰芳
人名	诸葛亮
人名	庄子
地名	成都
地名	楚国
地名	东南亚
地名	洞庭湖
地名	非洲
地名	福建
地名	湖南
地名	四川
地名	塔克拉玛干沙漠
地名	泰山
地名	天池
地名	香港
地名	颐和园
地名	重庆

2章

作文対策語句 50

自由作文形式の問題が5級より2種登場します。自由作文で使える語句50を選定し収録したほか、2種類の自由作文の解答例を計5つ収録しています。解答例には50の語句すべてが収録されているので、例文や解答例を見て使い方もきちんと学ぶことができます。

キーワード作文：語句①

 218

1301	**为了** wèile	介 ～のために
1302	**惊喜** jīngxǐ	形 (思わぬ出来事に) 驚喜している
1303	**商场** shāngchǎng	名 ショッピングモール
1304	**作为** zuòwéi	動 みなす、とする　介 ～として
1305	**礼物** lǐwù	名 贈り物、プレゼント
1306	**周末** zhōumò	名 週末
1307	**排队** pái//duì	動 列に並ぶ
1308	**祝** zhù	動 願う、祝う コロ "祝你～" ～でありますように。
1309	**感动** gǎndòng	動 感動する、心を打たれる
1310	**泪水** lèishuǐ	名 涙

为了能通过考试，我每天都认真学习。
Wèile néng tōngguò kǎoshì, wǒ měitiān dōu rènzhēn xuéxí.

試験に合格できるように、毎日真面目に勉強しています。

男朋友突然向她求婚，让她觉得很惊喜。
Nánpéngyou tūrán xiàng tā qiúhūn, ràng tā juéde hěn jīngxǐ.

彼が突然プロポーズしたので、彼女は驚きました。

今天商场大促销，一大早就来了很多顾客。
Jīntiān shāngchǎng dà cùxiāo, yí dàzǎo jiù láile hěn duō gùkè.

今日はデパートのセールで、朝早くからたくさんのお客さんが来ました。

我把中国作为我的第二故乡。
Wǒ bǎ Zhōngguó zuòwéi wǒ de dì èr gùxiāng.

私は中国を私の第二の故郷だと思っています。

我们大家一块儿买个礼物送给他吧。
Wǒmen dàjiā yíkuàir mǎi ge lǐwù sòng gěi tā ba.

みなで彼にプレゼントを買ってあげましょう。

他们每个周末都开车去郊区玩儿。
Tāmen měi ge zhōumò dōu kāichē qù jiāoqū wánr.

彼らは毎週末郊外に車で行って遊びます。

为了买到火车票，我七点就来排队了。
Wèile mǎi dào huǒchēpiào, wǒ qīdiǎn jiù lái pái duìle.

列車の切符を買うために、私は7時に来て並びました。

祝你考上理想的大学，加油！
Zhù nǐ kǎoshàng lǐxiǎng de dàxué, jiāyóu!

あなたが理想の大学に合格できますように。頑張って！

大家都给我准备了礼物，我非常感动。
Dàjiā dōu gěi wǒ zhǔnbèile lǐwù, wǒ fēicháng gǎndòng.

みんながプレゼントを用意してくれて、とても感動しました。

想到去世的亲人，她不禁流下了泪水。
Xiǎngdào qùshì de qīnrén, tā bùjīn liúxiàle lèishuǐ.

亡くなった家族のことを思い、彼女は思わず涙を流しました。

指定語句

名詞

動詞

ほか

作文対策語句

キーワード作文∷語句①

455

キーワード作文：語句②

 Track 219

1311	就要 jiùyào	☐ まもなく、すぐに **解説** 文末に"了"を伴う
1312	起飞 qǐfēi	動 離陸する ↔ "**着陆 zhuó//lù**" 着陸する
1313	心情 xīnqíng	名 気持ち
1314	紧张 jǐnzhāng	形 緊張している、緊迫している
1315	兴奋 xīngfèn	形 興奮している、高ぶっている 動 興奮させる
1316	留学 liú//xué	動 留学する
1317	独立 dúlì	動 独り立ちする、独立する
1318	充满 chōngmǎn	動 満ちる、いっぱいになる
1319	期待 qīdài	動 期待する、待ち望む **解説** 具体的な時間・期間とともに一般的には使用しない
1320	顺利 shùnlì	形 順調である、上手くいく

第19周 / 第2天

就要放假了，你有什么打算吗?

Jiùyào fàngjiàle, nǐ yǒu shénme dǎsuàn ma?

もうすぐお休みですが、何か予定はありますか？

飞机起飞前两个小时必须到机场。

Fēijī qǐfēi qián liǎngge xiǎoshí bìxū dào jīchǎng.

飛行機が離陸する2時間前には空港に着いていなければなりません。

听完他的话，我的心情很复杂。

Tīngwán tā de huà, wǒ de xīnqíng hěn fùzá.

彼の話を聞いて、私は複雑な気持ちになりました。

面对这么多人，他显得有点儿紧张。

Miànduì zhème duō rén, tā xiǎnde yǒudiǎnr jǐnzhāng.

こんな多くの人を目の前にして、彼は少し緊張しているように見えます。

孩子们兴奋地像小鸟一样跑出去。

Háizimen xīngfèn de xiàng xiǎoniǎo yíyàng pǎochuqu.

子どもたちは興奮して、小鳥のように駆け出しました。

她打算明年去美国留学。

Tā dǎsuàn míngnián qù Měiguó liúxué.

彼女は来年米国に留学するつもりです。

他很早就开始独立生活了。

Tā hěn zǎo jiù kāishǐ dúlì shēnghuó le.

彼はとっくに独り立ちしています。

我对未来充满着信心。

Wǒ duì wèilái chōngmǎnzhe xìnxīn.

私は未来に自信が満ちています。

让我们一起期待他的表现吧。

Ràng wǒmen yìqǐ qīdài tā de biǎoxiàn ba.

彼の明日のパフォーマンスに期待しましょう。

如果顺利的话，我下周就可以签下这个合同。

Rúguǒ shùnlì de huà, wǒ xià zhōu jiù kěyǐ qiānxià zhège hétong.

うまくいけば、来週にはこの契約を結ぶことができます。

指定語句 / 名詞 / 動詞 / ほか / 作文対策語句 / キーワード作文 : 語句②

キーワード作文：解答例

5つのキーワードを使って80字の短文を作ろう！

与えられたキーワードをすべて使用して80字前後の短文を作ります。自分で書きやすいテーマをあらかじめ決めておくことが重要です。キーワード1個につき、テーマに関連する短文を1つ作りましょう。

問題

请结合下列词语（要全部使用，顺序不分先后），写一篇80字左右的短文。

下に並んでいる語句を使って（すべて使用すること。順序は問わない）、80字前後の短い文章を書きなさい。

練習1

キーワード

泪水，作为，感动，周末，排队

解答例　 220

今天是我妈妈的生日，为了给她一个惊喜，我决定去商场给她买一个蛋糕作为礼物。因为是周末，所以我排了半个小时队才买到。我还写了一张贺卡祝她生日快乐。妈妈看到我的礼物流下了感动的泪水。

Jīntiān shì wǒ māma de shēngrì, wèile gěi tā yí ge jīngxǐ, wǒ juédìng qù shāngchǎng gěi tā mǎi yí ge dàngāo zuòwéi lǐwù. Yīnwèi shì zhōumò, suǒyǐ wǒ páile bàn ge xiǎoshí duì cái mǎi dào. Wǒ hái xiěle yì zhāng hèkǎ zhù tā shēngrì kuàilè. Māma kàndào wǒ de lǐwù

指定語句　名詞　動詞　ほか　作文対策語句　キーワード作文：解答例

liúxiàle gǎndòng de lèishuǐ.

今日は母の誕生日です。彼女にサプライズをしようと、ショッピングモールに行って、プレゼントとしてケーキを買うことにしました。週末だったので、30分列に並んでようやく購入できました。私は彼女に誕生日を祝うグリーティングカードも書きました。母は私の贈り物を見て、感動の涙を流しました。

練習2

独立，期待，心情，留学，紧张

解答例　 221

飞机就要起飞了。此时此刻，我的心情又紧张又兴奋，因为我就要去北京留学了。这是我第一次离开父母独立生活，对一切都充满了期待。希望我的留学生活一切顺利！

Fēijī jiù yào qǐfēile. Cǐshí cǐkè, wǒ de xīnqíng yòu jǐnzhāng yòu xīngfèn, yīnwèi wǒ jiù yào qù Běijīng liúxuéle. Zhè shì wǒ dì yī cì líkāi fùmǔ dúlì shēnghuó, duì yíqiè dōu chōngmǎnle qīdài. Xīwàng wǒ de liúxué shēnghuó yíqiè shùnlì!

飛行機がまもなく離陸しようとしています。そのとき、北京留学に行こうとしていることに、気分は緊張していて、興奮もしていました。両親から離れて一人で暮らすのは今回が初めてで、すべてが楽しみです。留学生活がうまくいくことを願っています！

写真作文：語句①

 Track 222

1321		
	寒假 hánjià	名 冬休み 関 "暑假 shǔjià" 夏休み
1322		
	带 dài	動 携帯する、ついでに持って行く
1323		
	老家 lǎojiā	名 ふるさと
1324		
	滑雪场 huáxuěchǎng	名 スキー場 関 "滑雪 huáxuě" スキーをする
1325		
	全神贯注 quánshén guànzhù	成 全精神を傾注する、一心不乱になる
1326		
	下来 xiàlai	動 (期間が) すぎる コロ "〜下来，就…" (期間が) すぎると、すぐに…
1327		
	能 néng	助動 できる 解説 能力や条件が備わり、何かをすることができることを表す
1328		
	留 liú	動 留める、残しておく
1329		
	美好 měihǎo	形 美しい、すばらしい、輝かしい
1330		
	回忆 huíyì	動 追憶する、思い起こす

这些报告必须在寒假之前写完。

Zhèxiē bàogào bìxū zài hánjià zhīqián xiěwán.

これらのレポートは冬休みまでに書き上げなければなりません。

这些是会议必需的材料，别忘了带上。

Zhèxiē shì huìyì bìxū de cáiliào, bié wàngle dàishàng.

これらは会議に必要な資料です。忘れずに持参してください。

我要坐五个小时的长途汽车，才能到老家。

Wǒ yào zuò wǔ ge xiǎoshí de chángtú qìchē, cái néng dào lǎojiā.

故郷にたどり着くには、5時間もの長距離バスに乗らなければなりません。

这是附近最大的滑雪场。

Zhè shì fùjìn zuìdà de huáxuěchǎng.

ここは近くで一番大きいスキー場です。

写字的时候只有全神贯注才能写好。

Xiězì de shíhou zhǐyǒu quánshén guànzhù cái néng xiěhǎo.

字を書くときに全精神を集中させてはじめて、うまく書くことができます。

他昨晚吃喝玩乐，两小时下来，就花了两千。

Tā zuówǎn chīhē wánlè, liǎng xiǎoshí xiàlai, jiù huāle liǎng qiān.

昨夜彼は食べて飲んで楽しみました。2時間たつと、彼は2000元を使っていました。

美术能给人良好的艺术享受。

Měishù néng gěi rén liánghǎo de yìshù xiǎngshòu.

美術は人々に健全的な芸術の楽しみを与えることができます。

大学四年给我留下了一段珍贵的回忆。

Dàxué sì nián gěi wǒ liúxiàle yí duàn zhēnguì de huíyì.

大学四年間は私に貴重な思い出を残してくれました。

每个人都喜欢追求美好的事物。

Měi ge rén dōu xǐhuan zhuīqiú měihǎo de shìwù.

すべての人は美しいものを追求するのが好きです。

回忆起我的大学生活，我不禁感慨万分。

Huíyì qǐ wǒ de dàxué shēnghuó, wǒ bùjīn gǎnkǎi wànfēn.

大学生活を思い起こすと、感慨深く思わずにはいられません。

指定語句

名詞

動詞

ほか

作文対策語句

写真作文：語句①

写真作文：語句②

 Track 223

1331		
	庆祝 qìngzhù	動(みんなで) 祝う、慶祝する
1332		
	升职 shēng//zhí	動昇進する
1333		
	同事 tóngshì	名同僚　動同じ職場で働く
1334		
	居酒屋 jūjiǔwū	名居酒屋
1335		
	又~又 … yòu~yòu…	句～したり…したりする、～でもありまた…でもある
1336		
	幸亏 xìngkuī	副幸いにも、運よく コロ"幸亏～，不然 [否则・要不]…" 幸いにも～であったからよかったものの、そうでなければ…
1337		
	不然 bùrán	接そうでなければ、でなければ
1338		
	各自 gèzì	代各自、それぞれ
1339		
	点 diǎn	動注文する
1340		
	炸鸡 zhájī	名フライドチキン、鶏の唐揚げ

这个民族有独特的庆祝节日的方式。

Zhège mínzú yǒu dútè de qìngzhù jiérì de fāngshì.

この民族には独特の祝日の祝い方があります。

他工作非常认真，所以又升职了。

Tā gōngzuò fēicháng rènzhēn, suǒyǐ yòu shēngzhíle.

彼は仕事ぶりが非常にまじめなので、再び昇進しました。

我们几个同事经常在一起踢足球。

Wǒmen jǐ ge tóngshì jīngcháng zài yìqǐ tī zúqiú.

私たち同僚の何人かで、よく一緒にサッカーをしています。

这家居酒屋很棒，要不要一起去?

Zhè jiā jūjiǔwū hěn bàng, yào bu yào yìqǐ qù?

この居酒屋は素晴らしいです。一緒に行きませんか？

这些桃子又大又甜，尝尝吧。

Zhèxiē táozi yòu dà yòu tián, chángchang ba.

これらの桃は大きくて甘いので、食べてみてください。

幸亏你提醒我，否则我都忘了明天有考试。

Xìngkuī nǐ tíxǐng wǒ, fǒuzé wǒ dōu wàngle míngtiān yǒu kǎoshì.

あなたが知らせてくれなければ、明日テストがあることを忘れるところでした。

你最好告诉我，不然我就直接去问他。

Nǐ zuìhǎo gàosu wǒ, bùrán wǒ jiù zhíjiē qù wèn tā.

あなたが言うのが一番よいですが、そうでなければ私が彼に直接尋ねます。

大家各自准备好以后，再来这里集合。

Dàjiā gèzì zhǔnbèi hǎo yǐhòu, zài lái zhèlǐ jíhé.

みんなそれぞれ準備してから、ここに集合しましょう。

菜不用点太多，我还不是很饿。

Cài búyòng diǎn tài duō, wǒ hái búshì hěn è.

料理はあまりたくさん注文しなくてもいいです。私はまだお腹が空いていません。

请给我外带一份炸鸡。

Qǐng gěi wǒ wàidài yífèn zhájī.

フライドチキンをテイクアウトでお願いします。

指定語句 名詞 動詞 ほか 作文対策語句 写真作文：語句②

写真作文：語句③

 224

1341	例行 lìxíng	名 定例 関 "例行公事" 型どおりに行う公務
1342	轮 lún	動 順番にやる、交替でする
1343	总结 zǒngjié	動 まとめる、総括する
1344	解释 jiěshì	動 (よくわかるように) 説明する、言い訳する
1345	预先 yùxiān	副 あらかじめ、前もって
1346	制定 zhìdìng	動 制定する、定める
1347	计划 jìhuà	動 計画する 名 計画
1348	领导 lǐngdǎo	名 指導者、リーダー、上司
1349	表示 biǎoshì	動 表す、示す
1350	满意 mǎnyì	形 満足している 動 満足する、気に入る

第 19 周 / 第 4 天

每周三我们小组会召开例行会议。

Měi zhōusān wǒmen xiǎozǔ huì zhàokāi lìxíng huìyì.

每週水曜日に私たちのグループは定例会議を開催しています。

这个工作大家轮着做比较好。

Zhège gōngzuò dàjiā lúnzhe zuò bǐjiào hǎo.

この仕事はみなで順番にやったほうが比較的よいです。

每次失败后我们都要总结经验教训。

Měicì shībài hòu wǒmen dōu yào zǒngjié jīngyàn jiàoxùn.

失敗したあと私たちはいつも経験や教訓として整理する必要があります。

你再怎么解释我也不会听的。

Nǐ zài zěnme jiěshì wǒ yě búhuì tīng de.

あなたがいくら説明しても私は聞き入れません。

会议前有很多工作需要预先准备。

Huìyì qián yǒu hěn duō gōngzuò xūyào yùxiān zhǔnbèi.

会議の前にあらかじめ準備しなければならない仕事がたくさんあります。

这是我们为您特别制定的方案。

Zhè shì wǒmen wèi nín tèbié zhìdìng de fāng'àn.

これは私たちがあなたのために特別に作ったプランです。

按原先的计划，我搭乘下午五点的飞机。

Àn yuánxiān de jìhuà, wǒ dāchéng xiàwǔ wǔ diǎn de fēijī.

予定通り、午後5時の飛行機に乗ります。

这事儿我得问了领导才能答复您。

Zhè shìr wǒ děi wènle lǐngdǎo cáinéng dáfù nín.

このことは上司に聞いてからでないとお答えできません。

做错了事首先在态度上要有所表示。

Zuòcuòle shì shǒuxiān zài tàidù shang yào yǒu suǒ biǎoshì.

間違ったときはまず態度で示すべきです。

他对现在的工作非常满意，不想再换了。

Tā duì xiànzài de gōngzuò fēicháng mǎnyì, bù xiǎng zài huànle.

彼は今の仕事にとても満足しており、もう転職しようとは思っていません。

写真作文：解答例

写真に関連する80字前後の短文を書こう！

　HSK5級のもう1つの自由作文が、写真が示す状況を描写する「写真作文」です。文章に入れる要素を「だれが」・「いつ」・「どこで」・「何を」・「なぜ」・「どうした」・「どうなった」の7つから選び、文章を作りましょう。

問題

请结合这张图片写一篇80字左右的短文。

この写真に関連する80字前後の短い文章を書きなさい。

練習1

解答例 225

放寒假了，我带着孩子回老家。今天我们来滑雪场滑雪。你们看，我和孩子正在滑雪呢。孩子学得全神贯注，一天下来，就已经滑得很好了。我希望这次滑雪能给他留下一个美好的回忆。

Fàng hánjià le, wǒ dàizhe háizǐ huí lǎojiā. Jīntiān wǒmen lái huáxuěchǎng huáxuě. Nǐmen kàn, wǒ hé háizi zhèngzài huáxuě ne. Háizi xué de quánshén guànzhù, yìtiān xiàlai, jiù yǐjīng huáde hěnhǎo le. Wǒ xīwàng zhè cì huáxuě néng gěi tā liúxià yí ge měihǎo de huíyì.

冬休みになって、私は子どもたちを連れて実家に帰りました。今

日私たちはスキー場に来ています。見てください、私の子どもと私は今まさにスキーをしているんですよ。子どもたちは覚えることに無我夢中になって、1日たつと、すでにうまく滑っていました。このスキーが彼にとって良い思い出となることを私は願っています。

練習2

解答例　 Track 226

今天为了庆祝我升职，同事们请我一起去居酒屋喝酒。这家居酒屋的菜又便宜又美味。幸亏今天他们预约了，不然还得排一小时队呢。我们各自点了炸鸡和啤酒，聊了许多关于工作上的事情。

Jīntiān wèile qìngzhù wǒ shēngzhí, tóngshìmen qǐng wǒ yìqǐ qù jūjiǔwū hē jiǔ. Zhè jiā jūjiǔwū de cài yòu piányi yòu měiwèi. Xìngkuī jīntiān tāmen yùyuēle, bùrán hái děi pái yì xiǎoshí duì ne. Wǒmen gèzì diǎnle zhájī hé píjiǔ, liáole xǔduō guānyú gōngzuò shang de shìqing.

今日は私の昇進を祝うために、同僚たちが一緒に居酒屋で飲もうと誘ってくれました。この居酒屋の料理は安くて美味しいです。幸いなことに彼らは今日予約をしてくれていましたが、そうでなければ1時間並ぶ必要がありました。私たちは各自でフライドチキンとビールを注文し、仕事についてたくさんのことを話しました。

解答例 227

今天是周一，我们部门每周一早上都会开例行会议。今天轮到我在会议上作报告，我先总结了上周的工作情况，然后给大家解释了预先制定的工作计划。领导对我的报告表示非常满意。

Jīntiān shì zhōuyī, wǒmen bùmén měi zhōuyī zǎoshang dōu huì kāi lìxíng huìyì. Jīntiān lúndào wǒ zài huìyì shang zuò bàogào, wǒ xiān zǒngjiéle shàng zhōu de gōngzuò qíngkuàng, ránhòu gěi dàjiā jiěshìle yùxiān zhìdìng de gōngzuò jìhuà. Lǐngdǎo duì wǒ de bàogào biǎoshì fēicháng mǎnyì.

今日は月曜日です。私たちの部署は毎週月曜日の朝に定例会議を開いています。今日は私は会議でレポートを行う番だったので、先に先週の仕事の状況をまとめてから、事前に作成した作業計画をみなに説明しました。上司は私のレポートに非常に満足したことを表明しました。

さくいん 全語句

●日本語版監修者

楊達　Yo Tatsushi

早稲田大学文学学術院教授、中国語教育総合研究所所長。専門は中国語文法と第二言語習得の研究。NHKラジオ「レベルアップ 中国語」、NHKテレビ「中国語会話」元講師。
著作は『「NHK まいにち中国語」ワークブック CD ムック リスニング・マスター！聞けて話せる中国語』（NHK出版）、『【DVD付】動画ではじめる！ゼロからカンタン中国語 改訂版』（共著、旺文社）、「耳タン 中国語［単語］」シリーズ（学研マーケティング）など多数。

カバーデザイン	花本浩一
本文デザイン・DTP	有限会社トライアングル
イラスト	杉本智恵美
音声制作	一般財団法人 英語教育協議会
協力	古屋順子
ナレーション	呉志剛 / 于暁飛 / 李軼倫 / 都さゆり

原作：新 HSK5000 词分级词典（四～五级）
原著作者：李禄興
原著 ISBN：9787561937594
© 2014 Beijing Language and Culture University Press
All rights reserved.

新HSK5級
必ず☆でる単 スピードマスター

令和2年（2020年）6月10日　初版第1刷発行
令和5年（2023年）9月10日　　　第3刷発行

日本語版監修者　楊 達
発 行 人　福田富与
発 行 所　有限会社 Jリサーチ出版
　　　　　〒166-0002　東京都杉並区高円寺北2-29-14-705
　　　　　電　話　03-6808-8801（代）　FAX 03-5364-5310
　　　　　編集部　03-6808-8806
　　　　　https://www.jresearch.co.jp
印 刷 所　萩原印刷株式会社